JN267751

初級日本語文法と教え方のポイント

市川保子 著

スリーエーネットワーク

© 2005 by ICHIKAWA Yasuko

All rights reserved. No part of this publication may be reproduced, stored in a retrieval system, or transmitted in any form or by any means, electronic, mechanical, photocopying, recording, or otherwise, without the prior written permission of the Publisher.

Published by 3A Corporation.
Trusty Kojimachi Bldg., 2F, 4, Kojimachi 3-Chome, Chiyoda-ku, Tokyo 102-0083, Japan

ISBN978-4-88319-336-3 C0081

First published 2005
Printed in Japan

まえがき

　本書は、これから日本語を教えたいと思っている人々、日本語を教え始めた人々、また、もう一度文法を整理したいと思っている人々のための、「教える人のための文法」の解説書です。

　ことばを教える中で一番大切なことは、「その文・表現はいつ使うのか」を学習者に示すことです。

　「a.お金がない。」と「b.お金はない。」はどう違うかと質問されたとき、皆さんはどう答えますか。

　aでは「が」を、bでは「は」を使っている。aは強調を表し、bは話し手の判断を示している。否定文では「は」を使うから、aはおかしいのでは?…などなど、いろいろ説明が考えられるでしょう。

　しかし、ここで文法的な説明をしても、学習者は納得しないでしょう。

　教える人がまずしなければならないことは、これらの文がどんなときに発せられるのかを、具体的に思いめぐらすということです。

　例えば、レストランで食事をして、さあ、お金を払おうとしたとき、財布の中をのぞいたら…「お金がない。」。こういう場合は「お金はない。」は使いません。

　一方、友達にお金を貸してほしいと言われて、貸すお金がないときは、「ごめんなさい。お金はありません。」となるでしょう。

　その文・表現をどういう状況・文脈で使うのか、それを示すことが「教える」ということなのです。

　では、このことと文法は、どうかかわってくるのでしょうか。

　もし、あなたがここで、「が」という助詞に、「何かを発見して、それを人に報告する働きがある」ということを知っていれば、学習者に一言言ってあげることができるはずです。

　「は」は否定文に使われるのではないかと思い込んでいる学習者にも、そうではないと言うことができるはずです。

本書は、初級日本語文法の説明にとどまらず、その文・表現を「いつ、どう使うのか」を取り上げるよう心がけています。また、「教えることとは何か」が見えてくるように、工夫を重ねました。

　本書を通して、日本語の教え方とともに、文法の面白さ、楽しさを味わっていただければ、嬉しく思います。

　最後に、数多くの有意義な助言をくださった編集者佐野智子さん、山本磨己子さん、素敵なイラストを描いてくださった向井直子さん、その他、本書の出版にかかわってくださった、すべてのスリーエーネットワークの皆様に心より感謝申し上げます。

2005年2月　市川保子

本書の使い方

1．全体の構成について

本書は日本語教育の初級レベルで扱われる文法項目の中から69項目を取り上げています。初級で教えられる項目はほとんど網羅されていると言えます。

一般の初級教科書に沿って並べてありますが、どの項目からでも始めることができます。

文法項目の順序は次のようです。

基本的な文・語の形　　　　　　（1.～は～です ⇔ 11.指示語（こ・そ・あ・ど））
　　　↓
話し手の気持ちを表す表現　　　（12.～（よ）う・～（よ）うと思う ⇔ 32.ムード（モダリティ））
　　　↓
時にかかわる表現　　　　　　　（33.～ている ⇔ 40.テンス・アスペクト）
　　　↓
ヴォイス・待遇表現などにかかわる表現　（41.意志動詞・無意志動詞 ⇔ 48.敬語）
　　　↓
複文（従属節を持つ文）　　　　（49.～と思う ⇔ 69.～のに）

各文法項目どうしの関連については、適宜、参照（⇒　）が入っていますので、参照してください。

2．各文法項目の構成について

各文法項目は次の部分から構成されています。
1)「会話文」
　　その文法項目を使った短い会話文です。自然な会話の流れの中から、項目がどのように使われているかをつかんでください。
2)「学習者はどこが難しいか。よく出る質問。」
　　その項目について、学習者がよくする質問、また、学習者が困難に感じる点を箇条書きで取り上げています。これらについては「説明」で説明されてい

ます。
3)「学習者の誤用の例」
　学習者の実際の誤りの例です。最初に誤用文を、矢印のあとに訂正文をかかげました。誤用の部分に網掛けをしてあります。訂正文は一例を示したもので、文によっては別の形で訂正することもできます。
4)「説明」
　その文法項目についての意味と用法の説明です。
5)「指導法あれこれ」
　その項目をどう教えるかの具体的な例が示されています。項目によって次のようなバリエーションがあります。
　　(1) 具体的な教え方の例
　　(2) 練習のさせ方、練習問題など
　　(3) その項目についての補足説明
　　(4) その他の注意点など
6)「指導ポイント」
　その項目の意味用法を短く箇条書きにまとめたものです。「説明」で解説されたポイントが短く取り上げてあるので、自分自身の整理やまとめにお使いください。

目次

まえがき …………………………………………… 003
本書の使い方 ……………………………………… 005

1	～は～です ……………………………………… 010
2	～の～ …………………………………………… 015
3	動詞文 …………………………………………… 020
4	格助詞 …………………………………………… 026
5	存在文 …………………………………………… 034
6	い形容詞・な形容詞1 …………………………… 040
7	い形容詞・な形容詞2 …………………………… 045
8	動詞の活用 ……………………………………… 050
9	動詞のテ形 ……………………………………… 056
10	比較 ……………………………………………… 062
11	指示語(こ・そ・あ・ど) ………………………… 067
12	～(よ)う・～(よ)うと思う ……………………… 074
13	～つもりだ ……………………………………… 079
14	～たい …………………………………………… 085
15	～ほしい・～てほしい ………………………… 090
16	～てください …………………………………… 095
17	～ましょう・～ませんか ……………………… 100
18	～(た)ほうがいい・～てもいい・～たらいい … 105
19	～なければならない・～なければいけない … 111
20	～だろう・～かもしれない …………………… 117
21	～そうだ(様態) ………………………………… 123
22	～ようだ(～みたいだ) ………………………… 131
23	～らしい ………………………………………… 138
24	～そうだ(伝聞) ………………………………… 144

25	〜の（ん）だ	149
26	〜はずだ	154
27	〜わけだ	161
28	「は」と「が」	169
29	〜は〜が文	178
30	取り立て助詞「も・だけ・しか」	183
31	終助詞「か・ね・よ」	189
32	ムード（モダリティ）	194
33	〜ている	205
34	〜てある・〜ておく	211
35	〜てくる・〜ていく	218
36	〜てしまう	223
37	〜てみる	228
38	〜ところだ・〜（た）ばかりだ	233
39	「〜ことにする・〜ことになる」「〜ようにする・〜ようになる」	238
40	テンス・アスペクト	244
41	意志動詞・無意志動詞	251
42	他動詞・自動詞	257
43	受身	265
44	可能・〜ことができる	271
45	もののやりもらい（授受）	279
46	動作のやりもらい（授受）	286
47	使役・使役やりもらい・使役受身	293
48	敬語	299
49	〜と思う	309
50	〜と言う	315
51	〜という〜	322
52	疑問引用節	327
53	名詞節「〜こと・〜の」	332

54	名詞修飾節	340
55	〜から	347
56	〜ので	354
57	〜ために・〜ように	360
58	〜が・〜けれども	366
59	〜て	373
60	〜たり	379
61	〜し	384
62	〜前に・〜あとで・〜てから	388
63	〜とき	395
64	〜たら	401
65	〜と	408
66	〜ば	414
67	〜なら	423
68	〜ても	430
69	〜のに	436

参考文献 ……………………………………………444
主要初級教科書との対応表 ………………………448
索引 …………………………………………………454

1

～は～です

A：王です。上海から来ました。
B：私は本田です。どうぞよろしく。
　　王さん、ご専門は何ですか。
A：情報工学です。

学習者はどこが難しいか。よく出る質問。

1．「私は本田です」の「は」はどんな意味か。
2．「私は本田です」の「です」はどんな意味か。
3．いつも「私は」「私は」と言ってしまう。
4．「です」の否定の形「じゃありません」「ではありません」が難しい。

学習者の誤用の例

1．私留学生です。→私は留学生です。
2．私はタイ人。→私はタイ人です。
3．これは本ですではありません。→これは本ではありません。

説 明

● 「名詞1は名詞2です」

 (1) 私は王です。
 (2) 専門は情報工学です。

「名詞1は名詞2です」は、「名詞1」を共通の話題（主題・トピック）として取り上げ、それについて「名詞2です」で説明を加える文（名詞文）です。「専門は情報工学です」では、「専門」について「情報工学だ」と説明しているということになります。
　名詞というのは、「私」「王」「専門」「情報工学」のように、人・もの・事柄の名前を表したり指し示したりする語で、文法的には、単独で文の主語（⇒ 4 格助詞）になることができる語です。
　「名詞1は名詞2です」文は、内容的に見れば、「名詞1 ＝ 名詞2」（専門＝情報工学）ということになります。
　「は」は名詞のうしろについて、その名詞をその文の主題（トピック）にする助詞です。「です」は「名詞1 ＝ 名詞2」の「＝（イコール）」を表し、英語のbeに当たります。
　一昔前までは、「名詞1は名詞2です」の文は「これは本です」から導入されることが多かったです。しかし、日本語教育にコミュニケーションが重視されるようになると、「これは本です」という文はいつ使うのか、だれもがわかっていることをわざわざ「これは本です」と言うのはおかしいと言われるようになりました。
　最近では多くの教科書が、冒頭の会話のように、自己紹介を第1課の中に組み込ませています。

● 「です」の活用

「です」は次のように活用します。日本語の「時」は「非過去」（未来・現在）と「過去」に分けられます。（非過去・過去については「3 動詞文」を見てください。）

	非過去	過去
丁寧	学生です 学生じゃ／ではないです 学生じゃ／ではありません	学生でした 学生じゃ／ではなかったです 学生じゃ／ではありませんでした

　日本語の文体は大きく「普通体」と「丁寧体」に分かれます。「(名詞)です」の普通体は次のようです。(文体については、「3 動詞文」を見てください。)

	非過去	過去
普通	学生だ 学生じゃ／ではない	学生だった 学生じゃ／ではなかった

　「名詞1は名詞2です」の疑問文(質問文)は文のうしろに「か」を付けるだけです。日本語では、英語などのように、疑問文で語順は変わりません。
　「です」の否定形が「じゃありません」「ではありません」と長いので、学習者はなかなかうまく言えません。「じゃ」は「では」よりくだけた形ですが、「ありません」が丁寧なので、丁寧体でも使われます。

● 「名詞1は」の省略

　「名詞1は名詞2です」の文で次に問題になるのが「名詞1は」の省略です。(1)はしばしば(3)のように「私は」が省略されます。

　　(3)　王です。どうぞよろしく。

　日本語の助詞「は」にはいくつかの働きがありますが、基本的には「は」の前に来る語(「私は」の場合は「私」)を取り立てる、ほかと比べる(対比と言います)働きがあります。ですから、「私は」「私は」を連発すると、「あなたではない、ほかの人ではない私」という、時に自己主張の強い意味合いが出てきます。
　もちろん、「名詞1は名詞2です」文では「名詞1は」を省略できないこともありますが、自己紹介では「私は」は省略したほうがいいことが多いです。

指導法あれこれ

　学習者がうまく日本語で自己紹介できることは日本人とコミュニケーションができる第一歩です。学習者は嬉々として自己紹介の文を覚え、練習したがるでしょう。
　「～は～です」は文の形としては難しくないので、文法的な説明は一切せず、自己紹介の練習だけをして、実際の場で自己紹介させるのも、効果的なよい方法です。
　学校なら、ほかの先生や、事務の方々、食堂の方々などに、仕事場まで赴いて、自己紹介させてください。その場合、相手の仕事の邪魔にならないように、短時間で切り上げるようにして、実際の場での練習をさせてください。
　学習者は、日常のいろいろな場面できちんと、礼儀正しく、はっきりと自己紹介しなければならないことが多いです。相手がはっきり聞き取れるように、自分の名前をゆっくり発音するように指導してください。また、どの程度お辞儀をしたほうがいいのか、そのとき目はどこを見るのか、相手との距離はどの程度あけるのかも説明し、練習させてください。
　ある学習者が、顔を上げたまま深々とお辞儀をしていました。何度やってもそうなので、理由を聞くと、自分の国では、挨拶するときには相手の目を見ることが礼儀だからと言っていました。握手ならそれでいいですが、お辞儀をするときは日本では目を伏せるので、顔を上げたままのお辞儀はあまり勧められません。
　また、ポケットに手を突っ込んだまま自己紹介する学習者も多いので注意させてください。手の位置は、男性は体に沿わせ、女性は軽く前に持ってくるのがいいでしょう。
　相手との距離は、国によっては、日本人から見れば近づき過ぎるぐらいのところもあるので、お互いがお辞儀しても少し間があいているぐらいの適切な距離を教えてあげてください。
　「私は」の省略については、なかなか省略できない学習者には、一度全部「私は」を言わないで文を言わせてみてください。全部言わないところから、ここでは「私は」を言ったほうがいいということを考えさせるのもおもしろい方法だと思います。
　「名詞1は名詞2です」の練習で、教師が質問するとき、さりげなく「名詞1は」

を省いて質問を続けるようにするのも、自然に主題の省略に慣れさせるよい方法だと思います。例えば次のようにです。

　　　教師：リーさんは留学生ですか。
　　　リー：はい、そうです。
　　　教師：どこの大学ですか。
　　　リー：〇〇大学です。
　　　教師：何学部ですか。
　　　リー：工学部です。

　学習者には、相手に対して「あなた」を使わないで、「リーさんは留学生ですか」のように、相手の名前を呼ぶように指導してください。また、相手の名前がわからないときは、「名詞1は」を省略して、例えば、「どなたですか」「どちらからいらっしゃいましたか」のように、うしろの文だけを言うようにすればいいでしょう。

指導ポイント

1. 「私は」は「は」が付くことで自分を取り立てることになり、時に押し付けがましく聞こえる。「私は」を連発させないこと。
2. 「じゃ／ではありません」は長い文章なのでなかなか言えない。何度も口頭練習をさせること。
3. 習い始めのころは「は」や「です」が脱落しやすいので、文型にのっとってよく口慣らしさせること。
4. 疑問文「〜ですか」では、「ですか」全体ではなく、「か」のみを上昇させればいいことに注意させること。また、「か」を強く発音しないようにさせること。

2
〜の〜

A：はじめまして。中国の王です。
B：こちらこそ。○○大学の本田です。
A：本田さん、こちらは友達のアンさんです。
B：ああ、アンさんですか。本田です。

学習者はどこが難しいか。よく出る質問。

1. 「名詞1＋の＋名詞2」で、修飾するもの（名詞1）が前に、されるもの（名詞2）がうしろに来るという語順が難しい。
2. 「名詞1＋の＋名詞2」の意味が多岐にわたるので、わかりにくい。
3. 特に「友達の王さん」のような同格（友達＝王さん）の「の」が難しい。
4. 「名詞1＋の＋名詞2」が文中のどこに来るかによって、ほかの助詞との関係がわかりにくい。

学習者の誤用の例

1. この本は大学のフィリピンにあります。→この本はフィリピンの大学にあります。
2. 私は国のタイです。→私の国はタイです。
3. ワープロが使い方を教えてください。→ワープロの使い方を教えてください。
4. これは最近日本社会問題になっている。
　→これは最近日本の社会問題になっている。

説 明

● 「名詞1＋の＋名詞2」（私のカメラ）

　日本語には、「私の本」「ドイツの車」「家族からの手紙」などのように、「名詞1＋の」（または、「名詞1＋格助詞（で・から・へ、など）＋の」）が、うしろの名詞（名詞2）にかかっていく用法があります。

　「名詞1＋の＋名詞2」はいろいろな意味合いを持ちます。（⇒ 4 格助詞）

　　(1)　私の車・会社の車
　　(2)　ドイツの車
　　(3)　トヨタの車
　　(4)　若者の車
　　(5)　輸出用の車
　　(6)　最新型の車
　　(7)　未来の車

(1)(2)は「車」の所有・所属を、(3)は作り手を、(4)〜(7)は「車」の属性（種類・性質）を表しています。それ以外にも「の」には、「名詞1＝名詞2」の関係にある同格の用法もあります。

　　(8)　社長の寺田さん（社長＝寺田さん）
　　(9)　友達の洋子さん（友達＝洋子さん）

　「の」は「京都の東寺の近くのマンションの9階」というように同じ句の中で何度も使われることもあります。

　学習者にとって難しいのは、前の語「名詞1」がうしろの語「名詞2」を修飾する（説明する）という語順です。例えば「社長」といってもどこの社長かわからないので、「○○会社＋の」を用いて「社長」の所属を説明するわけです。ところが、学習者の母国語には、修飾する語がうしろに来て、前の語にかかるものが多いです。例えば、英語ではthe president of ○○ Companyとなります。学習者にとって語順が逆と

いうのはなかなか難しいようで、中級レベルになって「の」の使い方がわかっている人でも、突然「車のドイツ」「本の田中さん」などと言うことがあります。

　学習者にはまた、(8)(9)のように、「名詞1」と「名詞2」が同じものを指している、同格の表し方も難しいようです。この「の」は「イコール(＝)」または「である」ことを十分に理解させる必要があります。

● 「名詞1＋の」（私の）

　「これは私のカメラです」と言う代わりに「これは私のです」と「カメラ」を省略した言い方があります。話し手と聞き手の間でわかっているものなら、省略することができます。特に次のように、質問に答える文では省略されることが多いです。

　　(10)　A：それは田中さんのカメラですか。
　　　　 田中：ええ、私のです。先週買いました。

しかし、いつでも「名詞2」を省略できるかと言うとそうではありません。

　　(11) A：だれの車ですか。
　　　　 B：私のです。
　　(12) A：どこの車ですか。
　　　　 B：トヨタのです。
　　(13) A：何の本ですか。
　　　　 B：？日本語のです。

(11)のように「の」が所有を表しているときは省略できます。(12)のようにメーカーを表している場合も省略できそうです。しかし、(13)のようにもの（ここでは本）の属性（種類・性質など）を表している場合は「名詞2」は省略しにくくなります。

指導法あれこれ

　「の」の導入は普通、「これは私の本です」のように、所有を表す「の」から入ることが多いです。自分の所有物を「の」を使って説明することは、自分のものだけに学習者にはわかりやすく、「の」の定着もしやすくなります。ここで前の名詞がうしろの名詞にかかっていくことを身に付けさせてください。

　同格の「の」については、次のように自己紹介のときに練習させてください。

　　⑭　こちらは私の友達の○○さんです。
　　⑮　日本語の先生の○○先生です。

　「の」が複数に使われる場合、日本語では通常、大きいものが先に来て、だんだん小さいものへと狭められていきます。いつもそうとは限りませんが、次の⑯のような例をあげて説明するとわかりやすいようです。

　　⑯　仙台の東北大学の文学部の教室のテレビ

　「これは私のかばんです」のように文の終わりの部分（述部）に「名詞1＋の＋名詞2」が来る場合はそれほど混乱しなくても、文のはじめの部分（主部）に来ると混乱する学習者がいます。⑰⑱のような練習も数多くさせてください。

　　⑰　私の国は△△です。
　　⑱　○○さんの専門は何ですか。

指導ポイント

1. 日本語では、常に前の語がうしろの語を修飾することを、十分理解させ、繰り返し練習させること。
2. 「～の～」は意味が多肢にわたるので、あまり一度に提出しないで、段階的に導入すること。
3. 同格の「の」は、まずは自己紹介の表現（「こちらは友達の王さんです」）で導入すると理解しやすくなる。
4. 「～の～」が主語・主題になる（「私の国はインドです」など）は、混乱が起きやすいので、文の構造を理解させながら練習すること。
5. 「～の～の～の…」のように、「の」が複数回使われることも多い。一つの「の」の使い方がわかったら、「東京の新宿のデパートの6階のレストラン」のように、大きいものから小さいものにかかる例を示すとよい。
6. 所有を表す「名詞1＋の＋名詞2」（私のカメラ、図書館の本）では「名詞2」が省略できるが、「英語の本」「日本語の先生」のように属性（種類・性質）を表す「の」では省略しにくいので、注意すること。

3 動詞文

A：休みの日は何をしますか。
B：そうですね。たいてい洗濯と掃除をします。
A：忙しいですね。先週の日曜日は。
B：先週の日曜日は友達と銀座へ行きました。
A：そうですか。

学習者はどこが難しいか。よく出る質問。

1．日本語には未来形はないの?
2．助詞が「を」「に」「で」「と」などいろいろ出てくるので、覚えられない。
3．動詞も「かきます・かいます・ききます」など似た語が多く、覚えにくい。
4．教室の外では普通体をよく聞く。丁寧体と普通体のどちらを使えばいいの?

学習者の誤用の例

1．あした行きませんです。→あした行きません。
2．東京へ行きましたではありません。→東京へ行きませんでした。
3．きのう映画を見ます。→きのう映画を見ました。
4．あした彼女を会います。→あした彼女に会います。
5．毎日図書館に勉強する。→毎日図書館で勉強する。

説明

「行く」「食べる」「飲む」などの動詞を用いて動作や変化を表す文を動詞文と言います。「あした行く」「彼は会社へ行かない」「さしみを食べます」「彼女は何も飲みませんでした」のように、動詞文では動詞が中心となります。

自分の意志を伝えたいとき、また、だれが何をするか、何をしたかを話すときも、日本語では動詞文を使うことが多いです。

動詞文で重要なポイントについて、ここでは、文体の問題、ムード(モダリティ)の問題、テンス・アスペクトの問題、そして動詞がどのような語句をとるかの問題を取り上げます。

●文体

動詞文に限らず、日本語の文体にはレベルがあります。大きく分けると、「普通体(常体とも言う)」か「丁寧体(敬体とも言う)」かです。「あした行く」「彼は会社へ行かない」が普通体、「さしみを食べます」「彼女は何も飲みませんでした」が丁寧体です。普通体で用いられるform(形)が「行く・行かない・行った・行かなかった」などの普通形、丁寧体で使われるform(形)が「行きます・行きません・行きました・行きませんでした」などの丁寧形(この場合はマス形)と言われるものです。(「いらっしゃる」「お飲みになる」などの尊敬表現については敬語のところで説明します(⇒ 48 敬語)。)

「行く」を使って表にまとめると、次のようになります。

	非過去	過去
普通	行く 行かない	行った 行かなかった
丁寧	行きます 行きません	行きました 行きませんでした

●ムード（モダリティ）（⇒32 ムード（モダリティ））

ムード（モダリティとも呼ばれる。本書ではムード（モダリティ）と表す）と言うと、何か難しそうに聞こえますが、簡単に言えば「話し手の気持ち」というほどのものです。例えば「彼は毎日ジムへ行く／行きます」という文は、主語である「彼」の毎日の習慣を表しています。一方、話し手が「（私は）あしたジムへ行く／行きます」と言うとき、それは「あしたジムへ行くつもりだ」という話し手の意志、つまり、話し手の気持ちが含まれています。「（私は）あしたジムへ行かない／行きません」も否定の形ですが、話し手の気持ちが含まれているのは同じです。

自分の意志や気持ちをどう伝えるかは、学習者には決して簡単なことではありません。動詞文は動作・行為を表すだけではなく、話し手の気持ち（ムード（モダリティ））と関係してくることを覚えておいてください。

●テンスとアスペクト（⇒40 テンス・アスペクト）

テンス、アスペクトとも「時」に関係することばです。

「きのう映画を見た」「あした会社を休む」「毎日6時に起きる」のように、ある事態がいつ起きたか、また、いつ起きるかを、発話時（話し手が話した時点）を基準にして表す文法形式をテンスと呼びます。

テンスは「見た」のようにタ形をとるものと、「休む」「起きる」のように辞書形をとるものがあり、前者を「過去」、後者については未来・現在をひっくるめて「非過去」と呼びます。

一方、アスペクトというのは、「本を読んでいる」「本を読み始めた」「本を読み終わった」のように、動きや事態がどのような段階にあるかを表す形式です。「～ている」は動作の最中を、「～始める」は動作の開始を、「～終わる」は動作の終了を表します。

アスペクトを表す表現はさまざまで、「（読む・読んでいる・読んだ）ところだ」「（読んで）しまった」「（読もうと）している」「（読んだ）ばかりだ」「（読み）つつある」などがあります。

テンスとアスペクトは区別を付けにくいことがあるので、本書では、時を表す形式と

して両者をまとめて「テンス・アスペクト」として扱います。

●名詞＋格助詞　（⇒4　格助詞）

　動詞文では、動詞がどのような語句（名詞＋格助詞）をとるかが重要になります。格助詞というのは、「が・を・に・で・と」などの、動詞と名詞の関係を示す助詞です。

　次の(1)〜(3)では、動詞「行く」「飲む」「ある」が使われていますが、動詞と「名詞＋格助詞」との関係は(1)'(2)'(3)'のようになります。

(1)　ポンさんがアラスカへ友達と行く。
(2)　子供がミルクを飲む。
(3)　事務室にコンピュータがある。

(1)'　ポンさんが
　　　アラスカへ　　｝　行く／行きます
　　　友達と

(2)'　子供が
　　　ミルクを　　　｝　飲む／飲みます

(3)'　事務室に
　　　コンピュータが｝　ある／あります

指導法あれこれ

　日本語では動詞文を使うことがきわめて多いです。英語話者が、"I am Professor Kobayashi of Tokyo University."のように名詞文（「名詞＋だ／です」で終わる文）を使うときでも、日本語話者は「私は小林と申します。東京大学で教えています。」と動詞を使って言うことが多いでしょう。

　このように日本語では動詞文がよく使われるので、教える人も学習する人も、動詞文としっかり取り組んでください。

　学習者からの質問の一つに、「教室では丁寧体（デス・マス）を習うが、教室の外では日本人は普通体で話している。自分達は丁寧体と普通体のどちらを使えばい

いのか」というものがあります。

　結論から言うと、初級レベルの学習者は教室の外でも丁寧体を使ったほうが無難だと思われます。ほとんどの日本語の教科書は丁寧体から入っていますし、丁寧体・普通体の使い分けは学習者には難しいものです。日本人でも普通体を使っているときは、「きのう映画に行ったよ」「おもしろかったね」のように、普通体で言い放しにはせず「ね」「よ」「わ」などの終助詞を付けたり、口調をやわらげたりして、相手に失礼に聞こえないように工夫しているものです。それらが身に付いていない学習者が普通体を使うと、非常にぞんざいに、時に失礼に聞こえることが多いです。(⇒31 終助詞「か・ね・よ」)

　教室の中の日本語と、外の日本語の距離をできるだけ少なくするために、教科書によっては、「行くんですか」「何も食べなかったんですか」のように「普通形＋んです」を早めに導入しているものもあります。(もちろん「行きますか」と「行くんですか」は意味用法が異なる場合が多いですが。)(⇒25　～の(ん)だ)

　また、リスニング(聞き取り)教材に自然な会話を取り入れて、普通体の聞き取りに早くから慣れさせ、話すときは丁寧体を使うように指導する場合もあります。

　この普通体・丁寧体の使い分け、指導法、指導時期は難しい問題ですが、話すときは丁寧体で、しかし、普通体の聞き取りもできるという方向が、現時点では、一番よいと考えられます。

指導ポイント

1. 基本的な動詞と助詞は覚えなければしかたのない部分なので、簡単な名詞と結び付けて何度も練習し、完全に覚えさせること。
2. 基本動詞には「行きます・来ます」「書きます・聞きます」など、音がよく似ている動詞が多い。絵カードと結び付けて何度も聞かせたり言わせたりすること。
3. 最初の段階では丁寧体を、そして徐々に普通体に慣れていくという形をとるのが一般的だが、教室の外での自然な日本語に早く慣れさせるために、次の2点に注意したい。
   ①フルセンテンス(完全文　例:私はきのう友達と食堂でラーメンを食べました。)が言えるとともに、省略文(「友達と食べました。」「きのう食べました。」「きのうラーメンを食べました。」など)も言えるように練習すること。
   ②文のやりとり、質問・応答などは、できるだけ自然の速さ(ナチュラルスピード)に近づけて練習すること。(学習者は思ったより早く自然の速さに慣れていく。)

4 格助詞

A：きのうは筑波へ行きました。
B：お一人ですか。
A：いいえ、大学の友達と行きました。
B：筑波はどうでしたか。
A：筑波山に登りました。
B：疲れたでしょう。
A：ええ、でも、帰りはケーブルカーに乗りました。

学習者はどこが難しいか。よく出る質問。

1．「に」「で」「へ」「と」など格助詞がたくさんあって覚えられない。
2．どの動詞にどの格助詞が使われるかがわからない。
3．話をするとき、必要な格助詞を落としてしまう。
4．格助詞の中でも、特に、「に」と「で」の用法、使い分けが難しい。

学習者の誤用の例

1．すみませんが、パソコンの使い方が教えてください。
　→パソコンの使い方を教えてください。
2．大学卒業してから、会社に勤めた。
　→大学を卒業してから、会社に勤めた。
3．宿舎で日本人学生がいっぱい住んでいます。
　→宿舎に日本人学生がいっぱい住んでいます。

説 明

●格助詞について

　(1)　台所で子供がケーキを食べた。
　　　――――――――→

(1)のように、日本語の文は線状に並びます。しかし、実際はそれぞれの「名詞＋格助詞」(名詞句とも、補語とも呼ばれます)と動詞は次のような関係にあります。

　　　a．台所で　　｜
　　　b．子供が　　｝　食べた
　　　c．ケーキを　｜

aはケーキを食べた場所を、bはだれが食べたかという主語(動作の主体)を、cは何を食べたかという目的語を表し、a、b、cそれぞれが対等に動詞「食べる」と関係しています。
　また、これらのa、b、cは必要に応じて省略することができます。

　(2) A：子供はどこでケーキを食べましたか。
　　　B：台所で食べました。
　(3) A：子供は台所で何を食べましたか。
　　　B：ケーキを食べました。

ここに出てきた「で」「が」「を」などの、述語との関係を表す助詞を格助詞と呼びます。日本語には九つ(が、を、に、で、へ、と、から、まで、より)の格助詞があります。
　格助詞は動詞だけでなく、次のように形容詞や「名詞＋だ」との関係も表しますが、動詞と結び付くことが多いので、ここでは主に動詞との結び付きについて説明します。

(4) 彼は歴史に詳しい。

　　彼が　　┐
　　　　　　├ 詳しい
　　歴史に　┘

(5) 彼女は私と知り合いだ。

　　彼女が　┐
　　　　　　├ 知り合いだ
　　私と　　┘

　次に格助詞のいろいろな用法を見ていきます。(以下では『日本語教育のための文法用語』(2001)国立国語研究所p.32-36の分類を参考にしました。)

●格助詞のいろいろ

「が」
　1) 動作や状態の主体
　　(6)　子供が遊んでいる。
　2) 状態の対象
　　(7)　私はパンダが好きだ。

「を」
　1) 動作・作用の対象・目的
　　(8)　英語の新聞を読む。
　2) 通過の場所や経過点
　　(9)　毎朝公園を散歩している。
　　(10)　二つ目の角を曲がってください。
　3) 出発点・起点
　　(11)　部屋を出ないでください。

「に」
　1) 存在・所有の場所・位置
　　(12)　居間に大型スクリーンがある。
　　(13)　私には妹が3人いる。

2）時
　　(14)　ゆうべ10時に寝た。
3）移動の到着点
　　(15)　タクシーに乗りましょう。
　　(16)　ここに座ってもいいですか。
4）動作・作用の対象・相手
　　(17)　あした社長に会います。
　　(18)　友達にCDをあげた。
5）動作・作用の源
　　(19)　友達に絵はがきをもらった。
　　(20)　ゆうべ父親にしかられた。
6）移動の目的
　　(21)　今から買物に行きます。
7）基準
　　(22)　私のアパートは駅に近いんです。
　　(23)　1か月に1回出張がある。
8）原因・結果
　　(24)　お金に困っているんです。

「で」

1）動作・作用の場所
　　(25)　きのうあの店でラーメンを食べた。
2）手段・方法・道具・材料
　　(26)　はさみで切ってください。
　　(27)　この服は紙でできている。
3）範囲
　　(28)　私の国では漁業が盛んです。
4）限度・期限
　　(29)　1週間でできますか。

(30)　これは100円で買いました。
　5）理由・原因
　　(31)　地震で電車が止まった。

「へ」
　1）動作が向けられる方向・場所・相手
　　(32)　夏休みにハワイへ行った。
　　(33)　国の家族へ手紙を書いた。

「と」
　1）動作の相手を示し、「〜といっしょに」という意味を表す
　　(34)　今晩家族と食事をします。
　2）引用
　　(35)　彼女はきょう来ないと言っていた。
　　(36)　アラビア語は難しいと思う。
　3）例をあげて具体的に説明する
　　(37)　カタール、サウジアラビア、クウェートと、アラブ諸国がこぞって反対している。

「から」
　1）出発点・起点
　　(38)　ミーティングは午後1時から始まります。
　　(39)　アパートから学校まで1時間かかる。
　2）受け取り動作の相手・出どころ
　　(40)　小林さんから時計を借りた。
　3）物事の原因・発端
　　(41)　ちょっとした油断から失敗することが多い。
　4）判断の根拠
　　(42)　調査の結果から見て、次のようなことが言える。
　5）原料
　　(43)　しょう油は大豆から作ります。

「まで」
　1）時間・場所・物事の限度
　　⑷⑷　アパートから学校まで1時間かかる。
　　⑷⑸　バーゲンセールはあしたまでやっています。

「より」
　1）起点・出どころ
　　⑷⑹　ロシアより愛をこめて。
　2）比較
　　⑷⑺　ファックスよりメールのほうがいい。

●格助詞「に」と「で」

「に」にも「で」にも場所にかかわる用法があるため、学習者は両者を混同することがしばしばあります。特に次の3点に混同が多く見られます。

　1）存在・状態を表すときに、動作を表す「で」を使ってしまう
　　⑷⑻　？私の大学で留学生がたくさんいます。
　　⑷⑼　？今東京のアパートで住んでいます。（「学習者の誤用の例」3も同じ）
　2）帰着点を表すときに、「で」を使ってしまう
　　⑸⓪　？ここで座ってもいいですか。
　3）動作を表すときに、「に」を使ってしまう
　　⑸⑴　？ここにタバコを吸ってもいいですか。

指導法あれこれ

　日本語話者は「名詞＋格助詞」を聞いただけで、次にどんな動詞が来るかをある程度、予測することができます。「北海道へ」であれば「行く」、「北海道で」であれば何かを「する」などです。
　一方、学習者は「名詞＋格助詞」を聞いて、どのような動詞が続くかを予測することがなかなかできません。もし、学習者が次に来る動詞を予測しながら、読んだり聞いたりできれば、日本語文の理解が一段と早くなるはずです。
　少しでも学習者に予測力がつくように、次のような練習を考えてみましょう。

〈練習〉
　教師が文の前半を言い、後半を学習者に作らせます。
　　①アイスクリームを＿＿＿＿＿＿＿＿＿＿＿＿＿＿＿＿＿＿＿＿＿＿＿
　　②ナイフで＿＿＿＿＿＿＿＿＿＿＿＿＿＿＿＿＿＿＿＿＿＿＿＿＿＿＿
　　③コンビニへ＿＿＿＿＿＿＿＿＿＿＿＿＿＿＿＿＿＿＿＿＿＿＿＿＿＿
　　④コンビニで＿＿＿＿＿＿＿＿＿＿＿＿＿＿＿＿＿＿＿＿＿＿＿＿＿＿
　　⑤大学へ＿＿＿＿＿＿＿＿＿＿＿＿＿＿＿＿＿＿＿＿＿＿＿＿＿＿＿＿
　　⑥大学から＿＿＿＿＿＿＿＿＿＿＿＿＿＿＿＿＿＿＿＿＿＿＿＿＿＿＿
　　⑦友達と公園を＿＿＿＿＿＿＿＿＿＿＿＿＿＿＿＿＿＿＿＿＿＿＿＿＿
　　⑧友達と公園で＿＿＿＿＿＿＿＿＿＿＿＿＿＿＿＿＿＿＿＿＿＿＿＿＿
　　⑨友達に本を＿＿＿＿＿＿＿＿＿＿＿＿＿＿＿＿＿＿＿＿＿＿＿＿＿＿
　　⑩友達からお金を＿＿＿＿＿＿＿＿＿＿＿＿＿＿＿＿＿＿＿＿＿＿＿＿
　　⑪きのう友達とレストランへ＿＿＿＿＿＿＿＿＿＿＿＿＿＿＿＿＿＿＿
　　⑫きのう友達とレストランで＿＿＿＿＿＿＿＿＿＿＿＿＿＿＿＿＿＿＿

　「行く」「食べる」「買う」「あげる」「もらう」などの絵カードを用意して、後半を絵カードで示すこともできます。そのとき、格助詞をあまり強調して発音しないで、自然なイントネーションで文の前半を言ってください。読んだり聞いたりしたときに、そのまま頭から（語順に沿って）理解できる力を初級の段階から養っていきたいものです。

指導ポイント

1. 格助詞を正確に記憶させること。動詞と簡単な名詞とを結び付けて何度も練習させること。
2. 格助詞の定着をはかるために、助詞の小テストをしたり、授業の10分程度を使って、「きのうは何をしましたか」「どこへ行きましたか」「どこで買いましたか」などの日常の質問を繰り返しすること。
3. 「名詞＋格助詞」を聞いて、次にどんな動詞が来るかを予測させる練習も入れるとよい。
4. 助詞をあまり強調して発音させないこと。大切なのは格助詞の前に来る名詞なので、助詞は名詞に添えるように、教師も学習者も、強調せず、自然に発音すること。

5 存在文

A：あそこに女の人がいますね。
B：ええ、女の人が2人います。
A：男の人もいるでしょう。
B：男の人……。
　　男の人はどこにいますか。
A：女の人のうしろ。
B：ああ、います。
A：あの人が町内会の会長さんです。

学習者はどこが難しいか。よく出る質問。

1．「～に～があります」と「～は～にあります」の違いがわからない。
2．「が」と「は」の違いは何？
3．「日本には」「この大学には」の「は」は主題(トピック)？

学習者の誤用の例

1．A：本はどこにありますか。
　　B：机の上に本があります。→(本は)机の上にあります。
2．A：本はどこにありますか。
　　B：机の上にです。→机の上です。
3．田中さんの本がどこにありますか。→田中さんの本はどこにありますか。

説 明

●〜に〜があります／います

　ものや人の存在を表す文を存在文と言います。「ここに子供がいます」「机の上に本があります」のような文が存在文です。存在文は通常、次のような形をとります。

　　(1) a．〈場所・位置〉に　〈もの〉が　ある／あります
　　　　　例：あそこに郵便局があります。
　　　b．〈場所・位置〉に　〈人・動物〉が　いる／います
　　　　　例：公園に子供がいます。

　存在文で特徴的なのは、場所・位置のうしろに格助詞「に」が来ること、そして主語が「が」をとること、また、主語が無生物(生きていないもの)の場合、動詞は「ある」を、生物(生きているもの)の場合は、「いる」をとることです。

●〜は〜にあります／います

　(1)の文は、話し手がものや人を見つけて、それが「どこにある／いるか」を聞き手に伝えるときに使います。何か(だれか)を見つけて「あ、公園に子供がいる」「ほら、あそこに郵便局があります」と、聞き手に新しい情報を伝えるときに使われることが多いです。ところが、その「子供」や「郵便局」が話し手と聞き手の共通の話題(主題、トピック)になって、その場所や位置を伝えるときは、(2)の形をとります。

　　(2) a．〈もの〉は　〈場所・位置〉に　ある／あります
　　　　　例：郵便局はあそこにあります。
　　　b．〈人・動物〉は　〈場所・位置〉に　いる／います
　　　　　例：子供は公園にいます。

　話題になったもの、トピックが文頭に来て、(1)の「郵便局が」「子供が」が「郵便局は」「子供は」に変わります。文頭に「〜は」が来て、その次にそれについての説明・解説が来ることになります。

● 「日本には」「東京には」の「は」

　(1)の「あそこに郵便局があります」「公園に子供がいる」は何かを見つけたときの報告に使われることが多いと書きましたが、例えば、話し手が自分の国や町、大学、会社、家など、ある場所について何があるかを話したいときは、「〜には」の形が使われます。「京都には古いお寺がたくさんある」「家には犬が2匹と猫が3匹います」などの文では、「京都に」「家に」が話し手と聞き手の共通の話題（トピック）になっています。

● 量・数の表し方

　ものや人がどのくらいあるか、いるかを表すとき、日本語では次のような構文をとることが多いです。

　　　(3)　〈場所・位置〉に　〈もの・人〉が　〈量・数〉　あります／います
　　　　　例：あそこに子供が2人います。
　　　　　　　事務所にはコンピュータがたくさんあります。

学習者はtwo children, many computersのように、「2人の子供がいます」「たくさんのコンピュータがある」と言いがちですが、日本語の自然な表現の仕方として、(3)を示しておく必要があります。

● 「です」と「にあります」

　「テレビはどこにありますか」に対して「事務所にあります」と答えることができます。それを簡略化して「事務所です」と言い換えることもできます。

　　　(4) A：きょうはだれが説明しますか。
　　　　　B：私が説明します。→私です。
　　　(5) A：何を食べましょうか。
　　　　　B：私はステーキにします。Cさんは。
　　　　　C：私はシチューを食べます。→私はシチューです。

(6) A：田中さんはどこにいますか。
　　B：ロビーにいます。→ロビーです。

(6)の「ロビーです」は「ロビーにいます」のことで、「です」は「にいます」の代わりをしています。「です」の使い方は便利ですが、学習者は「ロビーにです」と「に」を付けたり、何でも「〜です」と多用する傾向にあるので注意が必要です。

●右左

　あなたが銀行の前で、銀行に向かって立っているとします。あなたから見て右隣にコンビニが、左隣に本屋があったとします。そのときあなたは次のように位置関係を述べるでしょう。

(7)　銀行の右にコンビニが、左に本屋があります。

　次に、あなたが銀行に背を向けて立って、位置関係を述べると次のようになります。

(8)　銀行の右に本屋が、左にコンビニがあります。

では、次の場合はどうでしょうか。
　写真に3人の人が写っています。真ん中があなた、右が小林さん、左が西村さんです。あなたは写真を見て、どう説明するでしょうか。「私の右が小林さん、左が西村さん」と言うでしょうか。それとも、「私の右が西村さん、左が小林さん」と言うでしょうか。
　このように右・左は相対的な位置関係しか表さず、話し手の視点をどこに置くかで変わってきます。学習者と教師で視点が異なるときがあるので注意しましょう。

指導法あれこれ

「〜に〜があります（例：教室にテレビがあります）」と「〜は〜にあります（例：テレビは教室にあります）」を習うと、学習者は「は」と「が」はどう違うのかと、疑問を持ち始めます。そして、学習者に「は」と「が」の混乱が始まります。

「教室にテレビがあります」という文から「テレビは教室にあります」という文への切り替えは、学習者にとってはわかったような、わからないような戸惑いを感じることが多いです。

「〜に〜があります／います」文の導入、「〜は〜にあります／います」文への切り替えの仕方はいろいろあると思いますが、私自身の導入の例をご紹介したいと思います。

まず、机の上に本かボールペンか、何かを置いて、学習者に机の上を見るように指示します。机の上を見て何かがあるという、単なる描写（叙述・報告・発見）の文が、

　　「机の上に本があります」（「…に…があります」）

となります。ここでは「が」は単なる主語を表す助詞です。

次に、本に注目させて、机の下に置いたり、いすの上に置いたりして、学習者に質問します。

　　「本はどこにありますか」

そして、その答え（「本はいすの上にあります」）から、「〜は〜にあります」文を導入します。ここでは、「本」はすでに話し手と聞き手の話題になっているものですから、「は」は主題（トピック）としての役割を担っているのです。

しかしながら、今述べたような導入で、学習者に「は」と「が」がわかったかというと、必ずしもそうではありません。私の経験では、次の日には多くの学習者が混乱していて、「本はどこにありますか」という私の質問に対して、「いすの上に本があります」と答えたりします。
　このことを考えると、存在文の「が」「は」の使い方は、繰り返し十分練習することが必要です。

> **指導ポイント**
>
> 1. 「～に～があります／います」文と「～は～にあります／います」文とが混同しやすいので、それぞれを分けて十分理解させること。「～が」と「～は」の使い方の違いがわかってきたら、両文を混ぜて練習するとよい。
> 2. 存在文では「は」と「が」の混乱が始まることが多いので、「は」が主題（トピック）を表すことを十分な例で示すこと。
> 3. 「にあります／います」の代わりに「です」を使うときには、「に」が残って「～にです」とならないように注意させること。
> 4. 「机の上に」「箱の中に」などの表現は、英語のon the desk, in the boxと語順が逆になるので、十分理解、練習させること。

6 い形容詞・な形容詞 1

A：新しいレストランはどうですか。
B：広くてきれいですよ。
A：料理の味はどうですか。
B：とてもおいしいです。
A：値段は。
B：値段は少し高いですね。

学習者はどこが難しいか。よく出る質問。

1．「い形容詞」と「な形容詞」の区別はどうやったらできるの?
2．日本語の形容詞は活用するの?
3．「おもしろいです」の「です」と、「元気です」の「です」は違うの?

学習者の誤用の例

1．日本語はおもしろいじゃありません。
　→日本語はおもしろくないです／おもしろくありません。
2．この本は難しいくないです。
　→この本は難しくないです／難しくありません。
3．田中さんは元気くないです。
　→田中さんは元気じゃないです／元気じゃありません。
　　　　　　　（では）　　　　　　（では）

説 明

● 「い形容詞」と「な形容詞」について

　形容詞文（述語が形容詞の文を形容詞文と呼ぶ）が学習者にうまく定着するかどうかのポイントは三つあります。

　一つ目は形容詞の単語をいかに正確に覚えさせるかということです。基本的な形容詞がうろ覚えだと、形容詞の否定形も過去形も作ることができません。絵やチャートを使ったり、また、単語テストをしたりして、基本的な形容詞を徹底的に覚えさせてください。

　二つ目のポイントは「い形容詞」と「な形容詞」の区別です。日本語の本来の形容詞は「い形容詞」で、漢語（便利、元気、近代的など）や外来語（モダン、ゴージャスなど）などを起源とするものは「な形容詞」になります。

　「い形容詞」の特徴は、「大きい」「高い」「おいしい」など、語末が「い」で終わることです。ローマ字表記の場合、「な形容詞」の中にもbenri（便利）、genki（元気）など「i」で終わっているものがありますが、「ri」「ki」のように子音と組み合わさった音節の一部ではなく、oishii、muzukashiiのように独立した音節としての「i（＝い）」で終わっているのが「い形容詞」です。（ただし、「な形容詞」のうち、kirei（きれい）、yuumei（ゆうめい）などは「i（＝い）」で終わっていますが、例外として扱います。）

　三つ目のポイントは「い形容詞」（例：おもしろいです）の「です」と、「な形容詞」（例：元気です）の「です」は文法的な役割が全く異なるということです。

　「い形容詞」文の「日本語はおもしろいです」は丁寧な言い方ですが、普通の言い方では「です」を削除して「日本語はおもしろい」になります。そして、否定形は「い」が「く」に変化して「おもしろくない」になります。丁寧な言い方は「おもしろくないです」（「おもしろくありません」という言い方もあります）です。

　「い形容詞」では形容詞そのものが、否定形になったり過去形になったり自ら活用します。丁寧文に現れる「です」は「い形容詞」の一部ではなく、単に丁寧さを添えることばでしかありません。

　一方、「な形容詞」文の「私は元気です」は丁寧な言い方ですが、普通の言い方

にするために「です」を取ってみましょう。

　「私は元気。」になります。話しことばでは「元気?」「うん、私は元気。」と言えますが、文法的には「私は元気。」は間違いです。「文法的」というのは、話しことばではなく、書きことば（書いて作文したもの）にしたときに正しいという意味です。文法的には「私は元気だ。」となります。そして、この「だ」が変化して、否定形では「元気じゃない」「元気ではない」、丁寧な形では「元気じゃありません」「元気ではありません」になります。

　このように、「な形容詞」の「です」は、「い形容詞」の「です」と違って、「な形容詞」の一部になります。（⇒ 7 い形容詞・な形容詞 2）

　「い形容詞」と「な形容詞」の活用の比較は次のようです。

	「い形容詞」	「な形容詞」
普通	おもしろい おもしろくない	元気だ 元気じゃ／ではない
丁寧	おもしろいです おもしろくないです （おもしろくありません）	元気です 元気じゃ／ではありません （元気じゃ／ではないです）

　「いい」は例外で次のように変化します。

普通	いい よくない	丁寧	いいです よくないです （よくありません）

●副詞と形容詞

　「ゆっくり（歩く）」「時々（田中さんに会う）」「とても（おいしい）」のように、動詞や形容詞の前に付いて、様子や程度を表す語を副詞と言います。形容詞は、次のように、程度を表す副詞とともに使われることが多いです。

　（1）このテストは非常に難しい。

(2) とても<u>きれい</u>ですね。
(3) きょうは<u>あまり</u>寒くないですよ。

(3)の「あまり」は常に否定文の中で用いられます。

指導法あれこれ

　たいていの教科書の形容詞がはじめて出てくる課では、一度にたくさんの形容詞が新出します。学習者にとって、その課で形容詞を覚えて、文の形も覚えて、というのは大変です。
　前もって、いくつかの形容詞に親しませておく方法として、歓迎会やパーティを利用する方法があります。
　もし、学習者を迎えるパーティがあれば、そこで積極的に学習者に話しかけてください。彼らが何かを食べようとしていたら、「おいしいですか」とか「どうですか」などと、また、パーティたけなわのころには、「パーティはおもしろいですか」「楽しいですか」などと話しかけてください。
　学習者が意味がわからなくてもかまいません。彼らはきっと聞き耳を立てて、「おいしい」や「おもしろい」ということばをキャッチするはずです。そこで英語（または、彼らの母国語）での意味を教えてあげてください。身に付くこと請け合いです。
　もし仮にそこで覚えられなくても、次に授業で形容詞を導入するとき、彼らはパーティでのことを何かしら思い出すはずです。一度でも聞いたことがあるかどうかということは定着に大きく関係します。
　授業では、パーティのときどんな形容詞を聞いたか、覚えているかを言わせたり紙に書かせたりして、授業とパーティを結び付けてください。形容詞の導入がかなりスムーズに行くはずです。
　ただし、パーティのときには、熱心さのあまり日本語の授業はしないでください。さりげなく、楽しく、覚えなくてもいいぐらいの気軽さでやってください。でないと、せっかくのパーティが学習者にとってプレッシャーになりますから。

指導ポイント

1. 形容詞は単語を覚えることがポイントとなる。絵カードなどを使って覚えさせること。また、授業中頻繁に使うことによって、音をなじませるようにすること。
2. 「い形容詞」と「な形容詞」の区別は難しいので、基本的な形容詞を両者に分けて配列し、徹底的に覚えさせること。
3. 形容詞が否定になったり過去になったりというように、活用することを理解させること。
4. 「い形容詞」の否定形を「大きいくないです」と「い」を残したり、「大きいじゃありません」と言いがちなので十分練習すること。
5. 「い形容詞」の「です」は丁寧さを添えるだけのもの、「な形容詞」の「です」は「な形容詞」の一部であることをどこかで示しておくと、活用の違いがわかりやすくなる。

7 い形容詞・な形容詞2

A：きのう、東京タワーに上ってきました。
B：どうでしたか。
A：夜景がきれいでした。
B：込んでいませんでしたか。
A：ええ、家族連れが多かったです。
　　カップルも多くて、にぎやかでした。

学習者はどこが難しいか。よく出る質問。

1. 過去のことを言うとき、形容詞を過去形にするのを忘れる。
2. 過去を表す副詞（きのう、先週、去年など）があっても、過去形を使うの？

学習者の誤用の例

1. テストは難しいかったです。→テストは難しかったです。
2. A：先週のパーティはどうでしたか。
   B：おもしろいです。→おもしろかったです。
3. 田中さんは元気かったです。→田中さんは元気だったです。

説 明

● 過去形の作り方

　形容詞の過去形の作り方は、「い形容詞」と「な形容詞」では次のように異なります。

　１．い形容詞
　「大きい」「高い」などの最後の「い」を削除して、肯定形は「〜かった」を、否定形は「〜くなかった」を付けます。丁寧形はそのうしろに「です」を付けます。(ほかに「高くありませんでした」のように「〜くありませんでした」という言い方もあります。)

　２．な形容詞
　「元気だ」「静かだ」などの活用語尾「〜だ」を「〜だった」、「〜じゃ／ではなかった」に変化させます。丁寧形は「〜だ」を「〜でした」、「〜じゃ／ではありませんでした」にします。(ほかに「〜だったです」「〜じゃ／ではなかったです」という言い方もあります。)

　「い形容詞」の過去・丁寧形では「〜かったです」「〜くなかったです」が、「な形容詞」では「〜でした」「〜じゃ／ではありませんでした」が多く使われるようです。

	い形容詞	な形容詞
普通	おもしろかった おもしろくなかった	元気だった 元気じゃ／ではなかった
丁寧	おもしろかったです おもしろくなかったです (おもしろくありませんでした)	元気でした (元気だったです) 元気じゃ／ではありませんでした (元気じゃ／ではなかったです)

「いい」は例外で次のように変化します。

| 普通 | よかった
よくなかった | 丁寧 | よかったです
よくなかったです
(よくありませんでした) |

　形容詞の過去は学習者にとってはかなり難しい文法項目です。日本語話者は、過去のことを話すときは「い形容詞」なら「～かった」「～なかった」とすればいい、何も難しいことはないと思いがちですが、「6 い形容詞・な形容詞1」で述べたように、形容詞が活用すること自体にまだ慣れていない学習者には簡単ではないようです。（⇒6 い形容詞・な形容詞1）

●いつ過去形を使うのか

　学習者の母国語によっては過去のことを述べるとき、過去を表す「きのう」「去年」などの語があれば、また、文脈上混乱がなければ、動詞や形容詞を過去形にしない言語もあります。（中国語やタイ語などアジアの孤立語の言語に多く見られます。）そのような母国語を持つ学習者は、日本語でも必要なときに過去形にすることを忘れてしまうことが多いようです。

　また、行為や動作を述べる場合は、いつ過去形にするか（そのことが終わったか終わっていないか）はそれほど難しくありませんが、形容詞のように時間とあまり関係のない状態について述べる場合は、ついテンス（時制）を忘れがちになります。

　一方、会話の中でよく「あー、よかった。」や「無事でよかった、よかった。」というように、現在の状態・状況を表しているのに過去形「よかった」を使うことがあります。これは過去にいいことがあって「よかった」と言っているのではなく、現時点での話し手のほっとした気持ちを表しています。ここでは、過去を表す「た」が、話し手の気持ちを表しています。（⇒40 テンス・アスペクト）

指導法あれこれ

　「い形容詞」の過去形の活用語尾「〜かった」「〜くなかった」は学習者にとって非常に発音しにくいものです。授業中、ちょっと横道にそれて「軽い」の過去形を言わせてみましょう。「軽かった」ですね。たぶん学習者の1人が「おー、カルカッタ*！」と言うにちがいありません。もうこれで「〜かった」が印象付けられましたね。

　では、次に「あたたかい」の過去形を言わせてください。先生であるあなた自身も発音してみてください。「あたたた…」になること請け合いです。先生が間違うのですから、学習者はほっとして俄然興味を示し始めます。クラス中から「あたたた…」「あたたた…」という声が聞こえてくるはずです。これで、少なくとも「い形容詞」の過去形には「かった」を付けること、そして「軽かった」「あたたかかった」は覚えることでしょう。

　次に、形容詞の過去形を適切に使えるようにするための練習ですが、授業の10分ぐらいを使って「きのうどこへ行きましたか。」「朝、何を食べましたか。」「テレビを見ましたか。」など学習者の身近なことを聞いてください。そして、すかさず「テレビはどうでしたか。」「コーヒーはおいしかったですか。」「○○はおもしろかったですか。」と尋ねてください。

　これを毎日やるのです。授業へのウォーミングアップのように、少し内容を変えて、学習者の身近なことを尋ねてください。これは形容詞の練習だけではなく、学習者にとって自分のことが話せる楽しい会話の時間になります。そのとき、そっと形容詞の過去形を忍ばせておくのです。何日か後には、学習者のほうから友達に、また、先生に質問し始めます。「先生、きのうどこへ行きましたか。」「先生、パーティは楽しかったですか。」と。

　＊「カルカッタ」は正式には「コルカタ」と呼ばれています。

指導ポイント

1. 「おいしい」の過去形を「おいしいかった」、「おいしくない」を「おいしくないかった」、または、「おいしいくないかった」と、「い」を残しやすいので、注意すること。
2. 「い形容詞」と「な形容詞」の過去形の違いを対比的に見せるようにすること。下線を使ったり、図で囲んだりして明示的に示すとよい。
3. 過去形にするのを忘れる誤り(「〜かった」「〜だった」が使えない)が多いので、注意すること。
4. 形容詞の過去形がなかなか使えないときは、授業の10分程度を使って、「きのうは何をしましたか」「楽しかったですか」「おいしかったですか」「どうでしたか」などと質問して、なじませること。

8 動詞の活用

> 来る・来ない・来た・来なかった
> 来て・来たら・来れば・来よう・来い

学習者はどこが難しいか。よく出る質問。

1. どうやって動詞のグループ分けをすればいいか。
2. 五段／Ⅰグループ動詞の活用が覚えられない。
3. 特に、ナイ形が正しくできない。
4. 可能形、受身形、使役形など、活用の種類が多くて混乱する。

学習者の誤用の例

1. 辞書形「話する」「持ちる」→「話す」「持つ」
2. ナイ形「飲みない」「見らない」→「飲まない」「見ない」
3. タ形「置きた」「見った」「来った」→「置いた」「見た」「来た」
4. ナカッタ形「来(き)なかった」「待ちゃなかった」
   →「来(こ)なかった」「待たなかった」

説明

● 動詞の活用について

　動詞の活用については数多くの呼び名があります。しかし、その考え方の基本は二つに分かれると言えます。一つは、日本語の動詞の活用を、国語文法にもとづいた考え方で教えようというもの、もう一つは、外国人学習者（特に英語圏、または、英語のよくわかる外国人）にわかりやすい形で、ローマ字を使って指導しようとするものです。

　前者は「五段（活用）・一段（活用）」などの名前を使い、後者は「-u verb・-eru/-iru verb」「consonant verb・vowel verb（子音語幹動詞・母音語幹動詞）」などの名前を用います。「Iグループ・IIグループ・IIIグループ」「グループI・グループII・グループIII」という呼び方も後者の考え方にもとづいています。

1.「五段（活用）・一段（活用）」の場合

　これは基本的には日本の学校教育で教えられている国語文法にもとづいています。国語文法では「行く」という五段動詞は五十音の通り「かきくけこ」（行かない、行きます、行く、行くとき、行けば、行こう）と活用すると習います。外国人に指導するときには、変化する部分が五十音にのっとって、規則的に変化することを理解させるようにします。ここで五十音図の意味が生きてくるわけです。

　国語文法で言う、上一段（見る、など）・下一段（食べる、など）は日本語教育では区別せず、「一段」と呼びます。また、「カ変・サ変活用」（来る・する）と呼んでいたものは「その他」や「不規則動詞」と呼ぶことが多いようです。

2.「consonant verb・vowel verb」「-u verb・-eru/-iru verb」などの場合

　「行く」「食べる・見る」をローマ字で表すと、それぞれ、iku、taberu/miruになります。ikuを語幹（活用しない部分）と語尾（活用する部分）とに分解すると、ik-u、miru/taberuはtabe-ru/mi-ruになります。語尾に注目してik-uを「-u verb」、tabe-ru/mi-ruを「-ru verb」、または、「-eru/-iru verb」と呼びます。kuru/suruについ

ては、「irregular verb」と呼ぶことが多いようです。

　ここでは、「-u verb」の場合、語幹ikのうしろが-u、-anai、-ebaと変化すると説明し、「-u」が付けば辞書形、「-anai」はナイ形、「-eba」は条件形として、学習者は部分を覚えれば、活用形が覚えられることになります。

　「-eru/-iru verb」では語幹tabe/miに-ru、-nai、-rebaなどが付きます。

　この分類にのっとって、Ⅰグループ・Ⅱグループ・Ⅲグループ（または、グループⅠ・グループⅡ・グループⅢ）という呼び方を使っている教科書も多いです。

　1、2の活用名の対応は次のようになります。

　　五段動詞＝consonant verb＝-u verb＝Ⅰグループ動詞
　　一段動詞＝vowel verb＝-ru verb＝Ⅱグループ動詞
　　不規則動詞＝irregular verb＝Ⅲグループ動詞

　上の1、2どちらの考え方がいいかは、対象である学習者によって異なるでしょう。

　五十音がしっかり頭に入っている（入りつつある）学習者には、五段動詞の活用部分を五十音図と関連づけて指導することができて非常に便利です。一方、ローマ字表記に頼る学習者には、語尾の変化-anai、-ebaなどを頭に浮かべながら活用させると、整理して覚えやすいでしょう。

　日本語教育では、動詞や形容詞、「名詞＋だ」の各活用形はそれぞれが意味を有するという考えに立ちます。例えば、「行く」の否定形「行かない」は、「行く」の未然形「行か」＋「ない」のように切って考えるのではなく、「行かない」をナイ形として立てるという考え方をします。

　実際の活用形は次のようです。

	五段 Iグループ	一段 IIグループ	不規則 IIIグループ	
マス形(連用形)	行きます	食べます	来(き)ます	します
辞書形	行く	食べる	来(く)る	する
ナイ形	行かない	食べない	来(こ)ない	しない
バ形(条件形)	行けば	食べれば	来(く)れば	すれば
命令形	行け	食べろ	来(こ)い	しろ
(ヨ)ウ形(意向形)	行こう	食べよう	来(こ)よう	しよう
テ形	行って	食べて	来(き)て	して
タ形	行った	食べた	来(き)た	した
タラ形	行ったら	食べたら	来(き)たら	したら
タリ形	行ったり	食べたり	来(き)たり	したり

指導法あれこれ

　学習者にとって難しいのは、どの動詞が五段／Iグループで、どの動詞が一段／IIグループかという動詞の分類の仕方です。次は辞書形からグループを見出す方法です。
　適当な動詞を用いて、このフローチャートが役に立つかどうか試してみてください。(このフローチャートは『日本語教育のための文法用語』国立国語研究所(2001)より一部借用したものです。)

辞書形による動詞グループ分けフローチャート

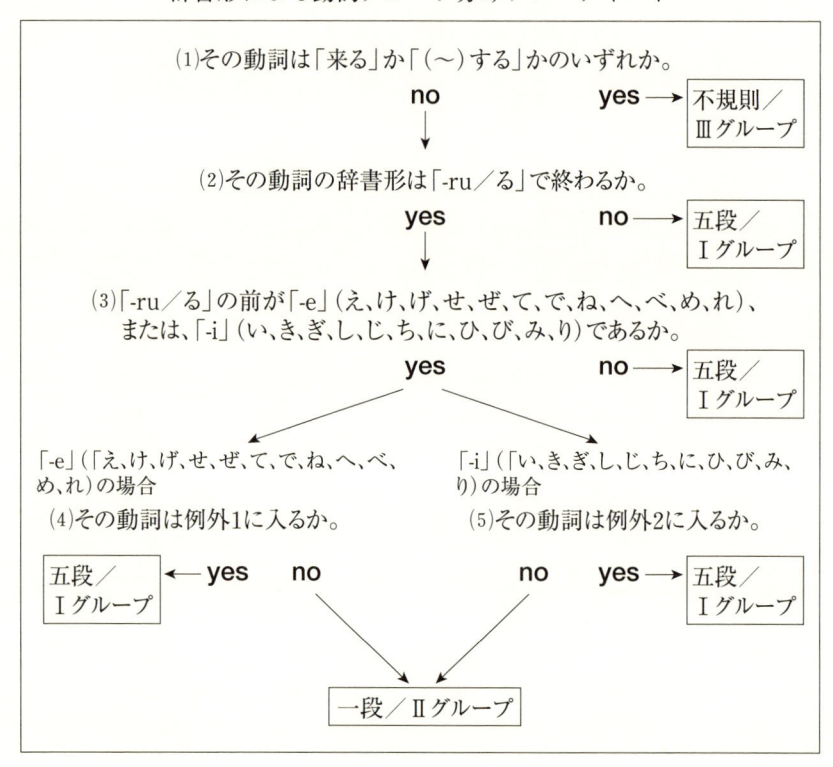

(1) その動詞は「来る」か「(〜)する」かのいずれか。
　　no ↓　　yes → 不規則／Ⅲグループ

(2) その動詞の辞書形は「-ru／る」で終わるか。
　　yes ↓　　no → 五段／Ⅰグループ

(3) 「-ru／る」の前が「-e」(え、け、げ、せ、ぜ、て、で、ね、へ、べ、め、れ)、または、「-i」(い、き、ぎ、し、じ、ち、に、ひ、び、み、り)であるか。
　　yes ↓　　no → 五段／Ⅰグループ

「-e」(「え、け、げ、せ、ぜ、て、で、ね、へ、べ、め、れ」)の場合
(4) その動詞は例外1に入るか。
　五段／Ⅰグループ ← yes　no

「-i」(「い、き、ぎ、し、じ、ち、に、ひ、び、み、り」)の場合
(5) その動詞は例外2に入るか。
　no　yes → 五段／Ⅰグループ

→ 一段／Ⅱグループ

例外1 (「-e」をとるが、Ⅰグループ)
あせる、帰る、蹴る、しげる、しゃべる、滑る、すり減る、照る、練る、ひねる、減る、など

例外2 (「-i」をとるが、Ⅰグループ)
要る、打ち切る、限る、かじる、切る、区切る、知る、散る、握る、ねじる、入る、走る、参る、混じる、横切る、など

漢字圏の学習者には、動詞の辞書形で「-iru」をとるものについて、次のような「漢字＋る」を基準にする見分け方もあります。

　　「る」の前にすぐ漢字が来る動詞（切る、入る、知る、など）
　　　　→Ⅰグループ動詞
　　「る」の前にひらがなが来る動詞（降りる、借りる、飽きるなど）
　　　　→Ⅱグループ動詞
　　例外:見る、着る、似る、煮る、など

指導ポイント

1. 動詞のグループ分けができる前提として、基本的な動詞（すでに習った動詞）を正確に徹底的に暗記させておくこと。
2. 動詞の活用の導入は、基本的には、不規則／Ⅲグループ（来る・する）→一段／Ⅱグループ→五段／Ⅰグループの順にすると比較的混乱が少ない。
3. 辞書形、ナイ形が導入されたら、しばらくは既習の動詞の活用を毎日繰り返し、暗唱させるとよい。
4. また、新しい動詞については、それが出てくるたびに活用を言わせること。グループ分けも言わせるとよい。

9 動詞のテ形

```
会う  →  会って
見る  →  見て
来る  →  来て
```

学習者はどこが難しいか。よく出る質問。

1. 五段／Iグループ動詞では「会う」「使う」「言う」「吸う」などの動詞のテ形ができない。「会いて」「使いて」「言いて」「吸いて」のように「って」が「いて」になりやすい。
2. 一段／IIグループ動詞では、「見る」「いる」「着る」などの「る」の前が1音の動詞が難しい。「見って」「いって」「着って」のように「っ」が入ってしまう。
3. よく似た音のテ形（「来て・着て・切って」「いて・行って・言って」「かえて・帰って」など）が多いので、区別が付きにくい。

学習者の誤用の例

1. 「飲みて」「読みて」→「飲んで」「読んで」
2. 「急んで」「泳んで」→「急いで」「泳いで」
3. 「会いて」「使いて」「言いて」「吸いて」
   →「会って」「使って」「言って」「吸って」
4. 「見って」「いって」「着って」→「見て」「いて」「着て」

説 明

●テ形の意味

「行って」「食べて」「来て」などのテ形は、単なる活用の一つの形で、そのものに意味はありません。テ形はいろいろな表現と結び付いて、はじめて意味のあるものになります。テ形と結び付いた文法形式については「指導法あれこれ」に示しておきました。

●動詞のテ形の作り方について

1. テ形導入の考え方

動詞のテ形をどう指導するかについては、大きく二つの考え方があります。一つは、テ形を導入するとき、マス形から入るという考え方、もう一つは辞書形から入るという考え方です。

教科書では「丁寧体」から入っているものが多いです。学習者が習ってすぐ使えるようにという配慮からです。

「丁寧体」では動詞はマス形から入ります。そして、すぐにいろいろな活用形を習うのですが、一番はじめに導入されるのがテ形です。「～てください」「～ています」「～て、～て…」「～てもいいです」「～てから」と、テ形の使用範囲は広いです。そこで行われる議論が、マス形からテ形を導入したほうがいいのか、それとも、動詞の基本形である辞書形からテ形を導入したほうがいいのかということです。両者を比較すると、次のようになります。

　　a．マス形から導入　行きます→行って→(のちに辞書形「行く」導入)
　　b．辞書形から導入　行きます→辞書形「行く」→行って

aの利点は、学習者にとって、マス形からテ形を作るほうが簡単だということです。ほとんどの動詞が「ます」の代わりに「て」を付けるとテ形ができます。(「話します→話して」「来ます→来て」のように。)「行きます」「飲みます」なども、「行きます→行きて→行って」「飲みます→飲みて→飲んで」と考えれば、覚えやすくなります。

逆にaの難点は、マス形からテ形を導入するということは、マス形を中心に置くということになり、辞書形（行く、飲む、話す、来る、など）の習得が遅れるのではないか、また、ほかの活用形を作るときに支障が起こるのではないかという心配があることです。たとえば、ナイ形を作るとき、マス形から作ると、「行きます→行かない」「飲みます→飲まない」となって、「丁寧形」と「普通形」が交錯する結果にもなり、かえって混乱を起こしやすくなります。

一方、bの難点は、せっかくマス形を覚えたのに、すぐに辞書形を、そして、テ形を覚えなければならないという大変さにあります。そして、マス形とテ形に比べて、辞書形とテ形のほうが形の上での関連付けが弱いので、覚えにくいという問題もあります。

bの利点は、辞書形を覚えるのは大変だけれど、いったん覚えると、辞書形は動詞の基本なので、いろいろな面で便利だし、発展性があるという点です。日本語の辞書を引くことができる、辞書形からほかの活用形が作りやすいということなどです。

aを選ぶか、bを選ぶかは学習者の目的によって変わってきますし、使用する教科書によっても異なってきます。しかし、もし、学習者が日本語を長期に、また、本格的に勉強したい場合は、bのほうが発展性があると思われます。

2．テ形の作り方の実際

五段／Ⅰグループ動詞のテ形は複雑なので、一段／Ⅱグループ動詞から入ったほうが導入しやすいようです。一段／ⅡグループからⅢグループへ、そして最後に五段／Ⅰグループへ行ってみましょう。

一段／Ⅱグループ動詞は、辞書形の「ru／る」を削除して「te／て」を付ければ、テ形ができます。「食べる→食べて」「見る→見て」「いる→いて」のようです。

Ⅲグループは不規則動詞で、「来る」「する」の二つだけです。学習者には二つしかないことを強調して覚えさせてください。ただし、「する」には、名詞と結び付いて「勉強する」「準備する」「テニスする」となるスル動詞も含まれます。また、「来る」は漢字で書くと「来」と同じ字を書いても読み方が異なりますから、注意してください。

不規則／Ⅲグループ動詞「する→して」「来（く）る→来（き）て」は、理屈抜きに覚えさせてください。

五段／Ⅰグループ動詞は辞書形の語尾によって、①〜④の四つのグループに分かれます。これも、覚えるくらいまで、何度も繰り返し唱えさせることが必要です。
　辞書形からテ形を作る場合をローマ字とひらがなで示します。

五段／Ⅰグループ動詞
① k-u, g-u（く、ぐ）→ ite, ide（いて、いで）

　　　k-u → ite　　　　　　　　　く → いて
　　　　kak-u　　　kaite　　　　　書く　　　書いて
　　　g-u → ide　　　　　　　　　ぐ → いで
　　　　nug-u　　　nuide　　　　　脱ぐ　　　脱いで
　　（「ik-u／行く」は例外で「itte／行って」となります。）

② m-u, b-u, n-u（む、ぶ、ぬ）→ nde（んで）

　　　m-u → nde　　　　　　　　　む → んで
　　　　nom-u　　　nonde　　　　　飲む　　　飲んで
　　　b-u → nde　　　　　　　　　ぶ → んで
　　　　asob-u　　　asonde　　　　遊ぶ　　　遊んで
　　　n-u → nde　　　　　　　　　ぬ → んで
　　　　shin-u　　　shinde　　　　死ぬ　　　死んで

③ r-u, ts-u, (w)-u（る、つ、う）→ tte（って）

　　　r-u → tte　　　　　　　　　る → って
　　　　tor-u　　　totte　　　　　とる　　　とって
　　　ts-u → tte　　　　　　　　　つ → って
　　　　mats-u　　　matte　　　　　待つ　　　待って
　　　(w)-u → tte　　　　　　　　　う → って
　　　　a(w)-u　　　atte　　　　　会う　　　会って

④ s-u（す）→ shite（して）

　　　s-u → shite　　　　　　　　す → して
　　　　hanas-u　　　hanashite　　話す　　　話して

指導法あれこれ

　テ形は、それ自体意味を持ちませんが、ほかの語と結び付いて種々の意味用法を持ちます。それらについて、本書のどこに説明があるかを示しておきます。参考にしてください。

1）やりもらい（授受）関係
　　〜てあげる、〜てもらう、〜てくれる、〜てさしあげる、〜ていただく、〜てくださる、（以上、⇒46 動作のやりもらい（授受））、〜てください（⇒16 〜てください）

2）状態
　　〜ている（⇒33 〜ている）、〜てある（⇒34 〜てある・〜ておく）

3）動作の継続
　　〜ている（⇒33 〜ている）

4）完了・未完了
　　〜ている（⇒33 〜ている）、〜てしまう（⇒36 〜てしまう）、〜ていない（⇒33 〜ている、40 テンス・アスペクト）

5）文の中で従属節として
　　理由〜て、付帯状況〜て、並列・対比〜て、継起〜て（以上、⇒59 〜て）〜てから（⇒62 〜前に・〜あとで・〜てから）、仮定（譲歩）〜ても（⇒68 〜ても）

6）変化・移動
　　〜てくる、〜ていく（⇒35 〜てくる・〜ていく）

7）許可
　　〜てもいい（⇒18 〜（た）ほうがいい・〜てもいい・〜たらいい）

8）願望
　　〜てほしい、〜てもらいたい（⇒15 〜ほしい・〜てほしい）

9）準備
　　〜ておく（⇒34 〜てある・〜ておく）

10) 試み

　　〜てみる（⇒37　〜てみる）

> **指導ポイント**
>
> 1．テ形の作り方を説明したあとは、動詞（すでに習った動詞・基本的な動詞）を徹底的に暗記させること。
> 2．新しい動詞が出てくるたびに、いつもテ形を言わせること。グループ分けも言わせるといい。
> 3．五段／Iグループの「ーう」（会う、言う、使う、など）、一段／IIグループでは「-iru」（見る、いる、着る、など）のテ形が正しく作れないので、十分練習すること。
> 4．テ形を唱えさせるばかりでなく、教師が「〜てください」や「〜て〜て」などを頻繁に使って、なじませること。

10 比較

A：コンビニとスーパーと どちらが便利ですか。
B：コンビニは24時間やって いるから、コンビニのほうが 便利ですよ。
A：値段はどちらが安いですか。
B：そりゃスーパーですよ。スーパー のほうがずっと安いです。

学習者はどこが難しいか。よく出る質問。

1. 日本語には比較級や最上級はないの?
2. 二者を比較する「どちら(が)」がなかなか使えない。
3. 「何が一番好きですか」「どれが一番好きですか」では「何」と「どれ」はどう違うの?
4. 「東京のほうが大きいです」の「ほう」の意味は?

学習者の誤用の例

1. A：サッカーと野球とどちらがおもしろいですか。
   B：サッカーは野球よりおもしろいです。
   　　→サッカーのほうがおもしろいです。
2. 日本語と英語とどれが難しいですか。
   →日本語と英語とどちらが難しいですか。
3. りんごとバナナとみかんと、何が一番好きですか。
   →りんごとバナナとみかんと、どれが一番好きですか。

説明

● 日本語の比較表現

　日本語には、英語の形容詞のように、比較級（例：bigger）、最上級（例：biggest）というものはありません。格助詞「より」「が」と、名詞「ほう」を組み合わせて、比較表現を作ります。

　　（1）　東京は大阪より大きいです。

　これは「東京」について「大阪」より大きいことを述べた文です。これに「ほう」「が」が付いたものが(2)です。

　　（2）　東京のほうが大阪より大きいです。

(2)は「東京」と「大阪」を比べて、「東京」をより大きいと選択した文です。「ほう」は方面という意味ですが、二つのものを比べて一方を選択する「こっちのほう」という意味があります。選択されたものには「が」が使われます。(2)は語順を変えて(3)のようにもなります。

　　（3）　大阪より東京のほうが大きいです。

　疑問文では、二つのものの比較は次のように「どちら」を使います。「どちら」はもの、人、場所など何に対しても使われます。

　　（4）　東京と大阪とどちらが大きいですか。

「どちら」のうしろに「ほうが」を付けて、次のようにすることもできます。

　　（5）　東京と大阪とどちらのほうが大きいですか。

(5)に対する答えは、「大阪より」を略して、次のようになります。

　　（6）　東京のほうが大きいです。（東京です。）

●三つ以上の比較

三つ以上のものの中での選択は次のようになります。

　(7)　東京が(日本で)一番大きいです。

三つ以上の比較の疑問文では、「もの」に対しては「どれ」、人には「だれ」、場所は「どこ」、時間には「いつ」などが使われます。

　(8)　地球と太陽と月と、どれが一番重いですか。
　(9)　リーさんとポンさんとチョンさん(と)では、だれが一番若いですか。
　(10)　京都と札幌と仙台の中で、どこが一番静かですか。

比較するものの列挙の仕方は(8)～(10)のように「～と～と～と、…」「～と～と～(と)では、…」「～と～と～の中で、…」などいくつかの言い方があります。
　また、「～と～と～と」と列挙しないで次のように「～の中で」を使うこともあります。

　(11)　3人の中でだれが一番ひまですか。

このとき、ものに対する質問は「どれ」を使わず「何(なに)」を使うのが普通です。

　(12)　果物の中で何が一番好きですか。

「どれ」は「これ」「それ」「あれ」というように、具体的に指定されたものの中から選ぶときに使われます。一方、「何」は具体的に指定されていない全体の中から選ぶときに用いられます。

●比較文の中に現れる「～は～が文」

比較文には、「～は～が文」が現れることが多いです。(⇒29　～は～が文)

　(13) A：東京と大阪とどちらのほうが人口が多いですか。
　　　 B：東京のほうが(人口が)多いです。
　(14) A：京都と札幌と仙台の中で、どこが食べ物が一番おいしいですか。
　　　 B：仙台が一番食べ物がおいしいです。

⒀では、「東京は人口が多い」、⒁では「仙台は食べ物がおいしい」という「～は～が文」が使われています。比較文になったために、「は」が「が」に変わり、下線を付けたように「～が～が」と「が」が二つ並んでしまいます。「～が～が」となるのを気にしたり、理解できなくなる学習者もいるので、「～は～が文」であることを説明しておく必要があります。

比較の文は形容詞文だけでなく、次のように動詞文にも使われます。

⒂　今朝はリーさんとポンさんとどちらが早く来ましたか。
⒃　チョンさんが一番上手に歌が歌えます。

指導法あれこれ

比較の文を使って、形容詞の単語の再確認をしたり、「～は～が文」の練習などをすることができます。比較の文はうまく行けば、学習者の興味を引き出せる項目です。そのポイントは、何と言っても、学習者の身近な事柄を取り上げることでしょう。

「どちらが好きですか」「何が一番おもしろいですか」のように、学習者の興味を引きそうな話題から入ってください。まずは、「好きだ」「きらいだ」「いい」「おもしろい」「おいしい」などの形容詞を使ってみてください。

「東京と大阪とどちらが大きいですか」などのわかりきった質問にはあまり時間はかけないで、場所を比べるのなら学習者の住んでいる町や村、今話題になっている、または、なった場所（政治に絡んでいるものは避けたほうがいい）、人、ものなど、あまり月並みでない、しかし、実際に比較をしたくなるようなものを考えてください。

学習者はいつも興味津々で、少しぐらい知らない場所やものでも興味を示してきます。また、教師以上にいろいろのことを知っています。既成の教科書は標準的な例文しか載せていない場合が多いので、それにとらわれずに、考えてみてください。

次のような例はいかがでしょうか。

①ローソンとセブンイレブンとどちらのほうがおにぎりがおいしいですか。
②郵便局と銀行とどちらのほうが利息が高いですか。

③この近くで一番親切な病院はどこですか。

> **指導ポイント**
>
> 1. 基本的な形容詞を覚えていないと比較表現の学習は難しいので、既習の形容詞を整理、確認して思い出させること。
> 2. 疑問文では二者比較のときは常に「どちら」を、三者以上では「どれ」「だれ」「いつ」「何」があることを理解させ、練習すること。
> 3. 「どれ」は限られたものの中から、「何(なに)」は多数の中から選ぶときに使われる。
> 4. 「ほう」は方向や選択を表す。二者の比較表現として「〜のほうが…」を使うことを十分練習すること。

11 指示語（こ・そ・あ・ど）

> A：そのボタンを押して、そのレバーを倒せばいいんです。
> B：ああ、このボタンを押して、このレバーを倒せばいいんですね。
> 　　もし、動かなくなったら、どうすればいいでしょうか。
> A：そのときは、私を呼んでください。あちらの部屋にいますから。

学習者はどこが難しいか。よく出る質問。

1．母国語には「こ・あ」の対立しかないので、「そ」の使い方が難しい。
2．「これ・それ・あれ」と「この・その・あの」を混同する。
3．疑問詞の「どれ」「どんな」「どう」の使い方が難しい。
4．文脈指示の「そ」が使えない。

学習者の誤用の例

1．これ車は形がいい。→この車は形がいい。
2．ニューヨークで生まれて18年間あそこで生活しました。
　　→ニューヨークで生まれて18年間そこで生活しました。
3．リーさんの国はどんなですか。→リーさんの国はどんな国ですか。
4．A：このアパートはいくらですか。
　　B：1か月10万円です。
　　A：えっ、あんなに高いんですか。→えっ、そんなに高いんですか。

説 明

「これ・それ・あれ・どれ」「この・その・あの・どの」のようにものや人、事柄を指し示す語を指示語、指示詞、また、「こ・そ・あ・ど」と呼びます。本書では指示語という呼び方をします。

指示語は「これ・それ・あれ・どれ」「こう・そう・ああ・どう」のように代名詞や副詞として独立して使われるものと、「この（本）・その（ペン）・あの（人）・どの（車）」「あんな（人）・どんな（車）」のように名詞に接続する連体詞として使われるものに分かれます。

● 指示語について

指示語の主なものをあげると次のようです。

		こ系	そ系	あ系	ど系
代名詞		これ	それ	あれ	どれ
		こちら	そちら	あちら	どちら
		こっち	そっち	あっち	どっち
		ここ	そこ	あそこ	どこ
副詞		こう	そう	ああ	どう
		こんなに	そんなに	あんなに	どんなに
		このように	そのように	あのように	どのように
		こうやって	そうやって	ああやって	どうやって
連体詞		この〜	その〜	あの〜	どの〜
		こんな〜	そんな〜	あんな〜	どんな〜

「こ・そ・あ」は、実際の現場にあるものを指し示す「現場指示」と、文章の中や話の中で話題にのぼった事柄を指し示す「文脈指示」とに分けられます。

また、「こ・そ・あ」は、その「物事」が話し手側に属する（話し手の領域にある）か、

聞き手側に属する（聞き手の領域にある）かで使い分けられます。

●現場指示について

(1) A：これはだれのラケットですか。
　　B：それは洋子さんのです。
(2) 　ここはどこですか。

　実際にあるものを指して言う場合、原則として、話し手の近くにあるものには「こ」系、聞き手の近くにあるものは「そ」系、両者から遠く離れているものは「あ」系が使われます。

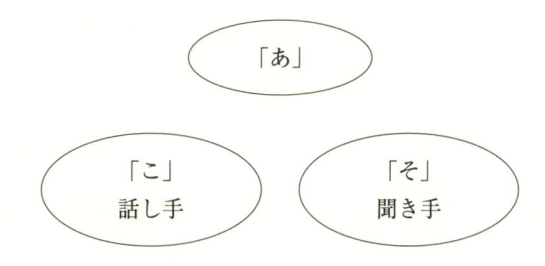

「あ」

「こ」
話し手

「そ」
聞き手

●文脈指示について

　文章や話の中に出た事柄や、記憶の中の事柄を指す場合を文脈指示と言います。文脈指示の「こ・そ・あ」の基本的な用法は次の通りです。

1．文脈指示の「こ」

1）話し手がこれから話題にしようとする事柄を指す（指すものがあとから出てくる）場合。（「そ」「あ」は使えない。）

(3) 　ねえ、この（？その？あの）話知ってる？佐藤さん結婚するんだって。

2）今出てきた（または、話し手が今出した）話題の中の事柄を指す場合。（「そ」は使えるが、「あ」は使えない。）

(4) A：今度会社を辞められるそうですね。
　　B：ええ、そうなんです。
　　　　でも、この(○その ?あの)ことは、だれにも言わないでくださいね。
(5) 人は青春時代に対してある種の感慨を持つ。これ(○それ ?あれ)は、もう二度と帰らないものだという愛惜の気持ちがあるからだろう。

「こ」と「そ」の違いは、「こ」は、その事柄がまさに自分が提供した話題であるという気持ちを表すのに対し、「そ」は、客観的な述べ方で、その話題から距離を置いている感じを与えるということです。

2．文脈指示の「そ」

1)「こ」の2)と同じで、今出てきた(または、話し手自身が今出した)事柄を指す場合。(「こ」は使えるが、「あ」は使えない。)

(6) A：今度会社を辞められるそうですね。
　　B：ええ、そうなんです。
　　　　でも、その(○この ?あの)ことは、だれにも言わないでくださいね。
(7) 人は青春時代に対してある種の感慨を持つ。それ(○これ ?あれ)は、もう二度と帰らないものだという愛惜の気持ちがあるからだろう。

2)相手が言った(話し手自身はよく知らない)内容を受ける場合。(「こ」「あ」は使えない。)

(8) A：子供のころは田舎の家によく遊びに行きました。
　　B：その(?この ?あの)家にはお祖父さんが住んでいたんですか。

また、仮定の事柄を指す場合も「そ」が使われます。

(9) A：簡単に火星へ行ければいいですね。
　　B：ええ、そう(?こう ?ああ)なったら素晴らしいですね。

3．文脈指示の「あ」(「こ」「そ」は使えない。)
1）話し手も聞き手も、ともに知っている事柄を指す。

(10) A：きのうレストランメヒコへ行ったんですよ。
B：ああ、あそこ（?ここ ?そこ）はいい店ですね。

2）記憶の中の物事を思い出しながら指す。（感情的、感傷的ニュアンスを含む。）

(11) あんな（?こんな ?そんな）ところ、二度と行くものか。
(12) 小さいときは鹿児島で過ごした。あのころ（?このころ ○そのころ）がなつかしい。

(12)では「そのころ」も可能ですが、「あのころ」に比べて客観的に述べた感じになります。

指導法あれこれ

　「指示語（こ・そ・あ）」というものは、基本的には、話し手が話題になっている事柄を、自分側のものとしてとらえるか、相手側のものとしてとらえるか、自分と相手をどう区別して（対比的に）とらえるかにかかわるものです。その意味では、話し手の気持ち（心的態度）を表すものと言えます。したがって、学習者には決してやさしい項目ではありません。
　また、文脈指示における指示語は、それによって文を展開したり、まとめたりする役割を担っています。読解練習のときには、文中に出てくる「こ・そ・あ」が何を指すのかを学習者にしっかりつかませることが必要です。学習者はわかっているようで正確につかめていないことがあり、それが積み重なって文章全体の意味や内容を理解できなくなる場合があります。
　学習者がなかなか使えないのは連体詞（名詞にかかる指示語）としての「こ・そ・あ」です。「この・その・あの」「こんな・そんな・あんな」「こういった・そういった・ああいった」などが正しく、名詞とともに使えるように指導したいものです。

また、副詞・副詞句の「こ・そ・あ」もなかなか使えません。「このように・そのように・あのように」「こうやって・そうやって・ああやって」などが使いこなせると、論理的な説明ができるようになります。(「こう・そう・ああ」のように動詞や形容詞にかかっていく語を副詞、「こうして」「そのようにして」のようにいくつかの語がいっしょになって副詞的な働きをするものを副詞句と言います。)
　以下に、よく使われる指示語を追加しておきます。

	こ系	そ系	あ系	ど系
代名詞	こいつ	そいつ	あいつ	どいつ
副詞句	こんなふうに	そんなふうに	あんなふうに	どんなふうに
	こんなふうにして	そんなふうにして	あんなふうにして	どんなふうにして
	このようにして	そのようにして	あのようにして	どのようにして
	こうして	そうして	ああして	どうして
連体詞	こういう〜	そういう〜	ああいう〜	どういう〜
	こういった〜	そういった〜	ああいった〜	どういった〜
	こうした〜	そうした〜	ああした〜	どうした〜

> **指導ポイント**
>
> 1. 日本語の指示語は「こ・そ・あ」の3種類であるが、学習者の母国語によっては2種類しか持たないこともあるので、注意すること。
> 2. 初級レベルでは現場指示の「こ・そ・あ」が中心になる。日本語では、話し手から見た場合と、聞き手から見た場合で「こ・そ」が変わるので、混乱させないようすること。
> 3. 学習者は文脈指示の「そ」の使い方が難しい。基本的には話し手、または聞き手がよく知らない内容・事柄を受けたり、また、それに言及するときに使われる。文脈指示の「そ」の使い方は学習者のレベルを見ながら、説明、理解を深めていくとよい。
> 4. 「こ・そ・あ」の副詞的な使い方として「このように」「そういうように」などがある。文を説明するとき、または、結論を述べるときなどに必要な表現なので、意識的に授業に取り入れ、使えるように指導する必要がある。

12 〜（よ）う・〜（よ）うと思う

A：来週の土曜日、引っ越そうと思うんだけど、手伝ってくれる？
B：いいよ。友達も連れてくるから。
A：ありがとう。助かるよ。
B：いいなあ、僕も早く引っ越したいと思っているんだけど。

学習者はどこが難しいか。よく出る質問。

1. 意向形の作り方が難しい。
   五段／Ⅰグループ動詞と一段／Ⅱグループ動詞の混同、命令形との混同が起こる。
2. どんな動詞でも意向形が作れると思ってしまう。
3. 「〜（よ）う」と「〜（よ）うと思う」はどう違うの？

学習者の誤用の例

1. 「寝ろう」「帰よう」
   →「寝よう」「帰ろう」
2. 日本語が早くできようと思っています。
   →日本語が早くできるようになりたいと思っています。
3. 私はあした東京へ行くと思います。
   →私はあした東京へ行こうと思います。
4. もうすぐあのビルは倒ろうと思う。
   →もうすぐあのビルは倒れるだろうと思う。

説 明

●～(よ)う(意向形)

1.「～(よ)う」の意味

「意向形」とも-(y)oo form、volitional formとも呼ばれます。丁寧形は「～ましょう」で、次のように話し手1人だけの意志を表す場合(1)と、話し手を含めた複数人の意志を表す場合(2)があります。(⇒17 ～ましょう・～ませんか)

　　(1)（ひとり言として）今年はだめだったけど、来年はがんばろう。
　　(2)（仲間に）さあ、あと少しで終わるから、みんながんばろう。

学習者はLet's～と結び付けやすいためか(2)はすぐ使えますが、ひとり言に使われる(1)は、なかなか理解しにくいようです。(2)は話し手の意志を表しますが、当人(仲間)どうしへの誘い・勧誘、うながしを表しています。

2.「～(よ)う」意向形の作り方

「意向形」、つまり意志を表す形（「しよう」「食べよう」など）が作れるのは、意志動詞だけです。無意志動詞（「つく」「止まる」「閉まる」など）は意向形（「?つこう」「?止まろう」「?閉まろう」）を作れません。(⇒41 意志動詞・無意志動詞)

学習者にとって、「意向形」の作り方は難しいようです。動詞のグループごとに活用の規則が異なる上、ほかの活用形（特に命令形）との混乱が起こります。

次に、「意向形」を示します。

五段／Ⅰグループ		一段／Ⅱグループ		不規則／Ⅲグループ	
行く	行こう	食べる	食べよう	来(く)る	来(こ)よう
急ぐ	急ごう	見る	見よう	する	しよう
飲む	飲もう	いる	いよう		
遊ぶ	遊ぼう				
とる	とろう				
会う	会おう				
話す	話そう				

075

● 「〜(よ)うと思う」

　話し手が自分の意志を伝えたいとき、「〜(よ)う」だけでは、(1)のようにひとり言になってしまうので、(3)のように「〜(よ)う」に「と思う／思います」を付ける必要があります。

　　(3) A：帰りませんか。
　　　　B：いや、もう少し残って仕事をしようと思います。

　「意向形＋と思う」は話し手自身の現時点の意志を聞き手に伝える表現です。「と思う」が付いているので、I think〜と考えがちですが、むしろ、「〜(よ)うと思う」全体で話し手の意志や希望を表すと考えてください。
　学習者は「学習者の誤用の例」3のように、自分の意志表示に対して、「私はあした東京へ行くと思います」と「辞書形＋と思う」を使いたがるので、注意させてください。話し手の意志を聞き手に伝えるときには「辞書形＋思う」ではなく、「意向形＋と思う」(〜(よ)うと思う)の形をとらなければなりません。
　「〜(よ)う」も「〜(よ)うと思う」も現時点での話し手の意志の表明なので、もっぱら肯定の形で用いられます。否定の意志を表すためには、次のように少し複雑な形にしなければなりません。

　　(4) A：出かけませんか。
　　　　B：ちょっと風邪気味なので、きょうは出かけないでおこうと思います。

　「〜(よ)うと思う／思います」のほかに、「〜(よ)うと思っている／思っています」という言い方があります。「と思う」はその場で下した判断を表し、「と思っている」は一定期間思考が継続していることを表します。しかし、「〜(よ)う」「〜(し)たい」のような意志や希望がどの程度の時間幅を持つかは、個人の主観によるところが大きいので、個人の判断によってどちらを使ってもいいと言えます。(⇒49 〜と思う)

　　(5) A：会に出席されますか。
　　　　B：a．ええ、しようと思います。
　　　　　　b．ええ、しようと思っています。

指導法あれこれ

　「学習者の誤用の例」1にも示したように、「意向形」と「命令形」の混同は一段／Ⅱグループ動詞に多く見られます。「食べよう」が「食べろう」、「寝よう」が「寝ろう」、「見よう」が「見ろう」になります。五段／Ⅰグループでは、「帰ろう」が「帰ろ」「帰よう」になります。多くの学習者には短母音（ろ）と長母音（ろう）の聞き分けが難しいようです。また、「ろう」と「よう」も似た音であるために混同してしまいます。1回きりにしてしまわないで、授業で何度も取り上げ、聞き分けの練習をしてください。（『わくわく文法リスニング99ワークシート』(1995)に意向形と命令形を比較した聞き取り練習があります。うまくできていますので、参考にしてみてください。）

　意向形の指導に坂本九の「上を向いて歩こう」を教えるのもいい方法です。多くの学習者はメロディを知っているので、楽しく覚えられると思います。

　ところで、皆さんは、意志を表す表現として、意志表現の意向形や「意向形＋と思う」を覚えさせようと、それだけを練習させていませんか。意志を表す表現にはほかにもいくつかあることを、練習を通してわからせてください。

　「沖縄へ行く」を取り上げてみましょう。

〈質問〉　A：今度の連休はどちらかお出かけですか。
　　　　　B：ええ、沖縄へ行きます。
　　　　　　 ええ、沖縄へ行こうと思っています。
　　　　　　 ええ、沖縄へ行きたいと思っています。
　　　　　　 ええ、沖縄へ行く予定です。
　　　　　　 ええ、沖縄へ行くつもりです。

このように、すでに習った表現を織り交ぜて、練習させてください。

　また、上の例の場合、どこへも行かないときはどう答えればいいでしょうか。

〈質問〉　A：今度の連休はどちらかお出かけですか。
　　　　　B：いえ、どこへも行きません。
　　　　　　 いえ、特に予定はありません。

いえ、まだ考えていません。
いえ、うちにいようと思っています。

このように、どこへも行かない場合の言い方も指導しておくといいでしょう。

> **指導ポイント**
>
> 1. 動詞の五段／Ⅰグループと一段／Ⅱグループを混同し、「帰よう」「書きよう」としがちなので注意すること。
> 2. 意向形は命令形と似ているので、混同に注意すること。命令形が提出されるところで、再度取り上げ整理するとよい。
> 3. 相手に自分の意志を伝えたいときは、「～（よ）う」だけでは不十分で、「と思う／思っている」を付けることを徹底させること。
> 4. 自分の意志を伝えるのに「私は行くと思います」のような「辞書形＋と思う」は間違いであることも徹底させること。
> 5. 意向形は意志を表す動詞に付く。無意志動詞、「わかる」「できる」のほか、可能形などには付かないことも言及しておくとよい。

13 〜つもりだ

A：雪が降ると天気予報で言ってましたよ。
B：じゃあ、コートを持って行こう。
　　Cさんはどうする？
C：私も持って行くつもりです。
B：ああ、それがいいですね。

学習者はどこが難しいか。よく出る質問。

1．「つもりだ」の前に来る動詞の形が正しくできない。
2．「〜つもりだ」の使い方がわかりにくい。
3．「〜つもりだ」と「〜(よ)うと思う」はどう違うの？
4．「〜つもりだ」と「〜予定だ」はどう違うの？

学習者の誤用の例

1．私は経営学を学びたいつもりです。→私は経営学を学びたいです。
2．日曜日日本語を勉強するつもります。
　　→日曜日日本語を勉強するつもりです。
3．A：空港へ行くつもりですか。
　　　→空港へ行きますか／空港へいらっしゃいますか。
　　B：はい、つもりです。→はい、そのつもりです／行くつもりです。

説 明

● 「～つもりだ」の意味と用法

「～つもりだ」は次のような形をとって、話し手の意志・意図を表します。

　　辞書形・ナイ形＋つもりだ／つもりです
　　例　行くつもりです
　　　　行かないつもりです

　日本語には、話し手の意志・意図を表す方法はいくつかありますが、次の三つはその代表的なものです。

　　1）行く／行きます（動詞の辞書形／マス形）
　　2）行こう（意向形～(よ)う）（⇒12 ～(よ)う・～(よ)うと思う）
　　3）行くつもりだ／です

　1）～3）がどう異なるかを、「その場で決めたこと」に使えるかどうかで比べてみましょう。

　　(1)A：今から出かけるんだけど、君も行く？
　　　B：ええ、私も行きます。
　　　　　ええ、私も行こうと思います。
　　　　？ええ、私も行くつもりです。

「その場で決めたこと」に対しては、「行きます」と「行こうと思います」は使えますが、「行くつもりです」は少し不適切です。
　では、時間的に余裕のあることに対する意志・意図の表明はどうなるでしょうか。

　　(2)A：今度の連休、どこかへ行く？
　　　B：ええ、九州へ行きます。
　　　　　ええ、九州へ行こうと思います。

ええ、九州へ行くつもりです。

　三つとも大丈夫です。「行こうと思います」は、その意志を一定期間持っていたということで「行こうと思っています」とすることもできます。
　「～つもりだ」について(1)(2)から言えることは、「～つもりだ」は話し手の「心づもり」を言う表現で、以前から思っていた意向を表し、「その場で決めた」という言い方は使いにくいということになります。

● 「～つもりだ」の否定表現

　1)～3)は否定の意志も表すことができるのでしょうか。

　　(3) A：パーティに出ますか。
　　　　 B：いいえ、出ません。
　　　　　　いいえ、出ないでおこうと思います。
　　　　　　いいえ、出ないつもりです。

「～つもりだ」は前から思っていた意向を表すので、否定の意向を持っていたときは、「行かないつもりだ」「食べないつもりだ」と「～つもりだ」の前にナイ形をとることができます。

● 第三者の意志表現

　ここまで、1)～3)を話し手の意志を表すものとして説明してきましたが、話し手以外の第三者の意志も表すことができるのでしょうか。

　　(4)　リーさんはあした仕事を休みます。
　　　　リーさんはあした仕事を休もうと ｛?思います／〇思っています｝。
　　　　リーさんはあした仕事を休むつもりです。

　第三者の意志・意図を表す場合、「意向形(よ)う+と思う／思います」は使えず、「と思っている／思っています」にする必要があります。
　一方、「動詞の辞書形／マス形」、および、「～つもりだ」については、主語が第三

081

者でもそのまま用いることができます。しかし、第三者の意志・意図は本人以外にはわからないことが多いので、明確にわかっているとき以外は次のように表すほうが適切と言えます。

(4)' リーさんはあした仕事を休む ｛ つもりのようです
つもりだと言っています。

●「～ます」「～(よ)う」「～つもりだ」「～予定だ」の意味の比較

まず、「行きます」(～ます)と「行こうと思います」(～(よ)うと思う)はどう違うのでしょうか。どちらも相手(聞き手)に対する話し手の意志の表明ですが、「行きます」は自分が決めたことを一方的に相手に伝えるという、やや「決め付けた」印象を与えます。それに対して、「行こうと思います」は「行こう」という意志を「思う」という語でやわらげ、丁寧な印象を与えます。一方、「行くつもりです」は「～つもり」を伝えているだけで、「行きます」よりは間接的な表現になります。

また、質問の形の「～つもりですか」は、上の人には失礼になります。敬意を表したいときには「～つもりですか」は使わず、(5)bのように敬語表現で尋ねたほうが適切です。

(5) a. ？あした九州へ行くつもりですか。
　　b.　あした九州へいらっしゃいますか。

「～予定だ」は直接的には意志を表しません。「九州へ行く予定だ」と言っても、会社からの命令かもしれません。その予定が意志的なものか否かは別にして、九州へ行く予定があると言っているだけです。

指導法あれこれ

「12 ～(よ)う・～(よ)うと思う」のところでも触れたように、日本語では意志を表す表現がいくつかあります。「～つもりだ」はそのうちの一つに過ぎません。「辞書形・ナイ形＋つもりだ」の形作り、質問・応答練習が一通り終わったら、マス形、「意向形～(よ)う＋思う」も混ぜて練習させてください。どれでも使える場合は、どれで答えてもよいことを伝え、また、どれか一つしか使えないときは、なぜその表現しか使えないかを考えさせてください。

ほかにも、意志・意向・予定を表す表現にはいろいろあります。例として、「夏休み、何をしますか」という質問に出てきそうな答えを考えてみましょう。

A：夏休み、何をしますか。
B：国へ帰ります。
　香港へ行こうと思います／思っています。
　論文を書くつもりです。
　北海道へ行きたいです。
　横浜へ行きたいと思います／思っています。
　旅行する予定です。
　九州へ行くことにしています。
　家族が来るかもしれません。
　調査しなければなりません。
　どこにも行かないだろうと思います。
　　　　︙

このように、学習者が「夏休みは何をしますか」の質問に対して、いろいろな答え方をしてきたときは、それは自然な会話に近づいていることを示すわけですから、積極的にほめて対応してください。いろいろな答え方ができることで今まで習った文型の復習にもなり、また、学習者が教室以外でどのような日本語を身に付けているかを知るよい機会にもなります。

指導ポイント

1. 「つもりだ」は意志を表す動詞の辞書形、または、ナイ形に付いて主語の意志を表す。辞書形・ナイ形を正確に覚えさせること。
2. 「〜つもりだ」は「〜(よ)う」とよく似ているが、発話時点で意志を決めるときには使えない。(「〜予定だ」も同じ。)
3. 「〜つもりですか」は上の人に対しては失礼な問いかけになるので、別の敬語表現を使うように指導すること。
4. 「〜予定だ」も「〜つもりだ」に似ているが、「〜つもりだ」には動作主の意志が含まれているのに対し、「〜予定だ」は含まれている場合も含まれていない場合もある。実現の可能性も「〜予定だ」のほうが高い。

14 ～たい

A：先生、忘れ物をしたので、取りに行きたいんですが。
B：……。
A：行ってもよろしいですか。
B：いいですけど、すぐに戻ってきてくださいね。

学習者はどこが難しいか。よく出る質問。

1．動詞と「～たい」との接続（行き／食べ＋たい）がうまくできない。
2．「たい」の前の動詞は「が」をとるのか「を」をとるのか?
3．「～たい」と「ほしい」はどう違うの?使い分けがわかりにくい。（⇒15 ～ほしい・～てほしい）
4．「～たい」の否定形「～たくない」、過去形「～たかった」「～たくなかった」が正しく作れない。

学習者の誤用の例

1．早く子供ができたいです。→早く子供がほしいです。
2．先生は何が食べたいですか。→先生は何を召し上がりますか。
3．李さんは東京へ行きたい。→李さんは東京へ行きたいそうです。
4．あなたが前に読みたがった本はどれですか。
　　→あなたが前に読みたかった本はどれですか。

説　明

●「〜たい」の意味用法

　動詞のマス形の語幹(連用形)に「〜たい」が付いて、話し手の願望を表します。願望は「生まれ変わったら、鳥になりたい」のようにかないそうもないものから、「風呂付きのアパートに住みたい」と実現の可能性の高いものもあります。
　(1)のようにいくつかの表し方があります。

　　(1) a. 富士山に登りたい。
　　　　b. 富士山に登りたいです。
　　　　c. 富士山に登りたいと思います。
　　　　d. 富士山に登りたいと思っています。

「〜たい」の活用変化は次のようです。

	非過去	過去
肯定	〜たい	〜たかった
否定	〜たくない	〜たくなかった

　　(2) A：何か食べますか。
　　　　B：いえ、何も食べたくないです。
　　(3)　今年の夏は富士山に登りたかったが、忙しくて登れなかった。

●「デジカメを買いたい」「デジカメが買いたい」(⇒15 〜ほしい・〜てほしい)

　「〜たい」は「〜ほしい」と同じく形容詞の性格を帯びているため、「〜ほしい」が「デジカメがほしい」と「が」をとるように、「買いたい」も「デジカメが買いたい」と「が」をとると考えられてきました。しかし、最近の調査では、「が」より「を」を使うほうが圧倒的に多いというデータが出ています（『初級を教える人のための日本語文法ハン

ドブック』(2000))。

　学習者に指導するときには、もともと「を」をとる動詞(見る、話す、使う、など)は「…を～たい」を使ってもいいと指導してください。ただし、「食べる」「飲む」などの動詞では、まだまだ「を」より「が」の使用が好まれるようです。

　(4)　肉が食べたいなあ。
　(5)　のどがかわいた。ビールが飲みたい。

●第三者の願望を表す場合

　「～たい」は話し手の願望を表すので、「田中さんはりんごが食べたいです」のように第三者の願望を表すと、不自然になります。第三者の願望を表すときは、次のように「そうだ」「らしい」「と言っている」を付ける必要があります。

　(6)　田中さんはりんごが食べたい ｛ そうです。／らしいです。／と言っています。

　「～たい」の代わりに「～たがる」を用いる場合もあります。

　(7)　田中さんはりんごを食べたがっています。

　「～たがる」は「～たがっている」としなければならない場合が多く、また、「ほしいという態度を見せている」という意味合いを持つことから、「～たい」とは意味的なずれが起こる場合があります。特に、敬意を示すべき人の行為について使うと失礼になります。

　(8)　？小林先生はりんごを食べたがっておられます。

　ただし、名詞修飾節の中では、他者が主語であっても、次のように「～たい」をそのまま使うことができます。(⇒54 名詞修飾節)

　(9)　田中さんが読みたい本は今売り切れになっています。

●質問文「～たいですか」について

　質問文「食べたいですか」を使うと、相手によっては失礼になることがあります。友達どうしなら、「何を食べたい?」と使えますが、上司や年配の人に、「何を食べたいですか」は失礼になります。「何を召し上がりますか」とか「何がよろしいですか」を使うように指導してください。

指導法あれこれ

　「～たい」は願望を表す表現なので、学習者は喜んで使いそうですが、案外身に付かないものです。一つには「～たい」というのは学習者がいつ使えるかという問題です。自分の夢を語るような場合の「旅行したいです」「きれいな人と結婚したいと思います」は「～たい」を生かした使い方ですが、夢を語るような状況は現実にはそうありません。
　まずは、「～たい」が一番自然に使われる表現で練習してみましょう。
　ここでは、前置きとして自分の希望を述べて、許可を求めたり、依頼をしたりする「～たいんですが、～てもいいでしょうか」「～たいんですが、～てくださいませんか」の形を紹介します。学習者の実情に沿った例を使って、練習させてください。すぐ使える丁寧な表現として役に立つと思います。

①宿題を取りに行きたいんですが、よろしいでしょうか。
②病院へ行きたいんですが、場所を教えてくださいませんか。
③A：ちょっとお話があるんですが。
　　B：はい、何でしょうか。
　　A：ちょっと用事があるので、きょうの午後早退させていただきたいんですが。

　「～たいんですが」は丁寧な表現ですが、話し手の願望を表すために、言い方によっては押し付けがましい印象を与えることがあります。「たいんですが」の部分はあまり強く発音しないで、やわらかく発音するように練習させてください。

指導ポイント

1. 「〜たい」は動詞マス形の語幹（連用形）に付くことをしっかり練習させること。
2. 「〜たい」とともに否定の形「〜たくない」を正確に、十分練習させること。
3. 学習者のレベルに応じて過去の「〜たかった」「〜たくなかった」も正確に、十分練習させること。
4. 「〜たい」は話し手の願望を表すもので、第三者の願望を表したいときは、「〜たい」に「そうだ（伝聞）」「らしい」「と言っている」を付けることを説明しておくこと。
5. 「動詞＋たい」がとる助詞のうち、対象を表す場合は「が」より「を」を使うことが多いので、「を」を優先的に指導してもよい。

15

～ほしい・～てほしい

A：いらっしゃいませ。
B：スカーフがほしいんですが。
A：スカーフはこちらです。
　　　︙
B：すみません。これを箱に入れて
　　リボンをかけてほしいんですが。
A：はい、かしこまりました。

学習者はどこが難しいか。よく出る質問。

1．「～ほしい」と「～たい」を混同させて、「行きますほしいです」としてしまう。
2．「デジカメが買いたい」と「デジカメがほしい」はどこが違うの?
3．「～てほしい」の文では、だれが願望し、だれが行為を行うのかがとらえにくい。

学習者の誤用の例

1．カメラを買いますほしいです。→カメラを買いたいです。
2．日本の会社を見学することがほしいです。
　　→日本の会社を見学したいです。
3．お母さんは子供が帰ってほしいみたいだ。
　　→お母さんは子供に帰ってほしいみたいだ。
4．田中さんは森さんに手伝ってほしい。
　　→田中さんは森さんに手伝ってほしいようだ。

説 明

● 「〜ほしい」と「〜たい」（⇒14 〜たい）

　「〜ほしい」は「デジカメがほしい」「日本人の友達がほしい」のように話し手の願望を表す形容詞です。同じく願望を表す「〜たい」とよく似ており、「〜ほしい」を「〜たい」で表すと、「持ちたい」「所有したい」という意味になります。
　異なる点は、「〜たい」が「動詞のマス形の語幹（連用形）」をとるのに対し、「〜ほしい」は前に「名詞＋が」をとる点です。

　　（1）（私は）デジカメを買いたいです。
　　（2）（私は）デジカメがほしいです。

　特に、「動詞＋たい」は目的語として通常「〜を」をとるのに対し、「〜ほしい」は「〜が」をとることに注意してください。時々「仕事をほしい」「子どもをほしい」など「を」を聞くことがありますが、現時点では、まだ「が」を使うのが自然です。
　なお、英語では「〜ほしい」も「〜たい」も want を使うため、「行きたい」を「行きますほしいです」という学習者が出てきますので、注意が必要です。

●第三者の願望を表す場合

　「〜ほしい」も「〜たい」と同様、話し手の願望を表します。ですから、「田中さんはデジカメがほしいです」のように第三者の願望を表すと、不自然になります。第三者の願望を表すときは、「〜たい」のときと同じく、「そうだ」「らしい」「と言っている」などを付ける必要があります。

　　（3）田中さんはデジカメがほしい ｛ そうです。/ らしいです。/ と言っています。 ｝

　ただし、名詞修飾節の中では、第三者が主語であっても、次のように「ほしい」をそのまま使うことができます。

(4) 田中さんがほしいデジカメはソニーのものです。

●「〜てほしい」

「〜てほしい」は話し手による他者への願望の表現です。

(5) ちょっと手伝ってほしいんですが。
(6) 学生にこの本を読んでほしいと思う。
(7) もっと雪が降ってほしい。

これらの文は次のaとbのような構造をとります。

a．(私は)　人に　〜てほしい。

(5)(6)がこれに当てはまります。話し手の願望ですから、「私は」は通常省略されます。願望しているのはどちらも「私」で、(5)では「手伝う」のは相手(聞き手)、(6)では「この本を読む」のは学生です。(5)のように相手(聞き手)に対しての願望文では「人に」(ここでは「あなたに」)の部分がしばしば省略されます。

bの構造は次のようになります。

b．(私は)　事態が　〜てほしい。

bは話し手がある事態が実現することを望んでいるときに使う表現です。(7)がこれに当てはまります。その他、「世界が平和になってほしい」「近くにデパートが建ってほしい」などがあります。

●「〜てもらいたい」

「人」に何かを望む、依頼する言い方として「〜てもらいたい」があります。

(5)' ちょっと手伝ってもらいたい。
(6)' 学生にこの本を読んでもらいたいと思う。

しかし、(7)'のように、bの構造の場合は「〜もらいたい」は使えません。「〜もらいたい」は人に対する願望や依頼の表現だからです。

(7)′ ？もっと雪が降ってもらいたい。

指導法あれこれ

「〜ほしい」は会話を広げやすい表現です。一例をあげましょう。

 A：今一番何がほしいですか。
 B：カメラです。
 A：どんなカメラがいいですか。
 B：デジカメがほしいです。
 A：いろいろなメーカーがありますが、どこのカメラがいいですか。
 B：ソニーのがいいと思います。
 A：ああ、そうですか。
   ほかに何がほしいですか。ビデオカメラはどうですか。
 B：ビデオカメラはほしくないです。DVDがほしいです。

「〜ほしいです」は、やや自分の願望を相手に押し付けるニュアンスがあるため、そのまま使うのは失礼になるときがあります。お願いする言い方として、「〜てほしいんですが…」がありますが、これでもやや丁寧さを欠く傾向があります。友達どうしや、仕事関係でビジネスライクに頼む場合はいいですが、上の人や丁寧に頼む場合は、「〜ていただきたいんですが」を使いたいところです。

 （友達に）辞書を貸してほしいんだけど。
 （先輩に）辞書を貸してほしいんですが。
 （上司、先生に）辞書を貸していただきたいんですが。

> **指導ポイント**

1. 「名詞＋がほしい」（カメラがほしい）と「動詞＋たい」（カメラを買いたい）を混同させないように指導すること。
2. 「動詞＋てほしい」では、だれがその行為をし、だれがその行為の実現を望むのかを、正しく理解、把握させること。
3. 「～てほしい」の形を正しく作れるようにするためにも、再度、テ形の復習を徹底すること。
4. また、動詞がどんな格助詞をとるかをもう一度復習し、「～てほしい」の文の中で正しく使えるようにすること。
5. 「～たい」と同じく、主語が第三者のときには「～てほしい」のうしろに、「と言っている」「らしい」「そうだ」などを付けるように指導すること。

16
～てください

> A：この肉はどうしますか。
> B：細かく切ってください。
> A：それから。
> B：フライパンで軽く炒めてください。
> A：はい。
> B：炒めるときは、ガスの火を
> 　　大きくしてください。
> A：はい。
> B：途中で塩とこしょうを振りかけてください。

学習者はどこが難しいか。よく出る質問。

1. 英語のPlease（open the window.）のpleaseが「～てください」に当たると思ってしまう。
2. 「～てください」は本当に丁寧な依頼なのか。
3. 何かを借りたいとき、「借りてください」を使ってもいいのか。「貸してください」と「借りてください」の使い分けは?
4. テ形が正確にできない。
「聞いてください」「来てください」「切ってください」「買ってください」など、よく似た音なので、聞き分けたり、言い分けたりが難しい。

学習者の誤用の例

1. ヤンさん、急んでください。→ヤンさん、急いでください。
2. 友達に会いてください。→友達に会ってください。
3. （自分がプリントをほしいとき）すみません。そのプリントをあげてください。
   →すみません。そのプリントをください。

説 明

● 「テ形＋ください」の意味用法

「テ形＋ください」は polite request、つまり、丁寧な依頼を表します。
「テ形＋ください」は二つの意味を持っています。

(1)　ゆっくりしていってください。
(2)　すみませんが、ちょっと手伝ってください。

(1)は相手に「ゆっくりすること」を勧めており、(2)では手伝ってほしいので、話し手が相手にお願いしています。
　このように、「～てください」は相手（聞き手）に何かを勧める場合と、何かをお願いする場合があり、両方を含めて、「テ形＋ください」は「丁寧な依頼表現」と呼んでいます。
　しかし、「テ形＋ください」は丁寧な依頼を表すと言いながら、「～てください」で言い切ってしまうと、語調が強くなり、命令的になります。「テ形＋ください」を丁寧な依頼表現として使いたい場合は、「どうぞ」を付けたり、語調をやわらげたり、「ませんか」を付けて「手伝ってくださいませんか」を使ったほうがいい場合が多いです。

(3)　どうぞゆっくりしていってください。
(4)　すみませんが、ちょっと手伝ってくださいませんか。

● 「～をください」について

「～てください」の「ください」は「（だれかが私に何かを）くださる」の命令形ですが、学習者は難しく考えて次のように言うことがあります。

(5)　この本をくれてください。
(6)　この本をあげてください。

単純に「この本をください」と言えばいいのにと思ってしまうかもしれませんが、学

習者はそうではないようです。Please give me. を訳そうとするのかもしれません。

● 「貸してください」と「借りてください」

　「ください」はもともと授受動詞「くださる」から来たものです。やりもらい（授受）関係は、もののやりもらいと動作のやりもらいに分かれますが、どちらもだれから、だれに、ものや利益・恩恵が移動したかを表す表現です。(⇒45 もののやりもらい（授受）)(⇒46 動作のやりもらい（授受）)

　(7) A：すみません、ボールを貸してください。
　　　B：ここにはないので、事務所で借りてください。

　学習者の中には「貸してください」がなかなかわからず、また、「借りてください」と混同してしまう人が多いですが、それは「貸す」「借りる」自体も「ください」と同じく、ものの移動の方向を表す動詞であるためです。(7)では、Aさんが「ボールを（私に）貸してください」とお願いしていますが、Aさんは「貸してもらう」、つまり、「借りる」本人であるわけで、このあたりから、学習者は「貸す」と「借りる」が混乱するようです。
　また、学習者の母国語には「貸す」「借りる」に対して同じ動詞が使われる言語もあるようなので、注意が必要です。
　なお、(7)Bのように、「（ボールを）借りてください」は普通「ほかの人や、ほかのところから（ボールを）借りてください」という意味になります。

指導法あれこれ

　学習者は「テ形＋ください」を習って、はじめて自分からほかの人に何かを頼むことができるので、「テ形＋ください」は彼らにとっては重要で、役に立つ、すぐに使いたい表現です。
　テ形を習ってすぐ「テ形＋ください」が導入されることが多いので、学習者にとってはテ形そのものが覚え切れていないかもしれません。間違いが残っていると思いますが、少々の活用の誤りは気にせずに、動作をさせたり、友達に指示させたりし

てください。
　まず、先生が1人の学生に動作をさせます。

　　「〇〇さん、立ってください」
　　「ここへ来てください」
　　「チョークを取ってください」
　　「黒板にあなたの名前を書いてください」
　　「もっと大きく／小さく書いてください」
　　「読んでください」
　　「チョークをここに置いてください」
　　「席に戻ってください」

　ドアを開けさせたり、電気をつけさせたり、教科書を速く読ませたり、ゆっくり読ませたりと、教室の中でもいろいろな動作をさせることができます。先生が何人かの学習者に動作をさせたら、今度は学習者がほかの学習者に動作をさせます。先生が動作をするのもいいでしょう。

　このように、実際に依頼したり、ほかの人の依頼に従って動作をしたりすることによって「テ形＋ください」が、学習者により身近なものになります。

　「～てください」を習ったばかりの段階では、「貸す」「借りる」の区別はあまり説明せず、いろいろなものを使って、学習者自身に「〇〇を貸してください」の練習を数多くさせて、感覚をつかませてください。学習者の母国語に「貸す」「借りる」の区別がないときには、両者の意味の違い・使い分けを理解するのにある程度の時間がかかるので、「～てください」の導入のときに性急に説明しないほうがいいでしょう。

指導ポイント

1. 「テ形＋ください」習得の基本は「テ形」が定着しているかが重要になってくるので、「テ形」を十分復習すること。
2. 「テ形＋ください」は必ずしも丁寧な依頼だけを表すのではなく、命令的な意味合いを持つということを、学習者の理解力に合わせて伝えておいたほうがいい。
3. 「聞いてください」「来てください」「切ってください」「書いてください」などのよく似た語は聞き取り練習をしたり、発音させたりして違いをつかませる練習をすること。
4. 「貸してください」の使い方で混乱する学習者が多いので、人とものの関係をわかりやすくつかませること。

17

〜ましょう・〜ませんか

A：時間がないから、
　　タクシーに乗りましょうか。
B：ああ、そうですね。
A：Cさん、Cさんも
　　いっしょに乗りませんか。
C：ありがとう、お願いします。

学習者はどこが難しいか。よく出る質問。

1．「〜ませんか」の使い方が難しく、誘いの「〜ませんか」とすべきところを「〜ましょうか」としてしまう。
2．「〜ましょう」＝Let's 〜とのみ理解してしまう。
3．「〜ましょうか」はいつも人といっしょにするものと思ってしまう。

学習者の誤用の例

1．（誘いのつもりで）田中さんもいっしょに 行きましょうか 。
　→田中さんもいっしょに行きませんか。
2．（誘いのつもりで）田中さんもいっしょに 行きますか 。
　→田中さんもいっしょに行きませんか。
3．たぶん5年後に私は国へ 帰りましょう 。
　→たぶん5年後に私は国へ帰ります／帰るでしょう。

説 明

● 「〜ませんか」の意味用法

　否定疑問の「〜ませんか」が単なる質問なのか誘いを表しているのかは、微妙なところがあります。
　自分が出かけようとしていて、そばにいる相手（田中さん）に、次のように言ったとします。

　　(1)　田中さんは行きませんか。

これは単に相手の意向を聞いているのか、行くのを誘っているのか、発話文だけでは判断できません。これが次のようになれば、誘っていることがはっきりします。

　　(2)　田中さん、行きませんか。
　　(3)　田中さんも行きませんか。

　このように「〜ませんか」はもともとは相手の意向を問う表現だったものが、誘い・勧誘の表現になったと考えられます。したがって「〜ませんか」は誘いですが、あくまでも相手の気持ちを尋ねているというところにポイントがあります。

● 「〜ましょう」の意味用法

　「〜ましょう」は二つの用法があります。英語のLet's go. Let's eat.のように「私達いっしょに」という場合（(4)）と、話し手の「私」のみの意志を表す場合（(5)）です。

　　(4)　さあ、出かけましょう。
　　(5) A：だれが行きますか。
　　　　B：……私が行きましょう。

学習者は「〜ましょう」＝Let's〜と思ってしまうところがあり、(5)のような話し手単独の意志表現の「私が〜ましょう」はなかなか定着しないようです。
　学習者は、また、そのLet's〜を問いかけの形にして、「〜ませんか」（例：映画を見

に行きませんか)と相手の意志を尋ねて誘うべきところを、「〜ましょうか」(映画を見に行きましょうか)としてしまいがちです。

　「〜ましょうか」は誘い・勧誘を表しますが、それは話し手を含めたお互いの行動への誘いとなります。そして、それは時にうながしに近い意味につながっていきます。

　(6)　時間ですね。そろそろ行きましょうか。
　(7)　疲れましたね。休みましょうか。

(6)(7)は、すでに「行く」、また、「休む」という前提があって、それを実行に移そうと皆にはかる、皆をうながすときに使われます。ですから、まだ「行く」とも「休む」とも考えていない相手に、「行きましょうか」「休みましょうか」を使うと唐突な感じを与えます。そのときは、「行きませんか」「休みませんか」がふさわしいです。

　誘い・勧誘の「行きませんか」に対する承諾には「ええ、行きます」「ええ、行きましょう」の両方が使えますが、うながしの「行きましょうか」では「ええ、行きましょう」になります。

　(8) A：時間ですね。そろそろ行きましょうか。
　　　B：そうですね。行きましょう。

　このほか、「〜ましょう」の誤りとして「ます」との混乱があります。日本語には未来を表す動詞の形がありません。「毎日行きます」ですし、「あした行きます」です。母国語に未来形を持つ学習者は「ます」で言い切るのは不安なようで、「学習者の誤用の例」3や次の(9)のように「〜ましょう」を未来形として使ってしまいがちです。

　(9)？私はあした渋谷に行きましょう。

指導法あれこれ

　「映画に行きませんか」「いっしょに食事をしませんか」という誘いの練習とともに、誘われたときどう答えるかの練習も重要になってきます。特に、断る場合は、相手に不快感を与えない言い方を十分練習させてください。
　誘われたときの答え方の例を次に示します。

① 〈誘い〉　いっしょに映画に行きませんか。
　〈同意〉　ええ、行きましょう。
　　　　　ええ、ぜひ。
　　　　　ええ、そうですね。
　　　　　ええ、ありがとう。
　〈断り〉　すみません。今ちょっと……。
　　　　　いえ、きょうは……。
　　　　　すみません。実は用事があって……。
　　　　　ああ、きょうはちょっと都合が悪いんです……。

② 〈誘い・うながし〉　そろそろ帰りましょうか。
　　　　〈同意〉　ええ、帰りましょう。
　　　　　　　　あ、そうですね。
　　　　　　　　ああ、いいですね。
　　　　　　　　ええ。
　　　　〈断り〉　すみません。今ちょっと……。
　　　　　　　　私はちょっと……。
　　　　　　　　いえ、私はまだ……。

指導ポイント

1. 「〜ませんか」と「〜ましょうか」の使い分けをわからせること。「〜ませんか」は相手への誘い・勧誘を、「〜ましょうか」は話し手を含むお互い(私達)への誘い・うながしを表す。
2. 英語で訳したりするとかえってわかりにくくなるので、実際の状況の例を示すこと。
3. 「〜ませんか」「〜ましょうか」に対する答え方の練習もさせること。特に、丁寧な断り方を十分練習すること。
4. 「〜ましょう」は動詞「〜ます」の未来形と取り違える学習者もいるので、注意させること。

18 ～(た)ほうがいい・～てもいい・～たらいい

A：ここはどう書いたらいいでしょうか。
B：ここは簡単に短く書いたほうがいいですね。
A：ここは。
B：ここは少しくわしく書いたほうが
　　いいですね。
A：自分の意見を書いてもいいですか。
B：もちろんいいと思いますよ。

学習者はどこが難しいか。よく出る質問。

1．「～(た)ほうがいい」は現在のことを言っているのに、なぜ過去形を使うの?
2．肯定の形は「～たほうがいい」と過去形なのに、否定は「～ないほうがいい」と非過去になるので混乱する。
3．「行くほうがいい」と「行ったほうがいい」の違いは?
4．「行ったほうがいい」「行ってもいい」「行ったらいい」の違いは?

学習者の誤用の例

1．いつ子供たちを行かせたほうがいいですか。
　　→いつ子供たちを行かせたらいいですか。
2．途中でやめるくらいなら、はじめからやらなかったほうがいい。
　　→途中でやめるくらいなら、はじめからやらないほうがいい。
3．食べたくなければ、食べないほうがいい。
　　→食べたくなければ、食べなくてもいい。
4．A：先生、トイレへ行くことができますか。
　　　　→先生、トイレへ行ってもいいですか。
　　B：ああ、いいですよ。

説明

　ここで取り上げる「～(た)ほうがいい」「～てもいい」「～たらいい」は、話し手が相手(聞き手)に対して、助言・忠告、許可、勧めを行うときに用いる表現です。意味や使い方が似ているので学習者が取り違えやすい表現です。
　それぞれ少しずつ意味用法が異なりますが、共通していることは、「目上の人(先生や上司、自分より年上の人など)」に助言・忠告をしたり、許可を与えたりすることは失礼になるということです。

　　(1) a. 先生、授業を終わったほうがいいです。
　　　 b. 課長、お帰りになってもいいですよ。
　　　 c. この席に座ったらいいですよ。

　しかし、一方で、目上の人に助言・忠告、許可を求めるのは失礼になりません。「です」を「でしょう」にするとより丁寧な表現になります。

　　(2) a. 先生、もう一度書き直したほうがいいでしょうか。
　　　 b. 課長、山田さんにこの仕事を頼んでもいいですか。
　　　 c. すみません、どこに座ったらいいでしょうか。

　以下の説明において、助言・忠告、許可を与える例では、話し手と聞き手の関係が対等か、話し手が聞き手より目上の人である場合として進めていきます。

● 「～たほうがいい」「～ないほうがいい」

　　(3) 顔色が悪いですね。少し休んだほうがいいですよ。
　　(4) あの人とはあまり付き合わないほうがいい。

　「～たほうがいい」は否定になると「～ないほうがいい」という形をとります。
　「動詞タ形＋ほうがいい」の形で肯定的な助言・忠告を表します。過去ではなく現在のことを言っているのにタ形を用いるために、学習者は最初戸惑うことがあります。タ形を使うのだと、理屈なしに形を覚えさせてもいいし、また、「た」が話し手の気持ち

を表す働きを持つことに触れてもいいでしょう。(→40 テンス・アスペクト)
　「辞書形＋ほうがいい」になると、単に比較を表すだけで、助言・忠告の意味合いは薄くなります。

　　(5)A：今休むのとあとで休むのとどちらがいいですか。
　　　B：今休むほうがいいです。

● 「～てもいい」「～なくてもいい」

　　(6)A：入ってもいいですか。
　　　B：はい、どうぞ。
　　(7)　今度の金曜日は仕事に行かなくてもいいから、うれしい。

(6)のように「テ形＋もいい」の形で許可を表します。また、(7)のように「テ形の否定＋もいい」の形で必要でないこと(不必要)を表します。「～てもいい」「～なくてもいい」は、(6)のように聞き手に向けて、また、(7)のように自分自身のことにも使えます。(6)のAのように疑問の形をとると、許可求めの意味合いが強くなります。

● 「～たらいい」

　　(8)A：やり方がわからないんですが。
　　　B：木村さんに聞いたらいいですよ。
　　(9)　顔色が悪いですね。少し休んだらいいですよ。

(8)(9)からもわかるように、「～たらいい」は助言、勧めの意味を持ちます。しかし、やや突き放したような印象を与えます。もっと親身に助言・勧めをしたいときは、「～といい」を使うことができます。

　　(10)　顔色が悪いですね。少し休むといいですよ。

「～たらいい」「～といい」のいずれも否定の形では使われず、もっぱら肯定的な助言・勧めを表します。

● 「〜(た)ほうがいい」「〜てもいい」「〜たらいい」の比較

「〜(た)ほうがいい」「〜たらいい」は助言・勧めを、「〜てもいい」は許可を表しますが、三者は意味的にも、使い方においても似ている点があります。(11)で考えてみましょう。

　　(11) A：頭が痛いんですが。
　　　　 B：a．休んだほうがいいですよ。
　　　　　　b．休んでもいいですよ。
　　　　　　c．休んだらいいですよ。

Bのaは、Aが休まないで仕事や勉強をしていることに対し、それを続けるのはよくないので「休む」ことを助言しています。このように、「〜(た)ほうがいい」は現在の状態・動作に対して、それを続けるのはよくないので、それとは違う(多くの場合、反対の)ことをするように助言する意味合いがあります。

Bのbは、頭の痛いAに対して、許可を与えています。一方Bのcは、「〜(た)ほうがいい」のように、「それを続けるとよくないので」という理由付けはなく、単に話し手が思ったことを助言しています。「〜たらいい」がやや突き放した印象を与えるのは、話し手が思ったことを一方的に発しているためと考えられます。(aとbが否定の形「休まないほうがいい」「休まなくてもいい」と言うことができるのに対して、cの否定形「休まなかったらいい」は不自然な日本語です。ここからも、「〜たらいい」は肯定表現しか持たない一方的な言い方ということができます。)

指導法あれこれ

　同じような表現がいくつかあって、その使い分けを指導しなければならないとき、二つのステップを考えるといいでしょう。一つは形で、もう一つはいつ使うかという場面です。次の「うちへ帰る」で考えてみましょう。

　　①うちへ帰ったほうがいい。
　　②うちへ帰ってもいい。
　　③うちへ帰ったらいい。

　形を考える場合は、「肯定形だけでなく否定形もとれるか」「普通形だけでなく丁寧形もとれるか」などを観察して、とり得る形が多いほど意味も使用場面も多岐にわたると考えられます。
　逆に一つの形しかとれないものは意味や用法も限定されてきます。①〜③では、①と②が否定の形も作れるのに対し、③は肯定の形だけなので、③は、意味も使用場面も限られてくるのではないかと考えられます。
　形以上に大切なのは「いつその表現が使えるのか」ということです。①はどんなときに使えるか、②は、③はどうかと考え、それを整理して学習者に示すとわかりやすくなるでしょう。
　次は私自身が考えた場面です。①〜③のどれを使用するのが一番ふさわしいでしょうか。複数使える場合もあるでしょうか。考えてみてください。

　　a．山田さんに、家から電話がかかってきました。お母さんの調子が悪いそうです。山田さんは家に帰ろうか迷っています。あなたは山田さんにどう言いますか。ここは職場です。そして、あなたは山田さんの同僚です。（　　）
　　b．aと同じ状況です。ただし、あなたは山田さんの上司です。（　　）
　　c．aと同じ状況です。ただ、山田さんは上司に家へ帰りたいと言ったのですが、上司はダメだと言いました。それを聞いて、山田さんに同情したあなた（同僚）は何と言いますか。（　　）

　cは上司の反対を無視しての助言なので、「（上司のことは気にしないで）帰ったら

〜(た)ほうがいい・〜てもいい・〜たらいい

18

109

いいよ。」という意味で③を選ぶことができます。また、相手を思っての親身な助言として①「帰ったほうがいい」も使えます。

　皆さんも自分でいろいろな状況を考えてください。

指導ポイント

1. 「～(た)ほうがいい」「～てもいい」「～たらいい」は「目上の人」に使うと失礼になるので使わないほうがよい。助言・忠告、許可を求める場合は失礼にならないが、「です」を「でしょう」にする（例：今行ったほうがいいでしょうか。）と丁寧な表現になる。
2. 「～(た)ほうがいい」は助言を、「～てもいい」は許可を表す。「～たらいい」は助言を表すが、やや突き放したニュアンスを持つ。
3. 「～たほうがいい」は過去の助言ではなく、話し手の気持ち（助言への熱心さ、など）を表すことを理解させること。

　　　　　　　　　　　　　　「指導法あれこれ」の答え：a.①　b.②　c.③①

19 ～なければならない・～なければいけない

A：2人とも忙しそうですね。
B：ええ、来週までにレポートを三つ
　　書かなければいけないんです。
C：僕は本を5冊読まないと
　　いけないんです。
A：大変ですね、学生さんは。でも、
　　学生はそのぐらいやらなければ
　　なりませんよ。

学習者はどこが難しいか。よく出る質問。

1．「～なければならない」と「～なければいけない」の違いは何?
2．「～なければならない」は発音しにくく、また、正確に表記できない。
3．「行かなければ／行かなきゃ」「行かねば」は同じ?

学習者の誤用の例

1．交通事故の多発に対して考えければならない。
　　→交通事故の多発に対して考えなければならない。
2．この博物館はすばらしいです。もう一度ここへ来なければなりません。
　　→もう一度ここへ来たいです。
3．私は何も食べられなくなって、横にさせなければならなかった。
　　→私は何も食べられなくなって、横にならざるをえなかった。
4．私たちはみんないつか死ななければいけない。
　　→私たちはみんないつか死ななければならない。

説　明

「～なければならない／～なければいけない」はいずれも、その行為・事柄が義務である、また、必要であることを表します。

● 「～なければならない」

「～なければならない」は二重否定の形をとっていて、「もし～しないと、その場合はよくない」、だから、「～するべきだ／～する必要がある」という意味を表しています。

「なければならない」は「動詞」「い形容詞」「な形容詞」「名詞＋だ」などのナイ形に接続します。

(1)　あした東京に行かなければならない。
(2)　年をとっても美しくなければなりません。
(3)　操作方法は簡単でなければなりません。
(4)　申し込みは5人以上でなければならない。

「～なければならない」は自分自身の行為・事柄に対して、また、聞き手（相手）の行為・事柄に対して、義務や必要性を表します。

(5)　私はあした入管に行かなければならない。（自分自身）
(6)　君もあした入管に行かなければならないよ。（聞き手［相手］）

「～なければならない」は(7)のように、一般的な行為・事柄に使われることが多いです。

(7)　大人は子供を守らなければならない。

また、(8)のように必然的な帰結としてとらえられる行為・事柄に対しても、「～なければならない」が用いられます。

(8)　人はいつか死ななければならない。

● 「〜なければならない」と「〜なければいけない」の比較

　「〜なければならない」と「〜なければいけない」は基本的にはどちらを使っても同じ意味になります。しかし、「〜なければいけない」が会話的であるのに対し、「〜なければならない」はやや硬く、改まった印象を与えます。(9)aと比べると、「〜なければいけない」を使った(9)bのほうが会話的な感じがします。

　　(9) a．私はあした入管に行かなければならない。
　　　　b．私はあした入管に行かなければいけない。

　聞き手（相手）の行為・事柄に対して義務や必要性を述べる場合、「〜なければいけない」を用いると、相手へのうながし（強制力）が強くなります。

　　(10) a．君もあした入管に行かなければならないよ。
　　　　b．君もあした入管に行かなければいけないよ。

　「〜なければいけない」は「〜なければならない」のように一般的な事柄を表せるでしょうか。

　　(11) a．大人は子供を守らなければならない。
　　　　b．大人は子供を守らなければいけない。

　「〜なければならない」のほうが重々しく聞こえますが、「〜なければいけない」も一般的な事柄を表すことができるようです。では、必然的な帰結はどうでしょうか。

　　(12) a．　人はいつか死ななければならない。
　　　　b．？人はいつか死ななければいけない。

(12)bはやや不自然な感じがします。

● 「行かなければ／行かなきゃ」「行かねば」

「〜なければ」は会話の中でしばしば「〜なきゃ」「〜なけりゃ」になります。

(13) 報告書を出さなきゃいけないんだ。
(14) 報告書を出さなけりゃいけないんだ。

「〜ねば」は現在でも使われていますが、少し文語的な言い方になります。比較的年配者に使われているようです。

(15) 子供の教育は本腰を入れてやらねばならない。

指導法あれこれ

1.「〜なければなりません」について

「〜なければならない」、また、その丁寧表現「〜なければなりません」は学習者にとって発音の難しいものです。まず、ナイ形を正しく作ることができないので「行きなければ」とか「食べらなければ」「帰りなければ」と言ったりします。

ナイ形が正しく作れても「なければならない／なければなりません」が難しく、多くの学習者は「〜なかればなりません」と言ってしまいます。一気に滑らかに言わせる練習を何度も繰り返してください。

英語話者の学習者の中には「〜なければならない」をmustに置き換えて、「学習者の誤用の例」2のような文を作ることがあります。

2．この博物館はすばらしいです。もう一度ここへ<u>来なければなりません</u>。

I must come here again. を日本語に置き換えたのでしょうが、この場合日本語では、「もう一度ここへ来たいです」「もう一度ここへ来たいと思います」と言うほうが適切です。

また、「学習者の誤用の例」3のように、「〜せざるをえない」との混同も見られます。

3．? 私は何も食べられなくなって、横にさせなければならなかった。

「〜なければならない」と「〜せざるをえない」の違いは、「〜せざるをえない」には「しかたなく」「意志に反して」という意味合いが含まれます。3の場合は、「(しかたなく)横にならざるをえなかった」としたいところです。

2．「〜なければなりません」は初級学習者に必要な表現か

　「行かなければなりません」「勉強しなければなりません」のように「〜なければなりません」という表現が果たして初級学習者に必要かどうかは議論のあるところです。「〜なければなりません」は教師側に必要な表現であって、それを学習者に口頭練習させる必要はないという意見もあります。

　私が教科書『Situational Functional Japanese』(SFJ)(1991-1992)にかかわったとき、やはりそれが問題になりました。日本語の日常の会話には「〜なければなりません」はほとんど出てきません。それで、自然な会話の習得を目指すSFJでも、「〜なければなりません」をかなり遅く提出することにしました。

　ところが、日本語教師としては「〜なければなりません」が使えず、困った思いをしました。学習者が宿題を忘れたとき、予習を忘れたときなど、指示する表現に「予習をしなければなりません」「漢字は覚えなければなりません」を言いたくても、習っていないので使えないことがありました。

　「〜なければなりません」はやや人工的な響きがありますが、理解表現としては必要ですし、もし、学習者が知っていれば、「これからバイトに行かなければなりません」とか「あしたまでに本を返さなければなりません」などと使えて便利になります。

　強調して教える表現ではないかもしれませんが、やはり初級には必要な表現だと思われます。

指導ポイント

1. 動詞のナイ形が正しく言えない学習者が多いので、前もってナイ形を十分練習してから、「～なければならない」「～なければいけない」に入ったほうがいい。
2. 「なければならない／なければなりません」の形を正確に覚えさせること。一気に言えるように繰り返し口ならし練習をすること。
3. 「～なければならない」「～なければいけない」はどちらを使ってもよい場合が多い。物事の必然的な帰結には「～なければいけない」はあまり使われない。
4. 「～なければならない」「～なければいけない」には相手へのうながし・強制の意味合いが含まれるため、目上の人に使うと失礼になるので、注意させること。

20
〜だろう・〜かもしれない

A：正夫から電話かかってきた？
B：いや。
A：きょうはもうかかってこない
　　かもしれないわね。
B：うん、こんな時間だから、
　　もうかかってこないだろう。
A：そうね。もうかかってこないでしょうね。

学習者はどこが難しいか。よく出る質問。

1．「〜だろう」はいつ使うの？
2．「〜と思う」と「〜だろうと思う」の区別がわからない。特に、「〜だろうと思う」が使えない。
3．「〜だろう」と「〜かもしれない」は実現の確率・可能性が違うの？
4．「たぶん」を使うと「〜かもしれない」は使えない？
5．「〜かもしれない」は否定的な内容のときに使うの？

学習者の誤用の例

1．あした雨だろと思います。→あした雨だろうと思います。
2．あしたは雨でしょうと思います。→あしたは雨だろうと思います。
3．A：リーさんの発表はすばらしかったね。
　　B：まじめな彼のことだから、毎日がんばって勉強したんです。
　　　　→まじめな彼のことだから、毎日がんばって勉強したんでしょう。
4．たぶんあした東京へ行くかもしれません。
　　→たぶんあした東京へ行くでしょう。

説 明

●「〜だろう／〜でしょう」の意味用法

「〜だろう／〜でしょう」は未来のことや不確実な事柄に対して用いられます。副詞「たぶん」「きっと」といっしょに用いられることが多く、やや可能性の高い推量を表します。「〜だろう」は話しことばでは、主に男性が用います。

　　(1)　たぶん今晩大家さんが来るだろう。(女性:来るでしょう。)

書きことばや(2)のようなひとり言では男女とも使えます。

　　(2)　どうしてあんなことを言ったんだろう。

「〜だろう」は疑問の形で、相手の判断・意見を聞いたり、確認するときにも使われます。

　　(3)A：君もそう思うだろう。(女性:あなたもそう思うでしょう。)
　　　 B：うん、そうだね。
　　(4)A：ちょっとお金、貸してもらえないだろうか。
　　　 B：……。

疑問の形の「〜だろう」は未来のことや不確実な事柄を表すと同時に、自分で決めてしまわないで、判断の一部を相手に任せるという意味合いを持ちます。

●「〜だろうと思う」

　　(5)　彼女は独身だろうと思います。
　　(6)　今晩台風が来るだろうと思います。

「〜だろう」単独ではひとり言になりますが、「と思う」と結び付いて、自分の意見・推量を相手に伝えることができます。「〜だろうと思う」とすることで話し手の判断を少しぼかすことによって丁寧さを増す働きもあります。「〜だろうと思う」は男女共に使

える丁寧な言い方です。

● 「〜かもしれない／〜かもしれません」の意味用法

「〜かもしれない」も未来のことや不確実な事柄に対して用いられます。ただし、「〜だろう」と比べて、可能性の低い場合に使われます。したがって、肯定的内容だけでなく否定的表現とともに現れやすくなります。

(7) 田中さんは来るかもしれない。でも、来ないかもしれない。

「〜かもしれない」は副詞「ひょっとしたら」「ひょっとすると」「もしかしたら」「もしかすると」などとともに使われることが多いです。

(8) ひょっとしたら、彼はもう戻ってこないかもしれない。
(9) もしかしたら、100万円当たるかもしれない。

● 「〜だろう」「〜かもしれない」の作り方

「〜だろう」と「〜かもしれない」の前には「動詞」「形容詞」などが来ます。「な形容詞」「名詞＋だ」の場合は「だ」が脱落するので、注意が必要です。

動詞	な形容詞
行く 行かない 行った 行かなかった ＋ だろう／かもしれない	元気 元気じゃ／ではない 元気だった 元気じゃ／ではなかった ＋ だろう／かもしれない
い形容詞	名詞＋だ
痛い 痛くない 痛かった 痛くなかった ＋ だろう／かもしれない	休み 休みじゃ／ではない 休みだった 休みじゃ／ではなかった ＋ だろう／かもしれない

● 「〜だろう」と「〜かもしれない」の比較

　「〜だろう」と「〜かもしれない」は両方とも可能性を表す推量表現ですが、文法的に異なる点がいくつかあります。

１）疑問文が作れるかどうか
　「〜だろう」は相手の判断を伺う働きがありますが、「〜かもしれない」は疑問文にはできません。

　　⑽ a．　今晩台風が来るだろうか。
　　　 b．？今晩台風が来るかもしれませんか。

２）名詞修飾節の中に入るかどうか（⇒54 名詞修飾節）

　　⑾ a．？彼女が欠席するだろう場合も考えておかなければならないよ。
　　　 b．　彼女が欠席するかもしれない場合も考えておかなければならないよ。

　話し手の主観性が強いものほど名詞修飾節には入りにくくなります。したがって、「〜だろう」のほうが「〜かもしれない」より、話し手の主観性が強いと言えます。

３）うしろに「と思う」が付くかどうか
　「〜だろう」は「〜だろうと思う」の形で使われることが多いですが、「〜かもしれないと思う」という形は使われません。

　　⑿ a．　そろそろ景気がよくなるだろうと思う。
　　　 b．？そろそろ景気がよくなるかもしれないと思う。

指導法あれこれ

「〜だろう／〜でしょう」の、特にイントネーションを中心にした使い分けについて考えてみましょう。＜＞の矢印は上昇・下降などのイントネーションを表します。

1．推量
　　1）A：バス、遅いですね。
　　　　B：もうそろそろ来るでしょう。(男女)＜↓＞
　　2）A：バス、遅いね。
　　　　B：もうそろそろ来るだろう。(男)＜↓＞

2．確認
　　1）A：あの人、田中さんでしょう？(男女)＜↑＞
　　　　B：ええ、そうです。
　　2）A：あの人、田中さんだろう？(男)＜↑＞
　　　　B：ええ、そうよ。

3．疑い・心配(「〜でしょうか」「〜だろうか」の形で。)
　　1）A：お客さん、来てくれるでしょうか。(男女)＜↓＞
　　　　B：大丈夫ですよ。
　　2）A：お客さん、来てくれるだろうか。(男＞女)＜↓＞
　　　　B：大丈夫よ。

4．反語(「〜(の)でしょうか」「〜(の)だろうか」の形で。)
　　1）A：こんなことでいいのでしょうか。(男女)＜↓＞
　　　　B：いえ、よくないですよね。
　　2）A：こんなことでいいのだろうか。(男＞女)＜↓＞
　　　　B：いえ、よくないよね。

5．(肯定的)推量(「(の)ではないでしょうか」「(の)ではないだろうか」の形で。)
　　1) A：彼は自殺するのではないでしょうか。(男女)＜↓＞
　　　 B：……。
　　2) A：彼は自殺するのではないだろうか。(男＞女)＜↓＞
　　　 B：……。

(男＞女)は女性も使うが、一般には男性が使うことが多いことを表します。

　「〜でしょう」「〜だろう」を自然なイントネーションで使い分けることは、学習者には難しいことです。イントネーションが正しくない場合は、その都度練習をするようにしてください。発音やイントネーションは一朝一夕で身に付けられるものではありませんから、時間をかけてやってください。

> **指導ポイント**
>
> 1. 「〜だろう」はやや可能性の高い推量を、「〜かもしれない」は「〜だろう」より可能性の低い場合に使われる。「〜かもしれない」は肯定的内容だけでなく否定的表現とともに現れやすい。
> 2. 「〜だろう」単独ではひとり言になるが、「と思う」と結び付いて、自分の意見・推量を相手に伝える働きをする。
> 3. 「だろう」は副詞「たぶん」「きっと」といっしょに、「〜かもしれない」は「ひょっとしたら」「ひょっとすると」「もしかしたら」「もしかすると」とともに用いられることが多い。

21 〜そうだ（様態）

A：太極拳は体にいいそうですね。
B：そうですよ。
A：私にもやれますか。
B：大丈夫ですよ。毎朝公園でやっていますから、見に来てください。
　　　　　　⋮
B：どうですか。
A：ええ、私にもやれそうです。あしたからやってみます。

学習者はどこが難しいか。よく出る質問。

1．「(雨が降り)そうだ(様態)」と「(雨が降る)そうだ(伝聞)」を混同してしまう。（⇒24 そうだ(伝聞)）
2．「そうだ」の前の形容詞や動詞を正しく接続できない。
3．可能性を表す「地震が起こりそうだ」「いいことがありそうだ」の使い方が難しい。
4．どうして「きれいそうだ」「有名そうだ」などは言わないのか。
5．「〜そうだ」の否定形が難しい。「降りそうだ」の否定形は「降りそうに(も)ない」か。「降らなそうだ」か。「降らなさそうだ」も可能か。

学習者の誤用の例

1．ニュースによると、台風が来そうだ。→ニュースによると、台風が来るそうだ。
2．雲が多いので、雨が降りそうだろう。
　　→雲が多いので、雨が降りそうだ／雲が多いので、雨が降るだろう。

3．あの女の人は<u>きれいそうですね</u>。→あの女の人はきれいですね。
4．ラジオを聞きながら勉強することは、<u>よさそうではない</u>。
　　→ラジオを聞きながら勉強することは、よくない（ようだ）。
5．全面的な改革は<u>話そうに</u>簡単ではない。
　　→全面的な改革は話のように簡単ではない。

説 明

　ある根拠にもとづいて話し手が判断し想像する言い方には、「～そうだ（様態）」「～ようだ」「～らしい」「～そうだ（伝聞）」などがあります。ここでは、その一番手として、様態を表す「～そうだ」を取り上げます。（⇒22 ～ようだ（～みたいだ））（⇒23 ～らしい）

● 「～そうだ（様態）」の意味用法

　赤ん坊を抱っこしていて、その子があくびをしたり、目をとろんとさせているのを見たとき、あなたはどう言いますか。

　　(1)　この子、もう<u>寝そう</u>ですね。

　この文は、話し手が人・もの（ここでは「子供」）が見せる様子・様相（兆候）から自分の感じを述べたものです。
　一方、「寝そうだ」は次の会話でも使えます。

　　(2) A：午後の講義、中世期の哲学についてだよ。
　　　　B：ええっ。授業中みんな<u>寝そう</u>ね。

(2)の場合は、その時点でのもの・ことが見せる様子・様相（兆候）ではなく、午後の授業で起こるであろう可能性について述べています。
　このように様態を表す「～そうだ」は、観察対象の外観から受ける「感じ（兆候）」を表す場合と、その事態が起こる「可能性」を表す場合があります。「い形容詞」「な形容詞」のような形容詞では、一般に外観から受ける「感じ（兆候）」を表します。

(3) この生ハムはおいしそうだ。
(4) 子供達は元気そうだ。
(5) いつもひまそうですね。することがないんですか。

　一方、動詞の場合は外観から受ける「感じ（兆候）」と「可能性」の両方を表します。次の(6)は「感じ（兆候）」を(7)は「可能性」を表しています。

(6) （金魚が口をぱくぱくしているのを見て）あ、金魚が死にそうだ。
(7) （餅がのどに詰まって）あ、苦しい。死にそうだ。

● 「～そうだ（様態）」のうしろの語へのかかり方

　「～そうだ」は「～そうな」の形をとってうしろの名詞にかかっていくこと（名詞修飾）ができます。また、「～そうに」の形でうしろの動詞を説明すること（連用修飾）もあります。

(8) ガラスケースにおいしそうなケーキが並べてある。
(9) 彼は何でもおいしそうに食べる。

　うしろの名詞にかかっていく場合、「～そうな」があるのとないのとでは意味が変わる場合があります。

(10) 彼はおもしろい顔をしている。
(11) 彼はおもしろそうな顔をしている。

(10)は彼の顔自体がおもしろいのであり、(11)は彼が何かを見て（聞いて）、おもしろいと思っている顔をしていることを表します。

● 「～そうだ（様態）」の作り方

　「～そうだ」はその前に「い形容詞」「な形容詞」「動詞」などをとります。「名詞（＋だ）」はとりません。また、「い形容詞」の「いい／よい」は「よさそうだ」という形をとります。

動詞	い形容詞	な形容詞	名詞＋だ
マス形の語幹＋そうだ	い形容詞の語幹＋そうだ	な形容詞の語幹＋そうだ	~~名詞~~ ~~＋そうだ~~
行きそうだ	痛そうだ よさそうだ	元気そうだ	~~独身~~ ~~＋そうだ~~

● 「～そうだ（様態）」と過去形、疑問形

「～そうだ（様態）」は現在の時点だけでなく、過去の時点で外観から受けた「感じ」、また、「可能性」を表すこともできます。

　(12)　きのう彼女にその話をしたら、うれしそうだったよ。
　(13)　きのうはあまりに暑くて、日射病になりそうだった。

また、疑問文も作ることもできます。

　(14) A：彼女は仕事を引き受けてくれそうですか。
　　　 B：う～ん、どうでしょうね。

● 「～そうだ（様態）」と否定形

「～そうだ（様態）」にはいくつかの否定表現があります。「形容詞＋そうだ」と「動詞＋そうだ」に分けて考えてみましょう。

1．形容詞の場合

「この料理はおいしそうだ」の否定形は「～そうだ」の前を否定にする場合と、うしろを否定にする場合があります。

　(15)　この料理はおいしくなさそうだ。
　(16)　この料理はおいしそうじゃ／ではない。

(15)の「～なさそうだ」と(16)の「～そうじゃ/ではない」は意味用法はほとんど変わりませんが、「～なさそうだ」が外観を見て直感的に判断をするのに対し、「～そうじゃ/ではない」は、だれかが言ったこと、言われていることに対し、それを打ち消す意味合いがあります。

(17)　（店の様子を見ながら）どうもこの店の料理はおいしくなさそうだ。
(18) A：これ見て。道子が作ったのよ。おいしそうでしょう。
　　　B：ええ～っ。ぜんぜんおいしそうじゃないよ。

2．動詞の場合

「雨が降りそうだ」の否定形も「～そうだ」の前を否定にする場合と、うしろを否定にする場合があります。

(19)　雨が降らな(さ)そうだ。
(20)　雨が降りそうにもない。

(19)は「降らなそうだ」とも、「さ」を入れて「降らなさそうだ」とも言うことができますが、「さ」を入れる傾向が強くなっているようです。(20)の「～そうにもない」は、「に」か「も」いずれかの省略が可能です。「も」を入れると、話し手の打ち消しの気持ちが強くなります。

(20)'　雨が降りそうにない。
(20)"　雨が降りそうもない。

「～な(さ)そうだ」と「～そうにもない」は意味用法はほとんど変わりませんが、「～な(さ)そうだ」が形容詞の場合と同じく、外観を見て直感的に判断をするのに対し、「～そうにもない」は、これも形容詞と同じく、だれかが言ったこと、言われていることに対し、それを打ち消す意味合いがあります。

(21)　この調子だと雨は降らなさそうだね。
(22)　天気予報では雨が降るって言っていたけど、いっこうに降りそうにもないね。

指導法あれこれ

1.「〜そうだ（様態）」の使用状況 （⇒23 〜らしい）

山森理恵（2004）は、「〜そうだ（様態）」の使用状況について日本人と学習者の調査を通して比較しています。

そこには、学習者の「〜そうだ（様態）」の使用頻度は「〜みたいだ」「〜らしい」に比べると高く、日本人の使用頻度に近いと言えること、しかし、その使用状況を見ると、学習者は「形容詞＋そうだ」（おいしそうだ、高そうだ、など）はよく使うが、「動詞＋そうだ」（降りそうだ、行きそうだ、など）はあまり使わないこと、一方、日本人は形容詞だけでなく、「動詞＋そうだ」の使用も少なくなかったということが報告されています。

また、山森氏は日本語教科書がどのように導入・練習を取り入れているかも観察しています。それによると、「〜そうだ（様態）」については、どの教科書もまんべんなく「動詞＋そうだ」「形容詞＋そうだ」とも扱っているが、「動詞＋そうだ」では「雨が降りそう」「落ちそう」のように「感じ（兆候）」を表す例が多かったと指摘しています。

「説明」でも触れたように、「動詞＋そうだ」は観察対象から受ける「感じ（兆候）」と「可能性」を表します。山森氏の指摘のように、教科書の提示の仕方においても、また、指導時においても、教師は「動詞＋そうだ」のとき、形容詞と同じように「感じ（兆候）」に重点を置き過ぎ、次のような「可能性」を表す例を簡単に済ませてしまう傾向があると考えられます。

　(23) A：この本屋はどうかしら。
　　　 B：この本屋ならありそうね。こんなに本が揃っているんだから。
　(24) A：大きい台風が来そうですよ。ニュースで来るって言ってました。
　　　 B：ああ、そうですか。

2.「そうだ（様態）」の付きにくい形容詞

観察対象の外観から受ける「感じ（兆候）」を表す場合、「おいしそうだ」「おもしろそうだ」とは言えますが、「きれいそうだ」「青そうだ」と言うことはできません。

これについてはいろいろな本にも述べられていますが、「一見してわかる性質のも

のには様態を表す「〜そうだ」は使いにくい」というのが一般的な説明です。
　様態「〜そうだ」が使いにくい形容詞を見てみましょう。

「な形容詞」　きれいだ→？きれいそうだ　　有名だ→？有名そうだ
　　　　　　　静かだ→？静かそうだ　　　　モダンだ→？モダンそうだ
　　　　　　　公平だ→？公平そうだ
「い形容詞」　赤い→？赤そうだ　　　　　　青い→？青そうだ
　　　　　　　かわいい→？かわいそうだ　　美しい→？美しそうだ
　　　　　　　醜い→？醜そうだ

　たしかに色を表すもの、美醜を表すものなど、「一見してわかる性質のもの」には様態「〜そうだ」は使われにくいようです。しかし、「な形容詞」の「有名だ」は、「一見してわかる性質のもの」ではありませんが、「有名そうだ」は使われません。また、外来語が「な形容詞」になったもの、「近代的だ・国際的だ」のような「〜的」の付くものには様態「〜そうだ」は付きにくいようです。

指導ポイント

1. 「そうだ（様態）」は形容詞に接続する場合（「おいしそうだ」）と、動詞に接続する場合（「(雨が)降りそうだ」）がある。前者に指導の重点が行きやすいので、後者の理解・練習も十分にすること。
2. 「〜そうだ（様態）」は「感じ（兆候）」を表す場合と、その事態が起こる「可能性」を表す場合がある。学習者は後者があまり使えないので十分練習させること。
3. 伝聞を表す「〜そうだ」と混乱しやすいので、「〜そうだ（様態）」は動詞のマス形、形容詞の語幹に接続することを十分注意させること。
4. 学習者は名詞にも「〜そうだ」を付けたがる（「?病気そうだ」「?この店は休み（名詞）そうだ」）が、「〜そうだ（様態）」は名詞には付かないことに注意させること。
5. 「〜そうだ（様態）」は言い切りの形だけでなく、「〜そうな＋名詞」「〜そうに＋動詞」の形で用いられることが多いので、時期を見て導入し、十分練習するとよい。
6. 「〜そうだ（様態）」は否定の形が多く、混乱しやすい。まず、「〜そうだ」の前を否定にする例（「行かな（さ）そうだ」）を十分練習してから、「〜そうにもない」（「行きそうにもない」）を導入したほうがよい。

22

～ようだ（～みたいだ）

A：肉は焼けたかしら。
B：もう少しですね。
（しばらくして）
B：ああ、焼けたようですね。
A：いい色ですね。おいしそう……。
　　皆さん、肉が焼けましたから、
　　こちらに来てください。

学習者はどこが難しいか。よく出る質問。

1．第三者の気持ちを表すときに「ようだ」が抜けやすい。
2．「（雨が降り）そうだ」と「（雨が降る）ようだ」はどう違うか。
3．「（雨が降る）ようだ」と「（雨が降る）だろう」はどう違うか。
4．「～ようだ」と「～みたいだ」はどう違うか。

学習者の誤用の例

1．彼は合格してうれしい。→彼は合格してうれしいようだ。
2．A：ケーキをどうぞ。
　　B：あ、おいしいようですね。→おいしそうですね。
3．A：（人がやっているのを見て）私にもできるようですから、させてください。
　　　→私にもできそうですから、させてください。
　　B：あ、どうぞ。
4．彼はうしろ姿を見ると女性らしいだ。
　　→彼はうしろ姿を見ると女性のようだ／みたいだ。

説 明

　ある根拠にもとづいて話し手が判断し想像する言い方には、「そうだ（様態）」「〜ようだ」「〜らしい」「〜そうだ（伝聞）」などがあります。ここでは、その二番手として、推量を表す「〜ようだ」を取り上げます。（⇒21　〜そうだ（様態））（⇒23　〜らしい）

●「〜ようだ」の作り方

　「〜ようだ」はその前に「動詞」「い形容詞」「な形容詞」「名詞＋だ」の普通形をとります。ただし、「な形容詞」と「名詞＋だ」の非過去・肯定での接続の形に注意が必要です。

動詞	な形容詞
行く / 行かない / 行った / 行かなかった ｝＋ようだ	元気な / 元気じゃ／ではない / 元気だった / 元気じゃ／ではなかった ｝＋ようだ

い形容詞	名詞＋だ
痛い / 痛くない / 痛かった / 痛くなかった ｝＋ようだ	休みの / 休みじゃ／ではない / 休みだった / 休みじゃ／ではなかった ｝＋ようだ

●「〜ようだ」の意味用法

　「〜ようだ」は日本語で比較的よく使われる形式です。一般には、ある根拠にもとづく想像を表すと言われていますが、ほかにもいくつかの用法があり、ここでは大きく「推量」「例示」「比喩」に分けて見ていきます。

● 推量「〜ようだ」

　約束の時間がとっくに過ぎたのに田中さんがまだ来ないとします。「時間がとっくに過ぎた」「こんなに遅いのだから」という根拠にもとづいて、「もう来ない」という推測ができます。
　また、田中さんの来るべき方角を見ても、道路を見ても、人の来る気配が全くないとします。そうすると、そのような情報が根拠になって、「もう来ない」という推測もできます。そして、次のような発話が出てきます。

　　(1)　田中さんはきょうは来ないようだ。

このように「〜ようだ」は体験的・経験的判断にもとづいた話し手の推量を表します。
　(2)は過去の事柄に対する話し手の推量を表しています。

　　(2)　田中さんはゆうべ家に帰らなかったようだ。

　また、第三者の考えや気持ち、行動を伝えるときは、文末に「ようだ」「らしい」などを付ける必要があります。

　　(3) a．？彼は合格してうれしい。
　　　　b．　彼は合格してうれしいようです。

「〜ようだ」は、現実の状況をはっきり断定せず話し手自身の感覚を表すため、はっきり断定するのがためらわれる場合や、失礼を避けるためによく使われます。

● 例示「〜ようだ」

　例を示す例示の用法には次のようなものがあります。

　　(4)　あなたのような人は、もう嫌いです。
　　(5)　私が言うようにしてください。
　　(6)　前にも話しましたように、今年は生産量を増やしたいと思っています。

 (7) 結果をグラフにすると、次のようになる。

「～ようだ」の前には(5)のように普通形が来る場合と、(6)のように丁寧形が来る場合があります。
 また、例示の「～ようだ」、次に述べる比喩の「～ようだ」には、「～ような+名詞」(名詞修飾)の形や、「～ように+動詞」の形を作ることができます。上の(4)は「～ような+名詞」の、(5)～(7)は「～ように+動詞」の例です。
 しかし、推量の「～ようだ」には、このような名詞や動詞を修飾する用法はありません。

●比喩「～ようだ」

 文法で、ほかのものにたとえて言う言い方を比喩と言います。日本語では「～ようだ」「～みたいだ」を付けて表します。名詞に付く場合は(8)のように「名詞+のようだ」、また、動詞に付く場合は(9)のように「普通形+ようだ」、または、(10)のように「普通形+かのようだ」となります。

 (8) あなたに会えるなんて、まるで夢のようだ。
 (9) 彼女は死んだように眠り続けた。
 (10) 彼はその場にいたかのように事件について話していた。

●「～みたいだ」

 「～ようだ」の口語体として「～みたいだ」が使われます。意味用法は「～ようだ」と同じですが、改まった場で「～みたいだ」を使うとくだけた印象を与えるので、注意が必要です。書きことばでは「～みたいだ」は使われません。
 次の(11)(12)の「～みたいだ」は推量を、(13)(14)は例示を、(15)～(17)は比喩を表します。

 (11) 彼はきょうは来ないみたいだ。
 (12) 彼女はもう出かけちゃったみたいです。
 (13) あなたみたいな人は大嫌い!
 (14) あなたみたいに文句ばかり言っていると、嫌われるよ。

(15) この方は私の、日本でのお母さんみたいな人です。
(16) （星を見て）あー、ダイヤモンドみたい。
(17) 彼女は子供みたいに泣きじゃくった。

● 「～ようだ」と「～そうだ（様態）」「～だろう」の比較

「～ようだ」と「～そうだ（様態）」「～だろう」を比べると、次のような違いがあると言えるでしょう。

	～ようだ	～そうだ（様態）	～だろう
情報	体験・経験による判断・直感。	外観を見ての感じ・兆候、または、可能性への直感。	特に情報はなくてよい。
とらえ方	やや主観的。	主観的。	主観的。
関心度	話し手の関心度がやや高い。	話し手の関心度が非常に高い。	話し手の関心度が高い。

「情報」というのは推量・判断をするときに何を根拠にするかということ、「関心度」というのは対象との距離をどの程度置いているかを示しています。

この比較は絶対的なものではなく、どちらかと言えばそう言えるという程度を示したものです。

指導法あれこれ

「〜ようだ」の具体的な導入方法を考えてみましょう。「〜ようだ」を学習者に理解させやすくするために、身近な場面・状況を考えます。
　自分の寮やアパートの右隣と左隣の部屋に友達が住んでいると仮定します。

〈練習〉
　次のような状況のとき、何と言いますか。「〜ようだ」を使って文を作ってください。

① 右隣の部屋の友達に用事があったので、ドアをノックしました。何度ノックしても返事がありません。
　　　　　　　　　　　　　　　　　　　　　　　　　　　　　　　ようです。

② しかたがないので、自分の部屋に戻っていたら、隣の部屋でかぎを開ける音が聞こえてきました。
　　　　　　　　　　　　　　　　　　　　　　　　　　　　　　　ようです。

③ 夜になると、左隣の友達の部屋から、「行く−行かない−行った−行かなかった」「来る−来ない−来た−来なかった」などの声が聞こえてきます。
　　　　　　　　　　　　　　　　　　　　　　　　　　　　　　　ようです。

④ 30分ほどすると、静かになりました。
　　　　　　　　　　　　　　　　　　　　　　　　　　　　　　　ようです。

⑤ 右隣の部屋からはシャワーの音が聞こえてきました。
　　　　　　　　　　　　　　　　　　　　　　　　　　　　　　　ようです。

⑥ 私はあしたの予習をしようと思って、かばんから教科書を出そうとしました。すると、教科書がありません。
　　　　　　　　　　　　　　　　　　　　　　　　　　　　　　　ようです。

⑦ ノートもありません。
　　　　　　　　　　　　　　　　　　　　　　　　　　　　　　　ようです。

⑧ それで、別の寮に住む友達に電話をかけました。でも、だれも出ません。留守電になっていました。
　　　　　　　　　　　　　　　　　　　　　　　　　　　　　　　ようです。

これは一例ですが、学習者の実際に遭遇しそうな場面・状況で、なおかつ、自然な形で「〜ようだ」が出る場面・状況を与えて練習させると、学習者は自分でどんどん文を作ってくるにちがいありません。

> **指導ポイント**
>
> 1. 「〜ようだ」の名詞修飾の形「〜ような＋名詞」に習熟させること。また、連用修飾の形「〜ように」も注意、練習させる必要がある。
> 2. 「〜ようだ」と「〜だろう」の使い分けは、「〜ようだ」のほうがより客観的根拠・情報にもとづく。「〜ようだ」と「〜そうだ（様態）」は、「〜そうだ（様態）」のほうが「いかにもそうである」「今にも起こる」というように感覚的にとらえようとする。
> 3. 「〜みたいだ」は「〜ようだ」よりくだけた話しことばに用いられる。

23
～らしい

A：田中さん、仕事やめたそうですね。
B：そうらしいですね。
A：今は何を？
B：さあ、よく知りませんが、どこかに勤めているようですよ。バスの中でときどき見かけますから。

学習者はどこが難しいか。よく出る質問。

1．「(雨が降る)らしい」と「(雨が降る)ようだ」はどう違うか。
2．「(地震があった)そうだ」と「(地震があった)らしい」はどう違うか。
3．第三者の気持ちを伝えるときに「らしい」が抜けやすい。
4．「(女)らしい」と「(女)のようだ／みたいだ」を混同する。

学習者の誤用の例

1．さっき空を見てきたけど、あしたはいい天気になるらしい。
　→さっき空を見てきたけど、あしたはいい天気になるようだ。
2．リーさんは風邪をひきました。
　→リーさんは風邪をひいたらしいです。
3．あの人はいつも違う車を運転しているから、きっと金持ちらしい。
　→あの人はいつも違う車を運転しているから、きっと金持ちだろう。
4．彼は女性のものが大好きで、女らしいですね。
　→彼は女性のものが大好きで、女のよう／みたいですね。

説 明

　ある根拠にもとづいて話し手が判断し想像する言い方には、「～そうだ（様態）」「～ようだ」「～らしい」「～そうだ（伝聞）」などがあります。ここでは、その三番手として、推量を表す「～らしい」を取り上げます。(⇒21 ～そうだ（様態）) (⇒22 ～ようだ（～みたいだ）)

●「～らしい」の意味用法

　「～らしい」はある根拠にもとづく想像を表すと言われていますが、ほかに「春らしい天気」のように「典型」を表す用法があります。ここでは「推量」と「典型」に分けて見ていきます。

●推量を表す「～らしい」

　「～らしい」はある根拠にもとづく話し手の判断を表しますが、その特徴は観察対象と距離を置いて判断内容を示す点にあります。

　「～らしい」は意味的に見て、伝聞「～そうだ」(⇒24 ～そうだ（伝聞）)に近いものと、推量「～ようだ」(⇒22 ～ようだ（～みたいだ）)に近いものがあります。

1. 伝聞を表す「～らしい」

　天気予報であした雪が降ると言っているのを聞いたとき、次のような発話が生まれます。

　　(1)　さっき天気予報を聞いたんだけど、あしたは雪が降るらしいよ。

(1)は伝聞「～そうだ」を用いた(2)と、ほぼ同じ意味合いを持ちます。

　　(2)　さっき天気予報を聞いたんだけど、あしたは雪が降るそうだよ。

　「～らしい」と「～そうだ（伝聞）」を比べると、「～らしい」のほうがやや距離を置いて（客観的に）相手に伝えているという意味合いが感じられます。

2．推量を表す「〜らしい」

(3)の場合には、話し手の想像や判断が含まれます。

　(3)　山田は洋子のことをあきらめたらしい。あれから何も言ってこないから。

この場合は「〜ようだ」とほぼ同じ意味合いになります。

　(4)　山田は洋子のことをあきらめたようだ。あれから何も言ってこないから。

(3)「〜らしい」と(4)「〜ようだ」を比べると、やはり「〜らしい」のほうが「山田」にやや距離を置いて（客観的に）相手に伝えているという意味合いが感じられます。この「距離を置いて」というのは、状況・文脈の中で、時に、「無関心に」「冷静に」「無責任に」「冷たく」などの意味合いが生じるときもあります。

　また、「らしい」は文末に付いて第三者の考えや気持ちや行動を伝えます。

　(5) a．？小林さんはパーティに出たくないです。
　　　b．　小林さんはパーティに出たくないらしいです。

●「〜らしい」の作り方

動詞		な形容詞	
行く 行かない 行った 行かなかった	＋らしい	元気 元気じゃ／ではない 元気だった 元気じゃ／ではなかった	＋らしい
い形容詞		名詞＋だ	
痛い 痛くない 痛かった 痛くなかった	＋らしい	休み 休みじゃ／ではない 休みだった 休みじゃ／ではなかった	＋らしい

「〜らしい」はその前に「動詞」「形容詞」「名詞＋だ」などの普通形をとります。た

だし、「な形容詞」と「名詞+だ」の非過去・肯定での接続の形に注意が必要です。

● 「～らしい」と「～ようだ」の比較

「～らしい」と「～ようだ」を比べると、次のような違いがあると言えるでしょう。

	～らしい	～ようだ
情報	耳から入ってくる情報の場合が多い。	目から入ってくる情報の場合が多い。体験・経験による判断。
とらえ方	「～ようだ」より客観的。	「～らしい」より主観的。
関心度	話し手の関心度がやや低い。	話し手の関心度がやや高い。

「情報」というのは推量・判断をするときに何を根拠にするかということ、「関心度」というのは対象との距離をどの程度置いているかを示しています。この比較は絶対的なものではなく、どちらかと言えばそう言えるという程度を示したものです。

● 典型を表す「～らしい」

「雨らしい雨」や「山田さんらしい」のように、「名詞+らしい」の形で、「いかにもそのようだ（典型的だ）」という意味を表します。

(6) このごろは雨らしい雨が降っていない。
(7) 知っていてだれにも言わないなんて山田さんらしい。

典型を表す「名詞+らしい」と比喩の「～ようだ」は、学習者が時に混乱するところです。

(8) 小林さんは男らしい人だ。
(9) 小林さんは男のような人だ。

(8)では小林さんは男性であり、(9)では小林さんは女性になります。

(10) きょうは春らしい天気ですね。
(11) きょうは春のような天気ですね。

⑽では季節は今、春であり、⑾では季節は今、春ではないことになります。

指導法あれこれ

　山森理恵(2004)は、話し手の想像や判断を表す「〜と思う」「〜だろう」「〜かもしれない」「〜そうだ(様態)」「〜みたいだ」「〜らしい」について、日本人と学習者でこれらの使用状況がどのように異なるかを調査しています。(⇒21 〜そうだ(様態))
　「〜そうだ(様態)」については、「21 〜そうだ(様態)」のところで紹介しましたが、ここでは「〜らしい」についての報告を中心に紹介したいと思います。
　山森氏は、「〜らしい」は日本人と比べ学習者の使用頻度が一番低いこと、学習者の「〜らしい」の使用には、伝聞用法に偏っている傾向が見られること、一方、日本人には、観察対象と距離を置いて判断内容を提示していることを示していると思われるもの(⑿⒀)や、話し手自身に対して距離を置いた対象ととらえるもの(⒁)もあったことを次の実例とともに報告しています。

　　⑿　(弟は)なんか巨人が好きらしくて(略)。
　　⒀　妹は(整形に)興味あるらしくて…。
　　⒁　俺は(略)性的なものを除外したいっていう人らしいんですよ。

　この調査結果を「〜らしい」に絞って考えると、想像・判断を表す文法形式のうち、「〜らしい」は学習者が一番使えないものの一つと言えるようです。また、使えていても、伝聞を表す「〜らしい」の使用に偏っているということになります。
　山森氏はその要因として、日本語教科書の導入・練習のやり方の不備をあげています。学習者の定着がよくないときは、学習者自身の問題であることもありますが、多くの場合は、教科書の不備か、教え方の不十分さによるものです。
　学習者に「〜らしい」が使えないのも、山森氏が指摘しているように、十分な指導の機会がなかったためと考えられるので、適切な段階で、適切な状況・場面での例文の提示、練習が必要だと言えます。

指導ポイント

1. 「～らしい」と「～ようだ」はともに話し手の想像・推量を表すが、「～らしい」のほうがやや距離を置いて、客観的に伝えているという感じがある。
2. 伝聞を表す「～らしい」と「～そうだ」との違いは、両方とも人から聞いたことを伝えているが、「～らしい」のほうがやや距離を置いて（ある意味では、「人ごとのように」）相手に伝えているという感じがある点にある。
3. 伝聞を表す「～らしい」では、情報源の表し方として、「～によると（≠によって）」「～の話では」「～から聞いたんだけど」などの表現が使えるように十分練習させること。

24

～そうだ（伝聞）

A：（隣の奥さんに）主人の
　　会社が倒産したんです。
B：まあ、大変ですね。
　　　　…
B：お隣のご主人の会社、
　　倒産したそうよ。
C：へえー。
B：ご主人の会社は大丈夫？
C：今のところはうまくいっているようだけど。

学習者はどこが難しいか。よく出る質問。

1．第三者の気持ちを伝えるときに「そうだ」が抜けやすい。
2．「（雨が降り）そうだ（様態）」と「（雨が降る）そうだ（伝聞）」を混同してしまう。
3．「（雨が降る）そうだ（伝聞）」と「（雨が降る）らしい」はどう違うか。(⇒23 ～らしい)
4．「彼はアメリカへ行ったそうでした」と、「そうだ」を過去にすることができる?

学習者の誤用の例

1．彼は合格してうれしい。→彼は合格してうれしいそうだ。
2．スミスさんは、まだ独身そうです。→スミスさんは、まだ独身だそうです。
3．（人から聞いて）あのレストランは安くておいしそうです。
　　→あのレストランは安くておいしいそうです。
4．新聞によって、フィリピンで地震があったそうです。
　　→新聞によると、フィリピンで地震があったそうです。

説 明

　ある根拠にもとづいて話し手が判断し想像する言い方には、「～そうだ（様態）」「～ようだ」「～らしい」「～そうだ（伝聞）」などがあります。ここでは、伝聞を表す「～そうだ」を取り上げます。(⇒21 ～そうだ（様態）) (⇒22 ～ようだ（～みたいだ）) (⇒23 ～らしい)

● 「～そうだ（伝聞）」の意味用法

　「普通形＋そうだ」は、話し手が自分の聞いたり本で読んだりしたことを聞き手（相手）に伝えるときに用いられます。伝えるときに話し手は自分の（早く伝えたいとか、価値がある情報だという）気持ちを「～そうだ」に含ませています。

　(1)　きのう九州で地震があったそうです。

何かの情報源にもとづいて知ったことを伝えるので、(2)のように情報源とともに「～そうだ」が用いられることが多いです。

　(2)　新聞によると、きのう九州で地震があったそうです。

　「学習者の誤用の例」4のように「～よると」を「～よって」と混同する学習者もいるので、注意が必要です。情報源は「～によると」のほかに、「～の話では」「～から聞いたんだけど」なども用いられます。

　(3)　純子さんの話では、幸子さん、離婚したそうよ。

テレビやラジオの報道では、「～そうだ」を使うことはほとんどありません。

　(4)a．九州の地震では多数の死者が出たということです。
　　　b．？九州の地震では多数の死者が出たそうです。

もし、聞いた話を話し手の気持ちを込めることなく、事実だけを伝えるのであれば、テレビやラジオの報道のように、「ということです」「と言っていました」を使えばいいことになります。

24　～そうだ（伝聞）

また、第三者の考えや気持ち、行動を伝えるときは、「学習者の誤用の例」1のように、文末に「そうだ(伝聞)」「ようだ」「らしい」などを付ける必要があります。

(5) a．？彼は合格してうれしい。
　　 b．　彼は合格してうれしいそうです。

「そうだ(伝聞)」は次のようにそれ自身の過去形はありません。また、疑問文にすることもできません。

(6)？山田さんは大学入試に失敗したそうでした。
(7)？来年ここで万博が開かれるそうですか。

● 「～そうだ(伝聞)」の作り方

伝聞「～そうだ」はその前に「動詞」「い形容詞」「な形容詞」「名詞＋だ」の普通形をとります。

動詞	な形容詞
行く 行かない 行った 行かなかった ＋そうだ	元気だ 元気じゃ／ではない 元気だった 元気じゃ／ではなかった ＋そうだ
い形容詞	名詞＋だ
痛い 痛くない 痛かった 痛くなかった ＋そうだ	休みだ 休みじゃ／ではない 休みだった 休みじゃ／ではなかった ＋そうだ

● 「～そうだ(伝聞)」と「～そうだ(様態)」（⇒21 ～そうだ(様態)）

学習者の誤りで多いのは、「～そうだ(伝聞)」と「～そうだ(様態)」の混同です。前者は自分が聞いたことの相手への伝達、後者は観察対象の外観から受ける感

じ(兆候)、また、事態の起こる可能性を表します。学習者は意味用法を混同するというよりは、形や音の類似にまどわされて使い分けを混同してしまうようです。

(8) (ケーキを見て)おいしいそうだ。→おいしそうだ。
(9) (人から聞いて)あのレストランは安くておいしそうです。
　　→あのレストランは安くておいしいそうです。

(8)は「〜そうだ(様態)」、(9)は「〜そうだ(伝聞)」での学習者の誤りの例ですが、伝聞を表したいときは、「動詞・形容詞」・「名詞＋だ」の普通形＋そうだ」、様態を表したいときは「動詞・形容詞の語幹＋そうだ」を徹底させる必要があります。特に「い形容詞」では、語末の「い」があるかないかが学習者にはつかみにくい場合が多いので注意が必要です。

指導法あれこれ

人がだれかに何かを伝える「伝聞」には「〜そうだ」以外にどんなものがあるのでしょう。「台風が来る」を例にとりましょう。

　a. 台風が来るそうです。
　b. 台風が来るらしいです。
　c. 台風が来るようです。
　d. 台風が来ると言っていました。
　e. 台風が来ると聞きました。
　f. 台風が来るという。
　g. 台風が来るとのことです。
　h. 台風が来るということです。
　i. 台風が来るって。

a〜d、h、iは本書で取り上げています(⇒50 〜と言う)(⇒51 〜という〜)。fは書かれたもの(小説、エッセー、など)の中で使われます。g、hは改まった感じがあり、ニュースなどでよく使われます。

授業の中で外国人学習者に自分の町を紹介してもらったことがあります。彼は写真を見せながら、次のように言いました。

　「この建物は、……えーと、だいたい150年前に建てられたそうです。」

彼はその建物が建てられた年代を人から聞き、それを聴衆である私達に伝える形で伝聞「～そうだ」を使ったのですが、聞いている私達にとってはどこか変に感じられました。自分の町のことなのだから、少々うろ覚えでも「150年前に建てられました」、または、「……建てられたと言われています」と言うべきです。

　これは神尾昭雄（1990）に「情報のなわ張り」として説明されていますが、話し手の町のことは話し手の「なわ張り」に属することであり、たとえよく知らないことでも、その町を全く知らない聞き手（聴衆）に紹介するときには、伝聞「～そうだ」は使えないということになります。

　伝聞と言っても、使い方の難しいときがあるようですね。

指導ポイント

1. 「～そうだ（伝聞）」と伝聞を表す「～らしい」の違いは、両方とも聞いたことを伝えているのであるが、「～らしい」のほうがやや距離を置いて（人ごとのように）相手に伝えているという感じがある。
2. 伝聞を表す「～そうだ」では、情報源の表し方として「～によると（≠によって）」「～の話では」「～から聞いたんだけど」などの表現が使えるように十分練習するとよい。
3. 伝聞を表す表現はいろいろあるので、「～そうだ」だけでなくいろいろ混ぜて使えるように練習するとよい。

25 〜の（ん）だ

A：行ってきます。
B：雨、降ってますか。
A：まだ降ってませんね。
　　⋮
A：ただいま。
B：（傘がぬれているのを見て）
　　あ、雨が降っているんですか。
A：ええ、さっき降り出したんです。

学習者はどこが難しいか。よく出る質問。

1．「〜の（ん）だ」の使いすぎ。使いすぎると、押し付けがましい印象を与える。
2．「行きますか」と「行くんですか」、「行きます」と「行くんです」、「行くでしょう」と「行くんでしょう」はどう違うの？

学習者の誤用の例

1．学校はあした休みんです。→学校はあした休みです／休みなんです。
2．どうして日本人の子供たちは外国人にHaro!と叫びますか。
　　→どうして日本人の子供たちは外国人にHaro!と叫ぶんですか。
3．用事があるんですから、早めに帰りたいんですが。
　　→用事がありますから、早めに帰りたいんですが。
4．飛行機に乗れば、そんなにこわがらなくてもいいことがわかるんでしょう。
　　→飛行機に乗れば、そんなにこわがらなくてもいいことがわかるでしょう。

説 明

● 「〜の(ん)だ」の意味用法

　「〜の(ん)だ」(会話では「〜んだ」「〜んです」になりやすい)は、日本人がよく使用するのに、学習者がうまく使えない表現です。「〜の(ん)だ」で重要なことは、文脈・状況と結び付いて使われることです。次の2文はいつ使うのでしょうか。

　　(1)　雨が降っている。
　　(2)　雨が降っているんだ。

(1)は、例えば、外を見て、単に「雨が降っている」という事態を述べているだけです。一方、(2)は、人が傘をさしているとか、ぬれた傘を持って部屋に入ってきたなどという状況があって、それを見て(知って)「雨が降っている」という事情を納得したり、説明したりする言い方です。

　疑問文についても同じことが言えます。

　　(3)　その本はおもしろいですか。
　　(4)　その本はおもしろいんですか。

(3)は単にその本がおもしろいかどうかを尋ねています。しかし(4)は、相手が夢中で読んでいるとか、いつも持ち歩いているという状況を見て、「おもしろいのか」と説明を求めたり、確認をしたりする言い方です。

　「〜の(ん)だ」の意味用法は次の通りです。

　1）説明を求める、説明を与える
　　(5) A：どうして遅れたんですか。
　　　　B：ごめんなさい。バスが来なかったんです。
　　(6)　道が込んでいる。きっと事故があったのだ。
　　　　　　　　　　　　　　　(前文が事態、後文がその説明)

2）主張
　(7)　それでも私は行きたいんだ。

3）納得
　(8)　変な男がうろうろしていた。だから犬がほえたのだ。

　　　　　　　　　　　　　　　（前文が事態、後文がその結果）

4）言い換え
　(9)　彼女は人のものを何でもほしがる。要するに彼女は子供なのだ。

1）〜4）のほかに、次のように発見や命令を表すこともあります。

5）発見
　(10)　（料理を作っていて）
　　　何か味が足りない。……ああ、砂糖を入れればいいんだ。

6）命令
　(11)　さっさと歩くんだ。

疑問文では、ある前提・状況があって「説明を求める」「確認をする」というのが本来の用法ですが、「問いただし」や「とがめ」の意味になることもあります。

　(12)　こんな時間にどこへ行くんですか。
　(13)　まだあの女に会うんですか。

● 「〜の（ん）だ」の作り方

「〜の（ん）だ」の接続を次に示します。「な形容詞／名詞＋だ」の非過去・肯定に接続するときは「な」が必要になるので、注意が必要です。

動詞		な形容詞	
行く		元気な	
行かない	｝＋の(ん)だ	元気じゃ／ではない	｝＋の(ん)だ
行った		元気だった	
行かなかった		元気じゃ／ではなかった	
い形容詞		名詞＋だ	
痛い		休みな	
痛くない	｝＋の(ん)だ	休みじゃ／ではない	｝＋の(ん)だ
痛かった		休みだった	
痛くなかった		休みじゃ／ではなかった	

● 「～の(ん)だから」について

　やや高度な誤りとして、「学習者の誤用の例」3のような「～の(ん)だから」の不適切な使い方がよく見られます。「～の(ん)だから」の前に来るものは、話し手と聞き手にとって自明のものである必要があります。ここでは、用事があることは話し手にとっては自明でも、聞き手は知らないかもしれません。そのため、「～の(ん)だから」を使ってしまうと、聞き手も当然知っているはずだという押し付けがましい意味合いが出てきてしまい、主張が強すぎるという印象を与えることがあるので注意が必要です。この「～の(ん)だから」の文では、あとに続く文(主節)は「はずだ」「ほうがいい」「てください」や命令の形が来ることが多いです。

　(14) 外は寒いんだから、マフラーをしていったほうがいいよ。

指導法あれこれ

　「～の(ん)だ」に「主張」の意味合いがあるためか、学習者の中には、主張したい、強調したいと言って、「～の(ん)だ」をやたらに使う人がいます。
　レポートや文章に「～の(ん)だ」が多いと、主張が強すぎて、読み手は読む意欲をなくしてしまいます。そういう傾向がある学習者には、一度、「～の(ん)だ」を使わ

ないでレポートなり文章なりを書かせてみてください。そして、そのあとで、ここには「〜の(ん)だ」を入れたほうがいい、ここは入れないほうがいいというように、説明しながら指導してください。

「〜の(ん)だ」は述語の普通形(「名詞＋だ」は「名詞＋な」)に接続するので、普通形を習ったあとでしか導入できないと考えられてきました。しかし、日常的には「…んです(か)」は頻繁に用いられるため、その導入を早めるという傾向が見られるようになりました。早める方法として、普通形はまだ習っていなくても、「聞き取り」練習でどんどん自然な「んです」「んですか」の入った会話を聞かせるというやり方があります。また教科書によっては、普通形の導入を早め、導入と同時に「〜の(ん)だ」を提示し、導入しているものもあります。

学習者は外で「〜の(ん)だ」をよく聞くせいか、使えるほどにはなりませんが、あまり抵抗なく「普通形＋の(ん)です」を学習するようです。

ただし、はじめに述べたように、使いすぎや使い方によって、「〜の(ん)だ」が押し付けがましい、攻撃的な、また、詰問調の印象を与えてしまうので、注意をさせてください。

指導ポイント

1. 「〜の(ん)だ」の前に来る語(動詞・形容詞の普通形、名詞＋だ)の形を正確に作らせること。
2. 「〜の(ん)だ」にはいくつかの用法があるが、基本的には、「説明を求める(疑問文)」と「説明を与える」である。したがって、説明が必要な状況・前提がある場合に使われることが多い。(「〜の(ん)だろう／でしょう」も同じ。)必要な状況・前提がないときに使うと不自然になるので注意が必要である。
3. 「〜の(ん)だ」を使いすぎないように指導すること。使いすぎると、押し付けがましい印象を与える。

26 ～はずだ

A：田中さん、遅いですね。
B：ええ、でも、きのう必ず来ると言っていたから、来るはずです。
A：じゃ、もうちょっと待ってみましょう。
　　…
A：田中さん来そうにないですね。
B：おかしいな。来ないはずはないんだけど。
A：しかたないから、出発しましょう。

学習者はどこが難しいか。よく出る質問。

1．「～はずだ」をいつ使えばいいのか、使い方がわからない。
2．「(彼は来る)はずだ」と「(彼は来る)だろう／ようだ／らしい」はどう違うか。
3．「(彼は来る)はずだ」と「(彼は来る)べきだ」の違いは？
4．「(彼は来る)はずだ」と「(彼は来る)わけだ」の違いは？（⇒27 ～わけだ）
5．「来ないはずだ」と「来るはずが／はない」の違いは？

学習者の誤用の例

1．A：きょう田中さん、うちにいるかな。
　　B：きょうは休みはずだよ。→きょう休みのはずだよ。
2．かなりひどい台風だから、彼は来ないはずだ。
　　→かなりひどい台風だから、彼は来ないだろう。

3．A：山田さん、静かですね。
　　B：きのう先生にしかられたから……。
　　A：ああ、それできょうは静かなはずですね。
　　　→きょうは静かなわけですね。
4．何かをする前、私達はよく考えるはずだ。
　　→何かをする前、私達はよく考えるべきだ。

説 明

　ある根拠にもとづいて話し手が判断し想像する表現として、「～そうだ(様態)」「～ようだ」「～らしい」「～そうだ(伝聞)」などがありますが、それとは少し異なり、「自分の推量というのではなくて、これこれの事実があれば当然こうなる、そういう状況にあることを相手に伝える表現(寺村秀夫(1984) p.266)として、「～はずだ」「～わけだ」があります。
　ここではまず、「～はずだ」について見ていきます。

●「～はずだ」の意味用法

　「～はずだ」には「話し手の確信・期待を表す」場合と、「話し手が納得したことを表す」場合があります。二つに分けて見ていきます。

　1)話し手の確信・期待を表す
　「～はずだ」は基本的には第三者についての事柄を話し手が判断する表現です。
　AとBは村田さんと待ち合わせをしました。しかし、村田さんは約束の時間になっても現れません。村田さんは来ないのでしょうか。そのとき、(1)のような会話が出てきます。

　　(1)A：村田さん、遅いですね。
　　　B：ええ、でも、きのう必ず来ると言っていたから、来るはずです。

Bはきのう村田さんからきょう必ず来るという確約を得ていました。ですから、村田さんが時間に現れなくても必ず来るという確信（期待）を持っているのです。

「～はずだ」はこのように、話し手がある事実や情報にもとづいて当然こうなるという確信（期待）を聞き手（相手）に伝える表現です。

「～はずだ」が使われる過程は次のようになります。

　　事実・根拠がある　→　当然こうなる
　　（来ると言っていた）→（当然来る）
　　　　　　　　　　　→きのう必ず来ると言っていたから、来るはずだ。
　　（彼は専門家だ）　→（当然わかる）
　　　　　　　　　　　→彼は専門家だから、彼に聞けばわかるはずだ。

２）話し手が納得したことを表す

Bは町に出かけたので、お土産に有名店のケーキを買ってきました。そのときの会話です。

　　(2) A：このケーキおいしいね。
　　　　B：一つ500円もしたのよ。
　　　　A：ああ、じゃ、おいしいはずね。

「おいしいはずだ」の「～はずだ」は、ケーキの値段を聞いて、ケーキのおいしい理由を納得したという意味合いを持っています。

　　(3) A：ロペスさん、日本語上手だね。
　　　　B：日本に来て、もう10年になるよ。
　　　　A：ああ、それじゃ、日本語が上手なはずだね。

(3)の「上手なはずだ」の「～はずだ」は、ロペスさんが日本に10年いることを知って、日本語が上手なことを納得したことを表しています。

●「～はずだ」の作り方

「～はずだ」はその前に「動詞」「形容詞」「名詞＋だ」の普通形をとります。

ただし、「な形容詞」と「名詞＋だ」の非過去・肯定での接続の形に注意が必要です。

動詞	な形容詞
行く 行かない 行った 行かなかった ｝＋はずだ	元気な 元気じゃ／ではない 元気だった 元気じゃ／ではなかった ｝＋はずだ
い形容詞	名詞＋だ
痛い 痛くない 痛かった 痛くなかった ｝＋はずだ	休みの 休みじゃ／ではない 休みだった 休みじゃ／ではなかった ｝＋はずだ

● 「～はずだ」の否定形

「～はずだ」にはいくつかの否定表現があります。
「彼女は病気なので、会議には出てこない」という文を用いて「～はずだ」の否定表現について考えてみましょう。

1)「～はずだ」の前を否定にする

(4) 彼女は病気だから、会議には出てこないはずだ。

これは「会議に出る」「出ない」に対する、話し手の判断を表しています。

2)「～はずが／はない」

(5) 彼女は病気だから、会議に出てくるはずが／はない。

「～はずが／はない」は「会議に出てくる可能性はない」という強い打ち消しを表しています。

「〜はずがない」と「〜はずはない」の違いは、「が」「は」の違いに起因します。「会議に出るはずがない」という場合は「が」の持つ「発見・報告・驚き」の意味合いが入ります。病気の彼女が会議に出席するという意外な情報が入った場合などに、強い打ち消しとして「〜はずがない」が用いられます。

一方、「会議に出るはずはない」は諸般の事実・事情から判断してその可能性はないということを説明している表現になります。(⇒28「は」と「が」)

● 「〜はずだ」と「〜だろう」「〜ようだ」「〜らしい」「〜べきだ」

「〜はずだ」は、話し手がある根拠にもとづいて当然こうなるという確信(期待)を聞き手に伝える表現です。一方、「〜だろう」は話し手の主観による想像・推量を、また「〜ようだ」「〜らしい」は根拠にもとづく想像・推量を表します。

「学習者の誤用の例」2は「かなりひどい台風」から想像して、彼が来ないことを推量しているだけなので「彼は来ないだろう」とするべきです。話し手の期待・関心が強くなると、当然・当為を表す「〜べきだ」につながっていきます。

(6) A：絶対出席すると言ったのだから、彼女は出席するはずだ。
　　B：そうだよ。あれだけはっきり言ったんだから、何があっても<u>出席するべきだ</u>よ。

「学習者の誤用の例」4は「私達はよく考えるはずだ」を「よく考えるべきだ」にすべき例です。

指導法あれこれ

「〜はずだ」の教室活動や練習としてどのようなものが考えられるでしょうか。

〈練習〉

1）いろいろな人の例を出して、その人なら当然こうであろうという判断を「〜はずだ」を使って言ってください。

①村田さんはお金持ちだ。だから、
　→大きい家に住んでいるはずだ。
　　車を2、3台持っているはずだ。
　　働かなくてもいいはずだ。
　　　　　　　：

②ヨランダさんはメキシコ人だが、お母さんは日本人だ。だから、
　→日本語ができるはずだ。
　　日本の食べ物は大丈夫なはずだ。
　　　　　　　：

③うわさによると、ロンさんが自動車事故を起こしたらしい。でも、私はそんなはずはないと思う。なぜなら、
　→ロンさんは車を持っていないはずだ。
　　ロンさんは免許を持っていないはずだ。
　　ロンさんは運転しないはずだ。
　　　　　　　：

2）①のようにひとり言の文を作ってください。

①（部屋に入る）
　　寒いなあ。
　　（まわりを見る）
　　寒いはずだ。窓が開いている。

②（うちに帰る）

　　_____。

（かべの時計を見る）

　　_____はずだ。もう12時を過ぎている。

③（友達に電話をかける）

　　_____。

（友達が旅行に行っているのを思い出す）

　　_____はずだ。_____。

指導ポイント

1. 「～はずだ」は、話し手の確信・期待を表す。「～そうだ（様態）」「～ようだ」「～らしい」とは少し異なり、自分の推量というのではなくて、ある事実があれば当然こうなるということを相手に伝える。
2. 納得を表す「～はずだ」は「～わけだ」と置き換えることができる。納得の「～はずだ」が使えるように、対話の形での練習をさせるとよい。
3. 「～はずだ」は否定文に「～ないはずだ」「～はずがない」「～はずはない」などがある。十分な例と状況作りで、正しく用法を把握させること。
4. 「～はずだ」の文では、それがもとづく事実・根拠を表す必要のある場合が多い。「～から」「～ので」などの理由節、条件節などが適切に使えるように十分指導、練習すること。

27 〜わけだ

A：田中さんはなぜ怒ってるんですか。
B：さあ。
A：あなたが何か言ったんでしょう。
B：何も言ってませんよ。ただ、田中さんの作った料理には味がないと言ったんです。
A：ああ、だから田中さんは怒ったわけですね。自慢の料理なのに。

学習者はどこが難しいか。よく出る質問。

1．「〜わけだ」をいつ使えばいいのか、使い方がわからない。
2．「(彼は来る)わけだ」と「(彼は来る)からだ」の違いは？
3．「(彼は来る)わけだ」と「(彼は来る)はずだ」の違いは？
4．「〜わけだ」の否定形は複雑で難しい。
5．「〜わけではない」と「〜わけにはいかない」の使い分けは？

学習者の誤用の例

1．先生にしかられたのは、宿題をちゃんとしなかったわけだ。
　→先生にしかられたのは、宿題をちゃんとしなかったからだ。
2．たくさん運動したら体が強くなるわけだ。
　→たくさん運動したら体が強くなるはずだ。
3．毎日チョコレートを食べると、きっと太るわけだ。
　→毎日チョコレートを食べると、きっと太るだろう。

説 明

● 「～わけだ」の意味用法

　「～わけだ」は、ことの成り行きやものの道理などから必然的にそのような結論に達したということを表します。今起こっている、また、もう起こったことに対して用いられます。
　「～わけだ」にはいろいろな意味用法があります。以下に重要なものを取り上げます。

　　1）話し手の結論を表す

　　　(1)　いつも遅刻をするから、先生にしかられたわけだ。

(1)は前文「いつも遅刻をする」が理由を、後文がその結果「先生にしかられた」ことを表しています。そして、話し手は、それは先生と生徒の関係から生じた必然的なこととして、「わけだ」を用いて結論付けています。

　　　(2)　あなたに本当のことをわかってもらおうと思って、来たわけです。

(2)も前文「本当のことをわかってほしい」が理由になって、後文「来たわけだ」が話し手の結論を表しています。
　話し手の結論を表す「～わけだ」は、(1)を例にとると次のような構文になります。

　　　(1)'　いつも遅刻をするから、先生にしかられたわけだ。
　　　　　　理由　＋　から　　結果　＋　わけだ（結論）

　　2）話し手の納得を表す

　　　(3) A：このケーキおいしいね。
　　　　　B：一つ500円もしたのよ。
　　　　　A：ああ、じゃ、おいしいわけね。

(4) A：どうしたの。
　　B：先生にしかられたの。
　　A：どうしてしかられたの。
　　B：宿題してこなかったから。
　　A：ああ、それでしかられたわけね。

　納得を表す「～わけだ」は文頭に「それで／だから／道理で」が来ることが多いです。

　初級レベルでは1）2）が中心になりますが、「～わけだ」はほかにもいくつかの用法があります。

3）言い換えを表す

(5) 山田さんは今度北米の領事館勤務になった。つまり彼は出世したわけだ。

言い換えを表す「～わけだ」は文頭に「つまり／要するに」が来ることが多いです。

4）説明・主張を表す

　説明・主張を表す「～わけだ」は、話し手が聞き手に物事を説明するときに使われます。「～わけだ」がなくても意味的には変わりませんが、「～わけだ」を付けることによって、文が説明的な意味合いを帯びてきます。

(6) 私はもう20年もこのウイルスの研究をしているわけですが、まだその実態が見えていないというのが実情です。

(7) 私が声をかけても彼は知らん顔をしているわけです。そういうときは、私も腹が立ってきます。

● 「～わけだ」の作り方

　「～わけだ」はその前に「動詞」「形容詞」「名詞＋だ」の普通形をとります。ただし、「な形容詞」と「名詞＋だ」の非過去・肯定の場合は接続の形に注意が必要です。「名詞＋だ」の非過去・肯定では「～の（な）わけだ」が使われますが、「～というわけだ」が使われることも多いです。

動詞		な形容詞	
行く 行かない 行った 行かなかった	＋わけだ	元気な 元気じゃ／ではない 元気だった 元気じゃ／ではなかった	＋わけだ
い形容詞		名詞＋だ	
痛い 痛くない 痛かった 痛くなかった	＋わけだ	休みの／な／という 休みじゃ／ではない 休みだった 休みじゃ／ではなかった	＋わけだ

● 「～わけだ」の否定形

「～わけだ」にはいくつかの否定表現があります。

1)「～わけだ」の前を否定にする

　(8)　彼女は病気だから、会議には出られないわけだ。

これは病気であることが理由で、「会議に出られない」という話し手の結論を述べた文です。

2)「～わけが／はない」

　(9)　病気の彼女が会議に出られるわけが／はない。

ある事柄が成立する理由・可能性（ここでは「会議に出席する可能性」）がないという話し手の強い主張を表します。この「～わけが／はない」は「～はずが／はない」に置き換えることができます。「～わけがない」と「～わけはない」の違いは「～わけがない」のほうが打ち消しの意味合いが強くなります。(⇒26 ～はずだ)

3)「～わけではない」

(10)　彼女は病気だが、会議に出られないわけではない。

「絶対会議に出られない」という全面否定ではなく、「無理をすれば出られる」という部分否定を表します。次の例もそうです。

(11)　お金持ちがみんな幸せなわけではない。

4)「～わけにはいかない」

(12)　今さらこの工事を中止するわけにはいかない。

「工事を中止することが不可能である」というように、「そうすることができない」ことを表します。

● 「～からだ」と「～わけだ」

「学習者の誤用の例」1は学習者が「～からだ」と「～わけだ」を混同した例です。
　「～からだ」を使って表すと「結果＋のは、理由＋からだ」となるので、1は次のようになります。

　　1'　先生にしかられたのは、宿題をちゃんとしなかったからだ。

また、「理由＋から、結果＋わけだ」に当てはめると、次のようになります。

　　1"　宿題をちゃんとしなかったから、先生にしかられたわけだ。

● 「～はずだ」と「～わけだ」の比較

　「～はずだ」は話し手がある根拠にもとづいて当然こうなるという確信（期待）を表します。
　「～わけだ」は、ことの成り行きやものの道理などから必然的にそのような結論に達したということを表します。

⒀ a．きょうは会議があるから、社長が来るはずだ。
　　b．きょうは会議があるから、社長が来るわけだ。

～はずだ		
根拠	→	判断（確信（期待））
会議がある。	（であれば）	社長が来るはずだ。
～わけだ		
根拠	→	判断（論理的・自然的帰結）
会議がある。	（だから）	社長が来るわけだ。

⒀ aでは、「きょう会議がある」ことが根拠・情報となり、「そうであれば社長が来る」と確信・期待する表現として「～はずだ」が用いられます。一方、bでは、「きょう会議がある」ことが根拠・情報となり、「だから、社長が来る」と論理的に結論付ける表現として「～わけだ」が用いられます。

指導法あれこれ

「～わけだ」は学習者にはなかなか使えない表現です。自然な会話ができる練習を考えてみましょう。
〈練習〉
　1）ABの役割をしてください。＿＿＿＿は自分で文を作ってください。
　①A：道が込んでますね。
　　B：この先で工事しているらしいですよ。
　　A：ああ、それで、＿＿＿＿＿＿＿＿＿＿＿＿＿＿＿＿わけですね。
　②A：きょうは学校が静かですね。
　　B：野球の応援でみんな球場に行っているんですよ。
　　A：ああ、それで、＿＿＿＿＿＿＿＿＿＿＿＿＿＿＿＿わけですね。

③A：朴さん、ちょっと元気がないようですね。
　　B：_____。
　　A：ああ、それで、_____。
④A：アンさん、どうしたの。帰国するって言ってるけど。
　　B：_____。
　　A：_____。
⑤A：張さん、どうしたの。授業出てこないね。
　　B：_____。
　　A：_____。

2）例の形を使って、1）の会話をa、b二つの文にしてください。
　①a．その先で工事をしていたので、道が込んでいたわけです。
　　b．道が込んでいたのは、その先で工事をしていたからです。
　②a．_____。
　　b．_____。
　③a．_____。
　　b．_____。
　⑤a．_____。
　　b．_____。

〜わけだ

1）は自然な会話文を作る練習、2）は理由「〜からだ」と「〜わけだ」の使い分けの練習です。

指導ポイント

1. 「〜わけだ」は、主に結論を表す。結論を表すときは、「理由＋から、結果＋わけだ」の形をとることが多い。
2. 1で、学習者は「わけだ」を「からだ」と取り違えやすいので注意すること。
3. 納得を表す「〜わけだ」は「〜はずだ」と置き換えることができる。納得の「〜わけだ」が使えるように、対話の形での練習をさせるとよい。
4. 「〜わけだ」は否定文に「〜ないわけだ」「〜わけが／はない」「〜わけにはいかない」などがある。十分な例と状況作りで、正しく用法を把握させること。
5. 「〜わけだ」の文では、事実・根拠を示す必要のある場合が多い。「〜から」「〜ので」などの理由節、条件節などと組み合わせて、「〜わけだ」の練習をするとよい。

28 「は」と「が」

> A：すみません。村田さんですか。
> B：いいえ、ちがいますけど。
> 　　私は川田です。
> A：村田さんはどちらでしょうか。
> B：あそこに背の高い男の人が
> 　　いますね。
> A：ええ。
> B：あの人が村田さんです。

学習者はどこが難しいか。よく出る質問。

1．いつ「は」を使い、いつ「が」を使うのか、使い分けがわからない。
2．主題(トピック)とは何か。
3．何をどう主題化すればいいかがわからない。
4．文には必ず主題(トピック)が必要なのか。
5．「教室にはテレビはありません」のように、1文に「は」が複数現れるのはなぜか。
　　主題(トピック)は1文に一つあるだけでいいのではないか。
6．「対比」って何?
7．否定文ではいつも「は」を使うのか。
8．「日本では」「さっきは」のように、「は」は格助詞のうしろや副詞にも付くのか。
9．「日本では」「さっきは」も主題(トピック)なのか。

学習者の誤用の例

1．A：村山さんはどちらでしょうか。
　　B：ああ、あの人は村山さんです。→ああ、あの人が村山さんです。

2. A：張さんは料理がどうですか。→張さんは料理はどうですか。
　　張：料理が難しいです。→料理は難しいです。
3. あなたは行くなら、私も行きます。→あなたが行くなら、私も行きます。
4. サッカーが好きですが、テニスが好きではありません。
　　→サッカーは好きですが、テニスは好きではありません。

説明

「雪は降る」と「雪が降る」では「は」と「が」はどう違うのでしょうか。学習者にとって「は」と「が」の使い分けは難しいものと考えられてきました。もちろん、そうなのですが、十分に説明や練習がされなかったという教え方にも原因がありそうです。

まず、「は」は話し手の気持ちを表す取り立て助詞（とりたて詞、係助詞、副助詞とも言う）、「が」は述語との論理的な関係を示す格助詞で、両者は文法的に性質の異なるものだということを理解しておいてください。（⇒30 取り立て助詞「も・だけ・しか」）

● 「は」と「が」の特徴

「は」と「が」の基本的な特徴は次のようです。
「は」
　1）話し手の気持ちを表す助詞（取り立て助詞）である。
　2）主題（トピック）、および、対比を表す。
「～は」が文頭に来ると主題的に、述語の前に来ると対比的になる。

　　(1)　私はインドから参りましたカルマと申します。（主題的）
　　(2)　きょう、パーティに私は行きません。（対比的）

3）述語の選択を表す。

(3) 田中さん<u>は</u> ｛日本人です。
結婚しています。
あした九州へ行きます。
︙

4）述語に疑問詞が来ると、「は」になる。

(4) 金さん<u>は</u> ｛どこへ行きますか。
いかがですか。
何を召し上がりますか。
︙

5）大きくかかる。

(5) これは私が買ったバッグです。

(5)では、「(私)が」は「買った」にかかり、「(これ)は」は「バッグです」にかかっている。「が」に比べ、「は」のかかり方のほうが大きい。

6）ピリオド（句点「。」）越え

新しい主題（トピック）が現れるまで、主題（トピック）は同一である。「は」は文のピリオド（句点「。」）を越えて次の文、次の文へとかかっていく。

(6) 新宿は大きな町だ。夜11時でも大勢の人でにぎわっている。若者が好きな町だ。

7）「が」「を」、そして「に」の一部の代わりができる。

(7) 私<u>が</u>肉を食べない。→私は肉<u>は</u>食べない。
(8) 私の大学<u>に</u>留学生が300人いる。→私の大学<u>は</u>留学生が300人いる。

「で」「へ」「から」「まで」などのほかの格助詞は「は」に取って代わられることはない。（例：「メキシコでは」「日本からは」など）

「が」

1）述語（動詞など）との論理的な関係を表す格助詞である。
2）主語を表す。
　　発見（気づいたこと）を報告するときに用いられることが多い。

　(9)　あ、バスが来た。／お金がない。

3）主語の選択を表す。

　(10)　~~山田さん~~
　　　　~~あなた~~　　　が行きます。
　　　　私

4）疑問詞が主語のときは「が」をとる。

　(11)　どれがいいですか。／だれが発表しますか。

5）小さくかかる。従属節（名詞修飾節、副詞節など）の中の主語は通常「が」をとる。

　(12)　これは私が買ったバッグです。
　(13)　私が住んでいるアパートは日当たりがいい。
　(14)　あなたが行くなら、私も行きます。

以上の「は」と「が」の特徴を表にすると次のようになります。

は	が
取り立て助詞	格助詞
話し手の気持ちを表す	述語との論理的関係を表す
主題(トピック)、および、対比を表す	主語を表す
述語の選択	主語の選択
述語に疑問詞が来ると「は」	主語に疑問詞が来ると「が」
大きくかかる	小さくかかる
格助詞「が」「を」「に」の代わりができる	ほかの助詞の代わりはできない

● 「は」について

　「は」と「が」の違いについては前節で述べましたが、「は」はそれ以外にもいろいろな用法があります。学習者から出る質問に沿って、「は」の特徴を考えてみましょう。

質問　主題(トピック)とは何か。何をどう主題化すればいいか。
答え　「主題(トピック)」とは「話し手・聞き手両方が知っていて、話題に取り上げる(取り上げた)もの」のことです。
　　　「あそこに女の人が立っていますね。あの人はどこの人ですか。」という例を見てみましょう。まず、「あそこに女の人が立っていますね。」のように「が」を用いて、会話の中に「女の人」を導入します。「女の人」がだれのことか話し手と聞き手にわかった時点で、「あの人」を主題(トピック)にして「あの人は」とし、そのあとで、「あの人」についての解説・説明を続けます。

質問　1文には必ず主題(トピック)が必要なのか。
答え　これは文の種類と関係してきます。文には大きく分けて物事・事態を描写する「描写文」(「あそこで子供が遊んでいる。」「バスが来た。」「空がきれいだ。」など)と、物事・事態に対して話し手が判断をする「判断文」(「日本語はおもしろい。」「田中さんはあした来ないだろう。」など)があります。
　　　「描写文」では、通常は主題(トピック)は現れません。一方、「判断文」では現れることが多いですが、話し手・聞き手がわかっている場合は省略され

やすくなります。

質問　1文に「は」が複数現れるのはなぜか。それらはすべて主題（トピック）なのか。

答え　「私はきょうは学校へは行きません」のような文では1文に「は」が3回現れています。通常は、初めに現れる「は」が主題を表し、それ以降の「は」は対比を表します。「きょうは」は対比的に「あしたは行くかもしれないが」という意味合いを、また、「学校へは」は「ほかのところへは行くかもしれないが」という意味合いを含みます。

質問　「対比」って何？

答え　「田中さんは来るけど、山田さんは来ない。」という文では、「田中さん」と「山田さん」の行動が比較されています。「英語はわかりますが、中国語はわかりません。」においても、「英語」と「中国語」が比べられています。このような対立的な関係を「対比」と呼びます。「対比」は「田中さん」対「山田さん」、「英語」対「中国語」のように文の中に見える場合ばかりではありません。「チョコレートは好きだけど、きょうは食べない。」という文では「きょう」に対することばはありません。しかし、この文は対比を表しています。私達には「好きであれば毎日でも食べるだろう」という共通の判断があり、「きょうは食べない」はその判断に対立することを述べているので、対比的な意味合いを感じると考えられます。

　また、「〜が／〜けれども」がなくても対比を感じさせる場合もあります。「あしたは行きます。」「肉は食べます。」と聞くと、「あしたは行くが、きょうは行かない」「肉は食べるが、魚は食べない」のような対立する文を連想します。

　これには二つの理由が考えられます。

　一つは、「あした」に対して「きょう」、「肉」に対して「魚」という対立語が存在するために、対比的意味合いを感じるということです。もう一つの理由は、「あしたは行きます」「肉は食べます」では、「あした」「肉」が動詞の直前に来ているためです。「あしたは友達と車で京都へ行きます。」「肉はいつもよりよく焼いて食べます。」のような文の中では、「あしたは」「肉は」からはあまり対比的なものは感じられません。「あしたは」「肉は」という語が動詞から遠く

離れているからです。

　このように、対比を感じさせる要因はいろいろあり、対立語を持っている場合や動詞の直前に来ている場合などは、対比的意味合いが強くなるようです。

質問　否定文ではいつも「は」を使うのか。

答え　いつもではありません。しかし、否定文で「は」が用いられることが多いのは事実です。私達の判断には、まず肯定文があって、そうでない場合は肯定文を否定することになります。否定文は肯定を否定する、つまり、肯定に対立するものですから、対比的になり、「は」が現れやすいと言えます。しかし、「あ、お金がない。」や「バスが来ない。」のように、驚きや発見、そして、それを報告する文では「が」が用いられます。

質問　「日本では」「さっきは」のように、「は」が格助詞や副詞に付く場合も、主題を表すのか。

答え　「は」は格助詞「が」と異なり、名詞だけでなく何にでも付きます。「日本では」のように「名詞＋格助詞」に、「さっきは」のように副詞に、「書いては消す」のようにテ形に、「死にはしない」のように動詞の間に割って入ることもあります。この中で、「日本では」は主題になることもありますが、その他の場合は、通常、対比的な意味合いになります。

指導法あれこれ

　「は」は話し手の気持ち（ムード（モダリティ））にかかわるものなので、習得が難しく、あまり早い段階から説明しても身に付かない項目です。学習が進んだ中級、また上級の初めの頃に、上述の「説明」の「「は」と「が」の違い」のような整理をすると、混乱がかなり少なくなるようです。外国人に対する日本語教育では、「は」と「が」の違いをまとめて説明することが少ないので、どこかで整理しておくのは効果的です。

　指導法としては、ペーパーテストの穴埋め問題などで繰り返し練習するのが、地道ながら効果的な方法ですが、ここでは、ある先生から教わった、音声を使った「は」と「が」の教え方をご紹介しましょう。

　(15)　田中さんはりんごを食べました。
　(16)　田中さんがりんごを食べました。

(15)では、「田中さん」が主題（トピック）で、話し手も聞き手も知っており、田中さんがどうなのか、どうしたのかが問題になります。音声的に言えば、「りんご」の部分が強くなります。

　一方、「田中さんがりんごを食べました」と「が」を使うと、「だれがりんごを食べたか」が問題になり、音声的には、「田中さん」の部分が強くなります。

　「は」「が」のような助詞は、普通は、強調して発音されません。(15)と(16)の文を「は」と「が」を極端に小さく、聞こえないぐらいにして、普通のスピードで学習者に聞かせます。(15)では「りんご」を強く、(16)のときは「田中さん」を強く発音します。そして、学習者に「は」が入るか、「が」が入るかを言わせます。

　ほかにも次のような語や文を使って練習ができます。

　　　山田さん　　　北海道へ行きました
　　　私の友達　　　結婚しました
　　　小林先生　　　発表します
　　　課長　　　　　困っています

この方法は、実はうまくやるのはなかなか難しいのですが、文法と音声を結び付けるユニークな方法として、おもしろいのではないかと思います。
　また、「は」「が」の使い分けに関して、中級・上級の学習者はよく「文を作るとき、入り組んだ文（主語・述語が複数ある文）では、どこに「は」を使い、どこに「が」を使えばいいか混乱してしまう」と訴えます。
　こういう場合は、一つの入り組んだ文をばらばらにして助詞を省き、それを元の文に再構成させる練習をしてみてはどうでしょうか。こうすることによって、複雑な文の中の主述関係（主語・述語の関係）がつかめ、「は」と「が」の使い方の理解を深めるのに役に立つはずです。

指導ポイント

1. 「は」と「が」は全く別の種類の助詞（「は」は話し手の気持ちを表し、「が」は述語との論理的な関係を表す）であることを、指導する側は理解しておくこと。
2. 「は」が主題（トピック）を表すと言っても、学習者は具体的にはとらえにくい。具体的な状況・場面を使って、主題（トピック）とは何か、どのように主題化するのか、十分な例を示すこと。
3. 「は」「が」の違いについて、学習者は「強調を表す」と言うことがあるが、「強調」ではなく、述語選択・主語選択などの働きがあることを少しずつ理解させていくこと。
4. 「は」は格助詞「が」「を」と、また、「に」の一部に取って代わる。それ以外の格助詞「へ」「で」「と」「から」「まで」「より」では、格助詞のうしろに付くことをどこかで説明し整理しておきたい。

29 〜は〜が文

A：すもうとりは体が大きいですね。
B：そうですね。
A：走るのが大変でしょうね。
B：いや、すもうとりの体は
　　案外やわらかいんですよ。

学習者はどこが難しいか。よく出る質問。

1．「象の鼻が長い」と「象は鼻が長い」はどう違うの?
2．いつ「〜は〜が文」を使うのか。使い方がわかりにくい。
3．どうして「〜が〜は」としてはいけないのか。

学習者の誤用の例

1．この車の形がいいです。→この車は形がいいです。
2．中国の季節は四つあります。→中国は季節が四つあります。
3．田中さんは歌を上手です。→田中さんは歌が上手です。

説 明

●「〜は〜が文」の種類

　日本語には「象は鼻が長い」のように「〜は〜が＋述語」の形をとる文が数多く現れます。この文の形は日本語の特徴の一つだと言われています。「〜は〜が文」、言い換えれば、「名詞1は名詞2が＋述語」の文は大きく二つのタイプに分けられます。

1．「名詞1は」が主題を、「名詞2が」が主語を表すタイプ
　1）名詞2が名詞1の一部分（所有物）である場合

　　(1)　象は鼻が長い。
　　(2)　この車は形がいい。

　2）名詞2が名詞1の側面である場合

　　(3)　日本は季節が四つあります。
　　(4)　花はさくらが一番だ。

2．「名詞1は」が主題を、「名詞2が」が対象（目的）を表すタイプ

　　(5)　私は猫が好きです。
　　(6)　林さんはダンスが上手だ。
　　(7)　私はデジカメがほしい。
　　(8)　私は漢字が書けます。
　　(9)　私はミステリーが読みたい。

　2では、名詞1が主題を表します。名詞2は、文の構造上は主語を表しますが、意味上は対象・目的・目標を表します。学習者には述語（「好きだ・上手だ・ほしい」など）の目的語だと言い切ったほうがわかりやすいようです。
　特に、現代の話しことばでは、2の対象・目的を表す「が」が「を」に変わりつつあ

るものがあります。(9)の願望を表す「～たい」では、「が」よりも「を」のほうが多く使われているというデータが出ています（⇒14 ～たい）。「好きだ」「ほしい」なども、テレビドラマなどでは「君を好きだ」「カメラをほしい」のように「を」が時々聞かれます。

● 「～は～が文」の意味用法

　学習者にとって難しいと思われる、1)の「名詞1は名詞2が＋述語」（「象は鼻が長い」など）について考えてみましょう。
　1の1)は名詞1が全体を指し、名詞2が名詞1の一部分、または、所有物であるという場合です。これらは、「は」の代わりに「の」を用いて言い換えることができます。
　(10)(11)のaとbを比べてください。

　　(10) a．象は鼻が長い。
　　　　 b．象の鼻が長い。
　　(11) a．この車は形がいい。
　　　　 b．この車の形がいい。

aとbは意味的には同じことを言っているようですが、微妙な違いがあります。aはまず全体（象・この車）を取り上げて主題にし、それの一部分について特徴を述べています。あくまでも「象」のこと、「この車」のことが話題になっているのであって、「（象の）鼻」「（この車の）形」は一部分の説明でしかありません。一方、bは「象の鼻」「この車の形」について説明しています。
　1の2)では、名詞2は名詞1の側面を表していますが、名詞1の一部分ではありません。次の(12)(13)のようにaをbに言い換えることができない場合が多いようです。

　　(12) a．　日本は季節が四つある。
　　　　 b．？日本の季節が四つある。
　　(13) a．　花はさくらが一番だ。
　　　　 b．？花のさくらが一番だ。

指導法あれこれ

「説明」で次の例を出しました。

(10) a. 象は鼻が長い。
　　b. 象の鼻が長い。
(11) a. この車は形がいい。
　　b. この車の形がいい。

このaとbは、多くの学習者の母国語ではどちらも同じ形・意味（英語のan elephant's trunk, the shape of this car）になってしまうことが多いので、区別が難しいようです。そのようなときには、どんな場面・状況でaを使い、bを使うのかを示したほうがわかりやすいでしょう。

〈練習〉
（動物園で）
　動物園にはいろいろな動物がいます。象、きりん、熊、パンダ、ゴリラ、猿などです。あなたはどれが好きですか。好きな動物を選んで、1人1人その動物の特徴を言ってください。（学習者から「あの熊は耳が大きい」などの「～は～が文」を引き出してください。）
　では、次に動物の鼻や首など、部分について見てみましょう。

　　A：象の鼻はどんな鼻ですか。
　　B：象の鼻は太くて長いです。
　　A：では、ゴリラの鼻は？
　　B：ゴリラの鼻は平たくて上を向いています。
　　A：では、ゴリラの首は？
　　　　　　　：

動物園の話が子供っぽいようでしたら、車の話はどうでしょう。ドイツのベンツ、アメリカのクライスラー、韓国のヒュンダイ、日本のトヨタ、などなど。

指導ポイント

1. 「象の鼻が長い」は「象の鼻」に視点が、「象は鼻が長い」は「象」に視点が置かれていることをわからせること。
2. 「～は～が文」は学習者が本当に理解できるようになるには時間がかかる。「は」の代わりに「の」を使いがちなので、時間をかけて、文頭の「は」の使い方を体得させること。
3. 「～は」が全体を、「～が」が部分を表すこと、言い換えれば、「～は」は大きく、「～が」は小さく述語にかかることにも触れておくとよい。そのため、文の形は「～が～は」でなく、「～は～が」をとる。

30 取り立て助詞「も・だけ・しか」

先生：きのうどのぐらい勉強しましたか。
A：1時間勉強しました。
先生：1時間だけですか。
B：私は4時間勉強しました。
先生：えっ、4時間も勉強したんですか。
　　　えらいですね。Cさんは？
C：すみません。ぼくも1時間しか
　　勉強しませんでした。
　　　　　：
先生：皆さんのだいたいの様子がわかりました。
　　　皆さん、うちへ帰ったら、3時間は勉強してくださいね。

学習者はどこが難しいか。よく出る質問。

1．取り立て助詞を置く位置がわからない。
2．「だけ」と「しか」の違いがわからない。
3．「も」の用法が多くてわかりにくい。
4．「も」と「でも」とを混同してしまう。

学習者の誤用の例

1．毎日もアイスを1本ずつ食べています。
　　→毎日アイスを1本ずつ食べています。
2．A：きのうどこへ行きましたか。
　　B：上野へ行きました。

        A：秋葉原は。
        B：も行きました。→秋葉原へも行きました。
3．私のアパートから駅まで5分だけかかります。
    →私のアパートから駅まで5分しかかかりません。
4．私はお兄さんしかいます。→私は兄しかいません。
5．私は今お金があるので、何もできる。→私は今お金があるので、何でもできる。

説 明

●取り立て助詞とは

　国語文法で係助詞、副助詞と呼ばれているものを、日本語教育ではひとくくりにして取り立て助詞と呼びます。「は」「も」がその代表的なものですが、ほかに、「しか」「だけ」や、「ほど」「ばかり」「なんて」「なんか」「こそ」「さえ」などがあります。(⇒28「は」と「が」)

　取り立て助詞は、話し手がその事柄を「ほかの事柄との関係を暗示しながら取り立てる」という場合に使用されます。したがって、取り立て助詞を用いると対比的な意味合いが入ります。「1時間勉強した」という事実に対し、話し手が「1時間」を多いと感じると「1時間も」、少ないと感じると「1時間しか／だけ」と表現することができます。その他いろいろな感じ方・取り立て方で「1時間は」「1時間ほど」などが使われます。

●取り立て助詞の接続の仕方

　まず、格助詞への接続の仕方を見てみましょう。(⇒28「は」と「が」)

1)「が」「を」：取り立て助詞が取って代わることができる。

　　(1)　風が強くなってきた。→風も強くなってきた。(「が」→「も」)
　　(2)　魚を食べる。→魚も食べる。(「を」→「も」)

2)「に」：存在場所を表す場合、取り立て助詞が取って代わることができる。

  (3) この大学に女性の教授がたくさんいる。
    →この大学も女性の教授がたくさんいる。(「に」→「も」)

3)その他の格助詞：原則として取り立て助詞は格助詞のうしろに付く。

  (4) 私の国でも女性の社会への進出が見られる。(「で」→「でも」)
  (5) この本は子供だけでなく大人からも人気を得ている。(「から」→「からも」)
  (6) 忙しいので、連休にはどこへも行きません。(「へ」→「へも」)

ただし、「だけ」はうしろに格助詞が来ることもあります。

  (7) a．決まった子供とだけ遊ぶ。
    b．決まった子供だけと遊ぶ。
  (8) a．それは日本でだけ見られる現象だ。
    b．それは日本だけで見られる現象だ。

取り立て助詞は、そのほか、文中のいろいろな語について、その語を取り立てます。

［副詞のうしろ］
  (9) 彼女はきのうも来なかった。
［動詞の間に割って入る（マス形の語幹＋取り立て助詞＋する）］
  (10) 彼に声をかけたが、振り向きもしなかった。

では、次に主な取り立て助詞の用法を見ていきましょう。

● 「も」の意味用法

1）同類のもの・ことを示す
  (11) 私も行きます。
  (12) 父も母も出かけた。
2）多いという気持ちを表す
  (13) 10時間も寝た。

(14) ディズニーランドは何度も行きました。

３）完全否定

(15) 私は何も知らない。

(16) だれもいません。

(17) 一度も行ったことがありません。

４）感情・感慨を添える

(18) 夏休みも終わりだ。

(19) 子供だと思っていた息子も今年成人式を迎える。

５）おおよそを示す

(20) ビールは10本もあれば十分でしょう。

● 「だけ」「しか」の意味用法

「だけ」

１）限度・範囲を表す

(21) 休みは日曜日だけです。

(22) 見るだけです。買いません。

(23) やれるだけのことはした。

「しか」

１）物事がある範囲や程度に限られ、不十分であることを表す

(24) 彼女は野菜しか食べない。

(25) きのうは３人しか来なかった。

● 「だけ」と「しか」の使い分け

「しか」は「だけ」と異なり、常に否定文の中で用いられます。(26)(27)は意味はほぼ同じですが、肯定で表すか否定で表すかという点で異なります。

(26) a．漢字は少しだけわかります。
　　 b．漢字は少ししかわかりません。

(27) a．肉はとり肉だけ食べます。

b．肉はとり肉しか食べません。

　「だけ」と「しか」は「限度・範囲」を表すという点で、意味用法がよく似ています。両者の違いは、「だけ」が肯定的な見方・述べ方を、「しか」が否定的な見方・述べ方をするときに使われるということです。例えば、「日本語が少し話せる」ことを、話し手が肯定的にとらえるときは、「少しだけ話せます」に、否定的にとらえるときは「少ししか話せません」になります。

　学習者は「だけ」「しか」を英語のonlyに結び付け、「だけ私」とか「しか少し」などと、名詞の前に持って来ようとします。「私だけ」「少ししか」のように語のうしろに付けることを徹底させてください。

指導法あれこれ

1．「も」について

　同じだということを表したいとき、学習者は「も」を付けようとしますが、「学習者の誤用の例」1、2や次の例のようにどこに付けてよいかしばしば戸惑うようです。（→　）に訂正例を示します。

　(28)　おわんは珍しいです。珍しい箸もです。（→箸も珍しいです）
　(29)　その家は古いのに、どうして今その看板もありますか。
　　　　　　　　　（→どうして今もその看板がありますか）
　(30)　来日の目的は日本語を勉強することだが、今英語も勉強することは必要だ。　　　　　　　　　（→英語を勉強することも必要だ）

何が同類なのかをよく考えさせて、どこに付ければよいかを理解させ、練習する必要があります。特に英語話者は、英語ではtooを文末に付けるためか、「も」の位置に戸惑うようです。「も」は助詞なので、必ず名詞、名詞＋格助詞、副詞などの「語」のうしろに付くことを説明し、練習させてください。

２．「も」と「でも」について

「も」と「でも」の混同もよく見られます。

(31) 私は今お金あるので、なにも（→なんでも）できる。
(32) おばあさんが立っていましたが、だれでも（→だれも）席をゆずりませんでした。

このような場合は、「も」は否定文で、「でも」は肯定文で使われることを強調してください。

でも	も
だれでもいいです。	だれも来ません。
何でも食べます。	何も食べません。
どこでも行きます。	どこへも行きません。

指導ポイント

1. 「も」「だけ」「しか」は助詞なので単独で使われることはないこと（「も行きました」など）を、十分注意させること。
2. 学習者は取り立て助詞をどこに付けてよいかわからない場合が多い。何が取り立てられているのかをよく考えさせて、どこに付ければよいかを理解させる必要がある。
3. 取り立て助詞は、基本的には「名詞」に直接付くか「名詞＋格助詞」のうしろに付く。そのほかにも副詞や動詞にも付く（「少しも」「見るだけ」など）。
4. 「だけ」と「しか」の違いに注意させ、どう使い分けているかを、多くの例をあげて指導すること。「しか」は必ず「しか…否定」の形で用いられることを徹底すること。

31 終助詞「か・ね・よ」

> A:「ラストサムライ」、見ましたか。
> B:見ましたよ。
> A:おもしろかったですね。
> B:ええ、おもしろかったですね。
> A:私は2回も見たんですよ。
> B:そうですか。すごいですね。

学習者はどこが難しいか。よく出る質問。

1．「〜か」の文の正しいイントネーションができない。
2．「か」が必要なときに脱落してしまう。
3．「よ」の使い方がわからない。
4．「ね」と「よ」の使い分けがわからない。
5．普通体の会話の中で自然なイントネーションで「ね」「よ」が使えない。

学習者の誤用の例

1．A:内田先生は。
　　B:今いらっしゃいません。
　　A:ああ、そうです。いらっしゃいません。
　　　→ああ、そうですか。いらっしゃいませんか。
2．A:きのう田中さんのビデオを見ました。
　　B:私も見ました。おもしろかったですよ。→おもしろかったですね。
3．A:きのう黒沢の映画を見ました。
　　B:そうですか。私はまだです。
　　A:おもしろかったですね。→おもしろかったですよ。

4．(その土地を知らない人への説明)冬になると零下20度になるんですね。
　　→冬になると零下20度になるんです(よ)。

説 明

● **終助詞について**

　文の終わりに付いて、話し手の気持ち(どのように相手に伝えるかという伝達態度)を表します。通常は聞き手(相手)に対する働きかけとして現れます。終助詞には「か・ね・よ・な・わ・かな・かしら・さ」などがあります。
　これらは途中で現れ、間投助詞として用いられる(「あのね、きのうね、東京でさ…」)こともありますが、ここでは文の終わりでの用法について考えます。

　(1)　このラーメンおいしいですか。
　(2)　このラーメンおいしいね。
　(3)　このラーメンおいしいよ。
　(4)　このラーメンおいしいな。

　ここではよく使われる「か」「ね」「よ」について考えます。

● **「か」**

　終助詞「か」の意味用法の代表的なものは次のようです。<　>に上昇・下降などのイントネーションを示します。

　(5)　いくらですか。[質問]<↑>
　(6)　これはいくらだろうか。[疑い(「だろうか」の形で)]<↓>
　(7)　いっしょに出かけませんか。[勧誘]<↑>
　(8)　もうやめにしないか。[うながし]<↓>
　(9)　どうしてそんなことが言えるだろうか。[反語]<↓>
　(10)　ああ、そうだったのか。[納得]<↓>

●「ね」

「ね」の基本的な意味は「共感」です。相手(聞き手)に共感を示したり、相手に共感を求めたりするときに使われます。具体的には同意を求める、同意を与える、確認する、念を押す、また、感動を表したりします。「ね」が使われるときは、その事柄について、話し手も相手も知っていることが必要になります。

(11) A：春らしくなりましたね。[同意を求める]＜↑＞
　　 B：そうですね。[同意を与える]＜↓＞
(12) 　わかりましたね。／仕事、手伝ってね。[同意を求める、念を押す]＜↑＞
(13) 　本当にきれいですね。[感動の気持ち]＜↓＞

(13)の「感動の気持ち」を表すときは、「ね」が「ねぇ・ねえ」と長母音化することが多いです。

(14)のように「自分の判断をはっきり言う」ときにも「ね」が使われます。

(14) 　私は反対ですね。[「あなたがどう言おうと」という気持ちを込めて、自分の判断を明確にする]＜↓＞

●「よ」

「よ」の基本的な意味用法は「聞き手(相手)に知らせたり、注意を喚起する」ことです。

(15) 　あぶないよ。＜↓＞

また、(16)のように「命令、禁止、誘いかけを強める」用法もあります。

(16) 　いっしょに行こうよ。＜↓＞

指導法あれこれ

　単純そうに見える「そうですか」にもいくつかの用法があり、用法に伴ってイントネーションが変わってきます。学習者には下降のイントネーションが意外に難しく、「か」を完全に下げることができず上ずった感じになってしまいがちです。納得を表す下降イントネーションの「そうですか」を簡単な対話を使って練習させてください。

　　例1　A：あした国へ帰ります。
　　　　　B：ああ、そうですか。国へ帰るんですか。
　　例2　A：午後の授業は休みですよ。
　　　　　B：ああ、そうですか。

　次に、学習者にとって終助詞の難しい点を見ていきましょう。
　「学習者の誤用の例」の1は納得の「か」が使えない例です。「A：ああ、そうですか。いらっしゃいませんか。」としたいところです。2、3は「ね」と「よ」の混同です。2ではBも田中さんのビデオを見ているのですから、「ね」を使って「おもしろかったですね。」とすべきです。逆に3では、Bはまだその映画を見ていないのですから、「ね」は使えません。相手に知らせる用法を持つ「よ」を使って「おもしろかったですよ。」とすべきです。4も学習者に多い誤りです。相手が事情を知らない場合は「ね」ではなく「よ」を使うべきです。
　2、3の「ね」と「よ」の混同に対する練習問題として次の問題はどうでしょうか。

〈練習〉
　「ね」か「よ」のどちらが適切か選んでください。
　　①A：芥川賞の受賞作品を読みましたか。
　　　B：ええ、読みました（よ／ね）。
　　　A：私も先週読みました。おもしろかったです（よ／ね）。
　　②A：この間の日曜日にスカイパークのジェットコースターに乗りました
　　　　（よ／ね）。
　　　B：そうですか。私はまだ乗ったことがありません。

A：すごくこわかったです（よ／ね）。

指導ポイント

1. 学習者は終助詞「ね」をよく耳にするので、うまく使えるようであるが、「ね」を使いすぎる傾向があるので注意すること。
2. 「名詞＋だ」「な形容詞」の普通体に「ね」「よ」を使うと、「そうね」「だめよ」など、女性のことばづかいに聞こえる場合があるので、男性の学習者には「だね」「だよ」を指導するとよい。
3. 終助詞「よ」の適切な使い方がわかりにくい。「ね」と比較し、「よ」が情報を知らない相手に教えたり、注意したりする用法であることをわからせること。
4. 「か」「ね」「よ」は話し手の気持ちを表す終助詞であるが、気持ちを表すからといって、あまり強く発音しないように注意すること。大切なのはそれらの助詞の前に来る内容なので、終助詞はあくまでも話し手の気持ちを添える働きをすることを理解させること。
5. 終助詞の自然なイントネーションができるように十分な練習をさせたい。特に納得の「そうですか」の下降イントネーションを十分練習させること。

「指導法あれこれ」の答え：①よ、ね　②よ、よ

32 ムード（モダリティ）

A：田中さん、遅いですね。
B：もうすぐ来るだろうと思います。
　　⋮
A：田中さんは、まだ来ませんね。
B：もうすぐ来るんじゃないかと思うんですが。
　　⋮
A：田中さんは、来ないんじゃないんですか。
B：そうですね。来ないかもしれませんね。
　　ちょっと電話してみます。

学習者はどこが難しいか。よく出る質問。

1．「〜たい」や「〜（よ）う」に「と思う」が付いた、「〜たいと思う」「〜（よ）うと思う」を使うのが難しい。
2．「〜そうだ（様態）」「〜ようだ」「〜らしい」の使い分けが難しい。
3．「〜の（ん）だ」が適切に使えない。
4．第三者の気持ちを表すとき、文末に「ようだ」「らしい」「そうだ（伝聞）」「と言っている」などを落としてしまう。
5．終助詞「ね」「よ」「か」などが適切に使えない。また、必要以上に強く発音してしまう。

学習者の誤用の例

1．李さんはおなかが痛いです。→李さんはおなかが痛いそうです。
2．（自己紹介で）私は中国の黒龍江省ハルピン市から来たのです。
　　→私は中国の黒龍江省ハルピン市から来ました。

3．これがほしければ、持って行っても いいじゃないかな 。
　→これがほしければ、持って行ってもいいんじゃないかな。
4．田中さんはあした来ない かもしれないと思う 。
　→田中さんはあした来ないかもしれない。

説明

　冒頭の会話例を見てください。Aの「田中さんが遅い」という問いかけに対して、Bは「来るだろうと思います」と答えています。さらに時間がたって、Aの「まだ来ない」という詰問にも似た問いかけに対して、少し自信なさそうに「来るんじゃないかと思うんですが」と答えています。ここには、「田中さんが来ること」に対するBの気持ちがよく表れています。

　人がことばを発するときには、ある事実・事柄とともに、いろいろな気持ちを込めて発します。文法では、その事実・事柄を「コト」、話し手の気持ちを「ムード」、または「モダリティ」と言います。

　ムード（モダリティ）は主に「～だろう」「～んじゃないか」などの文末表現を指すことが多いですが、取り立て助詞（は・も・だけ・しか、など）、終助詞（か・よ・ね・な、など）も含まれます。

　コトとムード（モダリティ）は図のように、ムード（モダリティ）がコトを包む形になります。伝えたい事柄（コト）を話し手の気持ち（ムード（モダリティ））で包んで、聞き手に提示しています。ムード（モダリティ）は文のいろいろな部分でコトを包む形をとります。

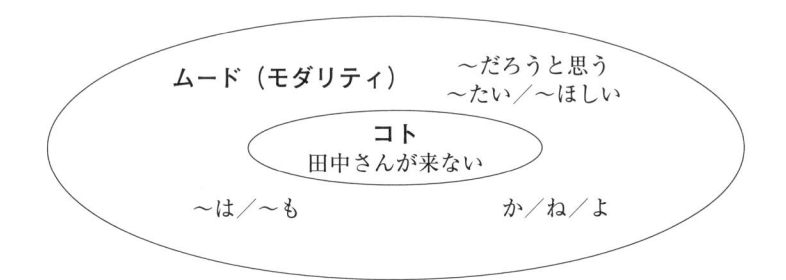

コトとムード(モダリティ)は連続的なもので、どこまでがコトで、どこからがムード(モダリティ)と二分できない場合も多いです。次の文では、＿＿＿がコト、＿＿＿がムード(モダリティ)と言えるでしょう。

(1) 食欲がないから、ご飯を食べたくない。
(2) こちらにサインをしてください。
(3) きのうは6時間も勉強した。

日本語では文末に来るムード(モダリティ)表現が非常に多く、多岐にわたっています。

文末に来るムード(モダリティ)は大きく「1．コト(事柄)に対する話し手のとらえ方」と「2．聞き手に対する働きかけ」に分類されます。

1は、コトに対して話し手がどうとらえるかによって、「認識的なもの(話し手の判断)」と「情意的なもの(コトの成立を望ましいものや実現させたいものとしてとらえる気持ち)」に分けられます。前者の「話し手の判断」は確実な判断か不確実な判断かに分かれます。一方、後者の「情意的なもの(気持ち)」には、意志、願望、義務などいろいろあります。

2の「聞き手に対する働きかけ」は聞き手に向けたもので、「情意的働きかけ」と「情報求め(問いかけ)」「伝達態度(終助詞)」に分かれます。

1．コト(事柄)に対する話し手のとらえ方
1) 認識的なもの(話し手の判断)……a. 確実なこと　b. 不確実なこと
2) 情意的なもの(気持ち)……意志・願望・義務など

2．聞き手に対する働きかけ
1) 情意的働きかけ
2) 情報求め(問いかけ)
3) 伝達態度 (終助詞)

では、次に例文をあげて見ていきます。ここでは初級レベルで取り上げられる表現を中心に見ていきます。(分類は『日本語教育のための文法用語』国立国語研究所p.105-113を参考にしてあります。)

1．コト（事柄）に対する話し手のとらえ方
1）認識的なもの（話し手の判断）
ａ．確実なことの述べ立て
断定・主張
　(4)　彼は国へ帰る。／彼は金持ちだ。（辞書形・述語の基本形）
　(5)　彼は立派な家に住んでいる。きっと金持ちにちがいない。
説明
　(6)　君だけではない。みんな苦しいのだ。
　(7) A：田中さん、競馬でもうけたらしいよ。
　　　B：ああ、それで、きょうはおごってくれたわけだ。
　(8)　彼はけちというわけではないが、お金には細かいところがある。
　(9)　彼は年金をたくさんもらっているから、お金を持っているはずだ。
　(10) A：彼の言ったことはやっぱりうそだったね。
　　　B：いや、彼は正直な人だから、うそをつくはずが／はないよ。
　(11) A：彼の言ったことはやっぱりうそだったね。
　　　B：よほどの理由があったんだろう。
　　　　　そうでないと、うそをつくわけが／はないから。
伝聞・引用
　(12)　彼は国へ帰るという。
　(13) A：彼、国へ帰るそうですよ。
　　　B：そうですか。いつ帰るんですか。
　(14) A：彼女、結婚するんだって。
　　　B：へえ、それはよかった。
　(15)　首相は来月中には国会を解散するということです。
諦め・断念
　(16)　彼が国へ帰るのはしかたがない。

限定
(17) 別に用事はありません。ちょっと寄っただけです。

反語
(18) どうしてそんなことが言えるだろうか。

b. 不確実なことの述べ立て

推量
(19) A：彼はいつ国へ帰るの。
　　 B：たぶん来月には帰るだろう。
(20) A：彼、さびしそうね。
　　 B：たぶん国へ帰りたくないんだろう。
(21) 彼が話していることはうそじゃ／ではないかと思う。

推定・想像
(22) どうも風邪をひいたらしい。
(23) この雲行きでは、今晩にも台風が来そうだ。
(24) 浅間山の噴火はここしばらくは起こりそうも／にも／にはない。
(25) A：山田さんは。
　　 B：さっきもドアをノックしたけど、部屋にはいないようです。
(26) 彼女はもう再び帰ってこないように思う。
(27) 子供たちはうちへ帰ったみたいだ。

予測・可能性
(28) 今晩台風が来るかもしれない。

2）情意的なもの（気持ち）

意志
(29) あしたは早めに出勤しよう。
(30) 連休は実家に帰るつもりです。
(31) やれるかどうかわからないけど、とにかくやってみます。
(32) A：山田君。また遅刻かい。
　　 B：すみません。あしたから早く出勤するようにします。

(33) そのつもりはなかったが、やっぱり結婚することにした。

願望

(34) 早く退院したい。

(35) 中国語ができたらと思う。

期待

(36) 早く涼しくなってほしい。

(37) ちょっと仕事を手伝ってもらいたい／いただきたい。

当然

(38) A：今の態度はよくない。老人にはもっと敬意を払うものです。
　　 B：すみません。気をつけます。

当為・義務

(39) 国民は皆、税金を納めなければならない。

(40) A：ちょっと一杯どうですか。
　　 B：きょうはちょっと……。10時までに帰らなくてはいけないので。

(41) 社長命令で、あした出張しなくてはならない。

(42) 今月中に借りたお金を返さないといけない。

(43) 急がなきゃいけない。話はあとで。

(44) 自分でやれることはやるべきだ。

不可能

(45) A：言ってもしかたないですよ。
　　 B：しかし、黙っているわけには／もいかないからね。

(46) あー寒い。寒くてたまらない。

選択

(47) A：旅行はいつも1人ですか。
　　 B：ええ、1人で行くほうがいいので。

(48) 外食するより自炊するほうがいい。

安堵

(49) 助かってよかった。

仮想

(50) 1時間早かったら、助かっていただろうに。

2．聞き手に対する働きかけ

1）情意的働きかけ

命令

(51) 待て。

(52) 待ちなさい。

禁止（～な、～てはいけない、～ちゃいけない、～てはならない）

(53) うそをつくな。

(54) うそをついてはいけない。／うそをついちゃいけない。

(55) 規定時間以上に働かせてはならない。

許可

(56) A：帰ってもいいですか。
    B：ええ、いいですよ。

(57) A：体調が悪いんだったら、帰ってもかまわないよ。
    B：仕事が忙しいのにすみません。

不必要

(58) A：お借りしたお金、いつまでにお返ししましょうか。
    B：いや、お金は返さなくてもいいよ。

依頼・要求

(59) すみませんが、欠席させていただきます／もらいます。

(60) 午後帰らせていただきたいんですが／もらいたいんですが。

(61) その仕事、私にやらせていただけませんか／もらえませんか。

(62) ちょっと手伝ってくれ。

(63) うるさいから、静かにしてくれないか。

(64) 田中さん、ちょっと来てください。

(65) うるさいわね。ちょっと黙ってちょうだい。

(66) A：やっぱり引き受けるのはやめます。
　　B：ええっ、今ごろそんなこと言わないでほしい。

勧誘
(67)　いっしょに食事しよう。

勧め
(68) A：このテーマで論文を書こうと思います。
　　B：うーん、もう一度考えたほうがいいよ。
(69) A：この仕事、やめたいんだけど。
　　B：そう。やめたかったら、やめたらいい。
(70) A：どう言えばいいか迷っているんですが。
　　B：正直に自分の考えを言ったらいいんじゃないか。
(71)　一度失敗しても、また受験すればよい／いい。
(72) A：この仕事、やめたいんだけど。
　　B：うーん、もう一度考え直したらどうですか。

2）情報求め（問いかけ）

問いかけ
(73)　どのくらいかかりますか。
(74)　あなたはどうするの。
(75)　そんなこと当たり前じゃ／ではないですか。

提案
(76)　ちょっと散歩に行こうか。
(77)　同窓会は伊豆にしないか。
(78) A：この考え、どう思う。
　　B：いい考えじゃ／ではないか。
(79)　これはすばらしいアイデアじゃ／ではないだろうか。
(80)　これは海外で売れるのではないか。
(81)　この商品は売れるのではないかと思う／考える。

3）伝達態度（終助詞）
　　(82) A：あなたも行くね。
　　　　B：僕は行かないよ。
　　(83)　彼女に会いたいな。
　　(84)　彼女の話、本当かしら。

指導法あれこれ

1．ムード（モダリティ）の習得について

　学習者にとって、事柄（コト）を文法的に正しく述べるのは決してやさしいことではありません。中級・上級になっても格助詞（「に」「で」など）を正確に使い切れない学習者が見受けられます。
　しかし、学習者にとってもっと難しいのは、話し手の心的態度、気持ち、つまりムード（モダリティ）を適切に表すことです。いくつかの研究でも、学習者はコトの習得よりムードの習得のほうが難しいことが指摘されています。相手に自分の気持ちを、状況・場面に合った形で適切に表し伝えることは非常に難しく、習得までにかなりの時間を要するようです。

2．ムード（モダリティ）の強さの程度

　理由を表す従属節に「～から」「～ので」があります。両者はほぼ置き換えが可能ですが、「～から」は主節にいろいろな意志表現（ムード（モダリティ））がとれるのに対し、「～ので」は制約があり、あまり強く意志を表す表現は来られません。（⇒55　～から）（⇒56　～ので）
　では、強く意志を表すというのはどういうことでしょうか。「～ので」文で、命令・意向・依頼・願望・推量・当為（義務）表現について見てみます。

　　(85) a．？電車が来るので、うしろに下がれ。（命令）
　　　　b．？電車が来るので、うしろに下がりなさい。（命令）
　　　　c．　電車が来るので、うしろに下がろう。（意向）
　　　　d．　電車が来るので、うしろに下がってください。（依頼）

e．電車が来るので、うしろに下がりたい。（願望）
　　f．電車が来るので、うしろに下がらなければならない。（当為・義務）
　　g．電車が来るので、うしろに下がるだろう。（推量）

(85)ではa、bの命令表現が来たときには文が不自然に感じられます。cの意向表現、dの依頼表現ではどうでしょうか。たぶん不自然だと思う人と、自然だと思う人に分かれるのではないでしょうか。ここで言えることは命令表現が意志性が一番高く、意向・依頼が次に、そして、願望、当為（義務）、推量と意志性が低くなっていくということです。

　条件節の「～ば」で考えてみましょう。「～ば」は前文と後文の主語が異なるとき、または前文が状態を表すときは、意志表現をとることができます。（⇒66 ～ば）

　　(86)a．？電車が来れば、うしろに下がれ。（命令）
　　　b．？電車が来れば、うしろに下がりなさい。（命令）
　　　c．　電車が来れば、うしろに下がろう。（意向）
　　　d．　電車が来れば、うしろに下がってください。（依頼）
　　　e．　電車が来れば、うしろに下がりたい。（願望）
　　　f．　電車が来れば、うしろに下がらなければならない。（当為・義務）
　　　g．　電車が来れば、うしろに下がるだろう。（推量）

(86)でもやはりa、bの命令表現が来たときには文がやや不自然に感じられるのですが、どうでしょうか。cの意向表現ではどうでしょうか。

　意志性の強さは、判断に個人差が出てくるので、一概には断定できません。ただ、いろいろな従属節に対して、主節に意志表現をとれるかどうかを知りたいときは、まず、命令の形で、次に意向表現、依頼表現などでテストしてみると判断がしやすくなる場合が多いと言えます。

> **指導ポイント**
>
> 1. 「〜たい」「〜ほしい」「悲しい」「痛い」などの感情・感覚を表す文では、第三者の気持ちを表すときは、うしろに「ようだ」「らしい」「そうだ（伝聞）」「と言っている」などを付けること。
> 2. 「たぶん」が来ると「〜だろう」、「ひょっとすると」では「〜かもしれない」、「ぜひ」では「〜たい」「〜てください」などが来やすくなる。ムード（モダリティ）と副詞の結び付きにも注意したい。
> 3. 判断を表す「と思う」の前に「だろう」「んじゃないか」が付けられると日本語としての自然さが増すので、ムード（モダリティ）の練習として取り入れるとよい。（例：その仕事は難しいと思います。→その仕事は難しいだろう／んじゃないかと思います。）
> 4. 終助詞「か・よ・ね・な・かしら」などは自然なイントネーションで使うことがなかなか難しい。強く発音しないように注意させること。

33
～ている

A：そろそろでかけましょう。
B：あ、もうちょっと待ってください。
　　今書類を整理しているので……。
A：いいですよ。
　　あ、書類が1枚落ちて
　　いますよ。
B：えっ、どこに。
A：机の下に。
B：ああ、すみません。

学習者はどこが難しいか。よく出る質問。

1．テ形がいつまでも不正確である。
2．「結果の残存(状態)」を表す「～ている」がなかなか使えない。
3．未完了を表す「食べていない」「読んでいない」の「ていない」が使えない。

学習者の誤用の例

1．おじいさんは相撲のことをよく知ります。
　　→おじいさんは相撲のことをよく知っています。
2．窓が開けています。→窓が開いています／窓が開けてあります。
3．A：木村さんはいますか。
　　B：かばんがあるから、まだいているはずですよ。
　　　　→かばんがあるから、まだいるはずですよ。
4．朝ご飯をまだ食べませんでした。→朝ご飯をまだ食べていません。

説 明

●「〜ている」の意味と用法

「〜ている」には次のようにいくつかの用法があります。

(1) 子供はテレビを見ている。(動作の進行)
(2) 車が止まっている。((動作の)結果の残存(状態))
(3) 新しいコンピュータをもう使っている。(完了)
(4) まだ昼ご飯を食べていない。(完了の否定)
(5) アメリカには3回行っている。(経験)
(6) この川はしばしば氾濫を起こしている。(動作の反復)
(7) この山の湧き水はいつも澄んでいる。(属性)
(8) 彼はやせている。(状態)

この中で初級レベルで問題になる(1)「動作の進行」と(2)「結果の残存(状態)」について考えてみましょう。「動作の進行」とは動作が続いていること、「結果の残存(状態)」とは、ある動作・行為がなされた(例:車が止まった)あと、それによってもたらされた結果が残っている(現在車が止まっている)状態を指します。(「動作の進行」はもう少し時間を長くとって、「銀行に勤めている」「夜はアルバイトをしている」などにも使われます。)

●動詞の種類と「〜ている」

いつ「動作の進行」を表し、「結果の残存(状態)」を表すかは、「〜ている」の前に来る動詞の性質によって決まります。金田一春彦(1950)は、「〜ている」を付けて意味がどう変わるかによって、動詞を次のように分類しています。(金田一の分類に対しては、いろいろな批判があり、発展的な研究が多くなされていますが、日本語教育にとってはわかりやすい分類なので、説明しておきたいと思います。)

1）継続動詞（食べる・書く・勉強する、など）
　　→「ている」が付いて、「動作の進行」を表す。
2）瞬間動詞（死ぬ・あく・つく・止まる、など）
　　→「ている」が付いて、「結果の残存（状態）」を表す。
3）存在を表す動詞（ある・いる）
　　→「ている」が付かない。
4）第四種の動詞（（水が）澄んでいる、（角が）とがっている、など）
　　→常に「ている」が付いて、形容詞としての意味を表す。

2）の瞬間動詞はその動作が起こる前とあとでは変化が起きているので、変化動詞と呼ばれることが多いです。また、1）と2）の両方の性質を持つ動詞もあります。移動の動詞と呼ばれるもので、「行く・来る・帰る」などがそれに当たります。例えば、「行っている」は「今（目的地へ）行きつつある、行く途中だ」という意味にも、「もうすでに到着して（目的地に）いる」という意味にもなります。

学習者には「動作の進行」（ご飯を食べている、日本語を勉強している）はわかりやすいようですが、「車が止まっている」「窓が開いている」などの「結果の残存（状態）」は難しいようです。

● 「〜た」と「〜ている」

過去を表す「〜た」と結果の残存（状態）を表す「〜ている」はどう違うのでしょうか。

向こうから車が1台こちらに向かってきました。そして、家の前で止まりました。それを見ていたあなたはどう言いますか。

　　(9) a．あ、家の前に車が止まった。
　　　　b．あ、家の前に車が止まっている。

aですね。このように「〜た」を使うときは、話し手が物事の事態が実現する（車が止まる）前の状態や、事態が実現する（車が止まる）過程を知っていることが必要です。

では、事態の実現の状態や過程を知らない、結果の状態だけを見た場合はどう

でしょうか。

あなたは外出をしていて、帰宅しました。すると、家の前に車が1台……。

あなたはそれを見て、(9)b「あ、家の前に車が止まっている。」と言うはずです。

●「～ている」と「～てある」

「窓が開いている」を「窓が開いてある」とする「～ている」と「～てある」の混同もよく見られます。

「～ている」と「～てある」は、両方とも結果の状態を表しますが、前に来る動詞に次のような違いがあります。(両者の意味用法の違いについては「～てある」を参照してください。)(⇒34 ～てある・～ておく)

「自動詞＋ている」　　エアコンがついている。
「他動詞＋てある」　　エアコンがつけてある。

●「～ていない／～ていません」

次に「～ている」の否定「ていない」について考えてみます。次の会話で、学習者Bの文は適切とは言えません。

(10) A：　もうご飯食べた？
　　 B：？食べなかった。
(11) A：　もうご飯食べた？
　　 B：？食べない。

(10)(11)の「もうご飯を食べたか」という質問は動作が完了済みか否かを聞いています。現時点まででまだ完了済みでない場合は、完了の否定である「ていない」を使って「(まだ)食べていない」とするのが正しいです。(10)のように「食べなかった」を用いると、ある期間中にその動作が行われなかったという事実・事態を表し、(11)のように「食べない」と答えると、話し手の意志を表し、「食べる意志がない」となってしまいます。

指導法あれこれ

　「動作の進行」を表す「〜ている」の練習には、「何をしていますか」と質問して、「本を読んでいます」「手紙を書いています」と答えさせるやり方もありますが、最近では、「〜ている」は会話でどんなときに使うのかという伝達機能を考えた練習も行われています。

　⑿ A：リーさん、ちょっと手伝ってください。
　　 B：すいません、今書類を書いています。
　⒀ A：レポート、書けましたか。
　　 B：今書いています。もうちょっと待ってください。

上の例で、Bは言い訳や弁解、説明をするために「〜ている」を使っていると考えられます。「〜ところだ」にも同じような働きがあり、⑿⒀は「〜ところだ」を使っても表せます。(⇒38 〜ところだ・〜(た)ばかりだ)

　⒁ A：リーさん、ちょっと手伝ってください。
　　 B：すいません、今書類を書いているところです。
　⒂ A：レポート、書けましたか。
　　 B：今書いているところです。もうちょっと待ってください。

　「動作の進行」の「〜ている」と「結果の残存(状態)」を表す「〜ている」のどちらを先に導入したほうがいいのかは興味のある問題です。私も作成にかかわった初級教科書(『Situational Functional Japanese』(SFJ)(1991－1992))では、「結果の残存(状態)」の「〜ている」をかなり早い段階で提出しています。「結果の残存(状態)」を表す「〜ている」をうまく使えるようにさせたいという目的からです。ところが、なぜか、学習者の定着が悪いのです。

　「〜ている」の前に来る動詞が自動詞であるか他動詞であるかの選択、また、「結果の残存(状態)」を表しているという概念そのものが、わかりにくいのかもしれません。学習者は「窓が開いています」「エアコンがついています」と言うべきところを「窓が開きます／開けます」「エアコンがつけます」などとしてしまいがちです。

指導ポイント

1. 「〜ている」が使えるためには、動詞のテ形が定着している必要がある。テ形の復習を入れながら、「〜ている」の練習を行うこと。
2. 「結果の残存(状態)」を表す「〜ている」はなかなか定着しないので、時間をかけて覚えさせること。「止めている」なのか「止まっている」なのかというように、自動詞・他動詞の問題も絡んでくる。
3. 「持っている」「住んでいる」「知っている」などは辞書形(「持つ」「住む」「知る」)は見せずに、「〜ている」の形で導入してもよい。しかし、どこかで「〜ている」以外の使い方にも触れること。
4. 未完了の「〜ていない」という形は定着しにくく、「食べていません」の代わりに「食べませんでした」と言ってしまう。繰り返し、時間をかけて身に付けさせること。

34 〜てある・〜ておく

A：ワイン、どこ。
B：冷蔵庫に入れておいたけど。
A：（冷蔵庫をのぞいて）ないよ。
B：よく見てよ。一番下に入れてあるでしょう。

学習者はどこが難しいか。よく出る質問。

1．「開いている」と「開けてある」はどう違うの?
2．「〜ている」「〜てある」は自動詞・他動詞と関係があり、学習者には難しい。
3．「開けておいた」と「開けてある」はどう違うの?

学習者の誤用の例

1．あ、お金が落ちてありますよ。→あ、お金が落ちていますよ。
2．A：日本語をもっと勉強してください。
　　B：はい、もっと勉強しておきます。→はい、もっと勉強します。
3．A：寒いので、窓を閉めましょうか。
　　B：いいえ、開けてあってください。→いいえ、開けておいてください。

説 明

　ここでは、「～てある」と「～ている」の関係、また、両者と密接に関係する「前もって…する」という意味の「～ておく」について考えます。

● 「～てある」と「～ている」

　「～てある」も「～ている」も結果の状態を表す点でよく似ています。次に両者を簡単に比較します。(⇒33 ～ている)

1)「～ている」(結果の残存(状態))
　<u>「～が」＋無意志動詞(自動詞)＋ている</u>
　　例:「窓が開いている」「エアコンがついている」
　　　・行為そのものではなく、その結果や変化に注目する表現である。
　　　・人間などの意志(意図)が含まれていない場合、あるいは、自然力の影響などでできごとが起こった場合に用いられる。

2)「～てある」(結果の残存(状態))
　<u>「～が」＋意志動詞(他動詞)＋てある</u>
　　例:「窓が開けてある」「エアコンがつけてある」
　　　・行為に注目している。
　　　・人が意志(意図)的にそのできごとを引き起こしたととらえる。

　「～ている」は自動詞と、「～てある」は他動詞と結び付きます。両者は意味的に重なる部分がありますが、話し手の注目点が異なります。つまり、「～ている」ではその状態だけに注目していますが、「～てある」では状態と、その状態を引き起こした行為・行為者に注目しているので、行為者が何のためにそうしたかについていっしょに述べられることが多いです。次の(1)は自然のせいで、(2)は行為者の意図によって窓がどういう状態にあるかを示しています。また、(3)は「～ている」と「～てある」の違いがよく出ています。

(1) 風が強かったせいか、閉めておいた窓が開いている。
(2) 空気を入れ換えるために、窓が開けてある。
(3) A：寒いと思ったら、窓が開いている。
　　B：開けてあるんですよ。
　　A：どうして。
　　B：さっきまでタバコのにおいがしていたから。

● 準備の状況を表す「～てある」

　行為者の意図を示すという性質から、「～てある」は単なる結果の状態だけでなく、「準備の状況」（前もってしてある、準備がしてあるという意味）を表すことがあります。

「準備の状況」
> 「～が／～を」＋意志動詞（自動詞・他動詞）＋てある

(4) 結婚式の手配はもうしてあります。
(5) 花見の会場はもう下見に行ってある。

　「準備の状況」の「～てある」では、(6)(7)のように、「～が」の形をとる場合と、「～を」をとる場合があります。

(6) 私の家には胃の薬がいつも置いてある。
(7) ホテルを予約してありますから、心配しないでください。

● 「～ておく」

　「～ておく」は通常ひらがなで表されます。「～ておく」の意味用法は、普通、次の二つに表されます。

1)「前もってする」

「行為者＋が」＋意志動詞（自動詞・他動詞）＋ておく

   (8)　行く前に相手先に電話しておく。
   (9)　今晩人が来るので、ビールを買っておこう。
   (10)　若いうちに、苦労をしておいたほうがいい。

2)「そのままにする」

「行為者＋が」（＋「目的語＋を」）＋意志動詞（他動詞）＋ておく

   (11) A：窓を閉めましょうか。
   　　 B：いえ、（そのまま）開けておいてください。
   (12)　子供のやりたいようにやらせておく。

　「～ておく」の基本的な意味は、「あとに起こる事柄を予想して、前もって何かをする」というものです。
　1)はもちろんのこと、2)の「そのままにする」もある目的・予定・予想のためにそのまま放置しておくのですから、このような意味になります。あとで部屋を使うので、そのまま「窓を開けておく」のであり、また、子供が成長するためにとか子供が自分でわかるまでは「やりたいようにやらせておく」のです。
　1)の「前もって何かをする」はしばしば「準備」という言い方をされますが、(10)のような例が「準備」に当てはまるかどうか疑問が残ります。したがって、1)は「準備」というより「前もって何かをする」と考えたほうが適切だと考えられます。
　「～ておく」は通常、(13)のように話し手自身の行為・動作に用いられます。第三者が主語である(14)は不自然に感じられます。

   (13)　私がやっておきます。
   (14)？田中さんがやっておきます。
   　　　→田中さんがやっておくそうです。

　「～ておく」は話しことばではしばしば次のような縮約の形をとります。

置いておく→置いとく　　食べておく→食べとく　　来ておく→来とく
話しておく→話しとく　　見ておく→見とく　　　　しておく→しとく
飲んでおく→飲んどく
言っておく→言っとく

● 「～ておく」と「～てある」の違い

「～てある」「～ておく」とも、「前もって」という意味を持つために、どちらを使っても同じ意味になることがあります。

(15) a．必要なときいつでも着られるように、洗濯しておいた。
　　 b．必要なときいつでも着られるように、洗濯してある。
(16) a．今晩人が来るので、ビールを買っておきました。
　　 b．今晩人が来るので、ビールが買ってあります。

a、bの違いは、a「～ておく」が（前もって行う）動作のほうに焦点が置かれるのに対して、b「～てある」は動作が行われた結果の状態に焦点が置かれる点です。

また、「動詞＋ておく」がとる助詞は動詞が本来とる助詞のまま（切符を買う→切符を買っておく、トイレへ行く→トイレへ行っておく）です。

指導法あれこれ

1．「～てある」について

「電気がついている」「電気がつけてある」のように、「～ている」「～てある」は学習者にとって混同しやすい表現です。一つは、「～ている」「～てある」の前に来る動詞が他動詞なのか自動詞なのかという問題があります。それも大きな問題ですが、それと同じぐらい難しいのは、「動詞＋ている」「動詞＋てある」、特に「動詞＋てある」がとる助詞です。学習者の思考の仮定は次のようだと想像されます。

電気をつける→つけてある→電気を？電気が？それとも、電気は？

部屋に入って、電気がついているのを見て状態を述べるときは「電気がつけてある」になります。状態性を強調するために「電気が〜てある」という形になります。一方、電気の見えない場所で電気のことを問題にする場合、「大丈夫です。もう電気をつけてあります」のように「電気を〜てある」と言うことも可能です。それは状態というより前もって電気をつけたという行為を強調していると考えられます。
　そして、電気自体が主題（トピック）になっているなら、「電気が」「電気を」はともに「電気は」となることが多いです。

2．「〜ておく」について

　「〜ておく」は「〜ておいてください」「〜ておいたほうがいい」「〜ておこう」などいろいろな形に変化します。「〜ておく」の練習のとき、いろいろな形で練習させましょう。

　①先に行っておいてください。
　②ここに置いておいてもいいですか。
　③今、謝っておいたほうがいい。
　④早く見ておきたい。
　⑤今のうちに、寝ておこう。
　⑥よく聞いておけ。

　「〜ておく」が「あとに起こる事柄を予想して、前もって何かをする」という意味を表すと理解した学習者は、(17)のような文を作ることがあります。

　(17)？あした来られないなら、（私に）電話しておいてください。

　学習者は「来られないときは事前に私に電話で知らせてください」と言いたかったそうです。「事前に」「前もって」するのだから、「〜ておく」を使ったのですが、ここでは電話する行為のみが問題であって、「あとに起こる事柄を予想して」という意味合いがないため、(18)のように「〜ておく」が不必要になります。

　(18)　あした来られないなら、前もって電話してください。

(17)において、「電話しておいてください」でなく「メールしておいてください」「留守電

に入れておいてください」なら適切になります。この場合は、メッセージや記録が「そのままに保たれる（保持される）」ので、「あとに起こる事柄（ここでは「聞く」）を予想して」という意味合いが出てくるためと考えられます。

指導ポイント

1. 「～てある」の前に来る動詞は意志動詞（食べる、行く、するなど）であることをわからせること。
2. 基本的には「他動詞＋てある」「自動詞＋ている」であることをわからせ、練習する。他動詞・自動詞の対立だけでなく、それぞれがとる助詞についても、注意し、よく練習すること。
3. 「～ておく」そのものの活用が正しくできるように練習し、いろいろな形、表現で使えるように指導すること。
4. 「～ておく」（「～てある」の一部も）は、「前もってする」という状況を必要とする。状況設定のための従属節、特に「～から」「～ので」「～ために」などの理由節といっしょに使えるように練習すること。

35
～てくる・～ていく

A ：ただいま。
子供：あ、お父さんが帰ってきた。
　　　おかえりなさい。
妻　：おかえりなさい。
A ：今晩8時に会合があるんだ。
妻　：そうだったわね。晩ご飯、
　　　食べていく？
A ：うん、食べてから行く。

学習者はどこが難しいか。よく出る質問。

1．「買ってくる」と「買って、それから、また来る」とはどう違うの？
2．「人口が増えた」と「人口が増えてきた」の違いは何？
　　「～てくる」「～ていく」はあってもなくても同じ？
3．「～てくる」「～ていく」は意味用法がいろいろあって、わかりにくい。

学習者の誤用の例

1．きのう社長が急用で(私に)電話をかけた。
　　→きのう社長が急用で(私に)電話をかけてきた。
2．最近では少子化が社会問題になった。
　　→最近では少子化が社会問題になってきた。
3．A：林さんは。
　　B：隣の部屋にいますから、行って呼びます。→呼んできます。
4．彼はバスを降りると、学校の方へ走ってしまいました。
　　→彼はバスを降りると、学校の方へ走っていってしまいました。

説 明

● 「～てくる」と「～ていく」

　「動詞のテ形＋「くる」「いく」」は、「くる」「いく」がどの程度動詞としての独立性を持つかによって、意味用法が変わってきます。通常、四つの段階に分けて考えることが多いようです。

1）段階1（「くる」「いく」が本来の動詞としての性質を持つ。）

　(1)　薬を買って、(また)来ます。
　(2)　お弁当を作って、(それから)行きます。

2）段階2（段階1ほどではないが、「くる」「いく」が動詞の性質を残している。）

　(3)　カメラを持って来ました。
　(4)　弁当を持って行きました。

3）段階3（「くる」「いく」の動詞の意味はほとんどなく、方向性だけを残している。）

　(5)　田中さんを呼んできます。
　(6)　どうぞ晩ご飯を食べていってください。
　(7)　死体が浮き上がってきた。
　(8)　死体が沈んでいった。

4）段階4（「くる」「いく」の本来の動詞としての意味はない。動作の継続や変化を表す。）

　(9)　彼女は(今まで)女手一つで子供を育ててきた。
　(10)　彼女は(これからも)女手一つで子供を育てていく。
　(11)　暑くなってきた。
　(12)　寒くなっていく。

段階1と2では「行く」「来る」は漢字で、3、4ではひらがなで表されることが多いです。ここでは「〜てくる」「〜ていく」が動詞としての独立性を失って、補助動詞として用いられる段階3、4を中心に見ていきます。

● 「〜てくる」

　「〜てくる」は、物理的に、また、心情的に、物事・状況などが話の中心点（時に話し手であったり聞き手であったりします。）の方に近づくという意味合いを表します。
　意志動詞（食べる、見る、する、など）に「〜てくる」が付くと、(5)のように「ある動作をして、また、話し手／聞き手のところに戻る」（見てくる、聞いてくる、など）という「順次的動作」を表します。また、(9)や「これまでずっと我慢してきた。」のように「動作の継続」を表すこともできます。
　一方、(11)のように無意志動詞（なる、変わる、など）に付くと、発話時までにおける「状態変化の出現」（寒くなってくる、少し太ってきた、世の中が変わってきた、など）を表します。

● 「〜ていく」

　「〜ていく」は、物理的に、また、心情的に、物事・状況などが話の中心点（時に話し手であったり聞き手であったりします）から遠ざかるという意味合いを表します。
　(6)のように意志動詞に「〜ていく」が付くと、「ある動作をして、それから話し手／聞き手から遠ざかる」（食べていく、見ていく、など）という「順次的動作」、また、(10)や「これからも一人でやっていく。」「これからも自然を大切にしていきたい。」のように「動作の継続」を表します。
　一方、(12)のように無意志動詞に付くと、発話時以降の「状態変化の進展」（寒くなっていく、どんどんやせていく、世の中が変わっていった、など）を表します。

指導法あれこれ

　「〜てくる」は物理的に、また、心情的に、物事・状況などが話の中心点に近づくという意味合いを表します。「〜てくる」には前述の「順次的動作」「動作の継続」「状態変化の出現」のほかに、次のような用法もあります。
　あなたは先週の日曜日に富士山に登ったとします。そのことを相手に伝えたいとき、あなたは次の(13)aとbのどちらで表現するでしょうか。

　　(13) a．先週の日曜日、富士山に登りました。
　　　　b．先週の日曜日、富士山に登ってきました。

たぶんあなたはbの「登ってきました」を使うのではないでしょうか。「〜てくる」には、「話の中心点に近づく」という意味合いだけでなく、話題（ここでは「富士山に登ったこと」）を会話の場に持ち出すという働きがあります。
　また、学習者の中には次の四つが混同してしまう場合があります。

　　　a．食べに行く。
　　　b．食べてくる。
　　　c．行って、食べる。
　　　d．食べていく。

a〜dは具体的な場面で次のように使われます。

　　　a' おなかがすいたから、食堂へ食べに行くよ。
　　　b' おなかがすいたから、食堂で食べてくるよ。
　　　c' おなかがすいたから、食堂へ行って、食べるよ。
　　　d' おなかがすいたから、食堂で食べていくよ。

日本語ではa'〜d'のいずれも文としては可能ですが、意味が少しずつ異なっています。a'は「食べるために食堂へ行く」という目的を表し、b'は「食べたら戻ってくる」ことを、c'は「行く」そして「食べる」という継起を、d'は「食べたら、どこかへ行く」ことを表しています。

学習者の母国語では、a～dのいずれかが同じ表現をとることもあって、混乱を起こします。（私の経験ではタイの学生がそうでした。）もし、混乱を起こしている様子が見られたら、結果的に意味が同じ場合があっても、文の構造が異なることを丁寧に説明してください。

> **指導ポイント**
>
> 1．「動詞てくる／ていく」は動詞が意味を持ち、「くる」「いく」は補助的な意味を添えるだけのものであることをわからせること。
> 2．学習者は「～てくる」「～ていく」をいつ使えばよいかがわかりにくいので、「順次的動作」や「状態変化の出現・進展」など、学習者のレベルに合わせて、数多くの例を示すこと。
> 3．「状態変化の出現・進展」を表す「～てくる」「～ていく」が、「どんどん」「だんだん」などの副詞や、「～につれて」「～にしたがって」などの従属節といっしょに、正しく使えるように練習すること。

36 〜てしまう

A：今何時？
B：11時だけど、時計は？
A：こわれてしまったんだよ。
　時計をしたまま風呂に入ったら、動かなくなっちゃったんだ。

学習者はどこが難しいか。よく出る質問。

1．「食べた」と「食べてしまった」とはどう違うの？
2．どんなときに残念（遺憾）の気持ちが表れるのか？
3．「〜てしまった」はわかるが、「〜てしまう」「〜てしまおう」はいつ使うのか。
4．「〜ちゃった」「〜じゃった」の使い方は？

学習者の誤用の例

1．うれしさのあまり、つい大声を出して、ほかの人をびっくりさせた。
　→うれしさのあまり、つい大声を出して、ほかの人をびっくりさせてしまった。
2．徹夜して、今朝5時にやっと宿題をやってしまった。
　→徹夜して、今朝5時にやっと宿題を終えた。
3．A：宿題やりましたか。
　B：はい、やってしまいました。→はい、やりました。
4．夜食を食べると、腹いっぱいで寝られなくなじゃう。
　→夜食を食べると、腹いっぱいで寝られなくなってしまう。

説明

「動詞＋てしまう」は実際には「飲んでしまった」「忘れてしまった」のように、「〜てしまった」の形で使われることが多いです。ここでは「〜てしまった」と「〜てしまう」「〜てしまおう」などの形に分けて見ていきます。

● 「〜てしまった」の意味用法

まず、「〜てしまった」について見ていきましょう。「〜てしまった」には「物事の完了」と「後悔・残念（遺憾）の気持ち」の二つの意味用法があります。

１．物事の完了

  (1) 12時から会議があるので、もう昼ご飯を食べてしまった。
  (2) 400ページもある小説を一晩で全部読んでしまった。

(1)(2)のように、「〜てしまった」は動作の完了を表しますが、「全部」「完全に」「すべて」「すっかり」などの副詞、または、量を表す表現を伴って、それらが「終わって、なくなった」という状態を表すことが多いです。(1)は動作の完了を、(2)は、「全部読んだ」という量的な完了（完全終了）を表しています。

２．後悔・残念（遺憾）の気持ち

「〜てしまった」は後悔・残念（遺憾）の気持ちを表すことが多いです。「〜てしまった」が後悔・残念（遺憾）の気持ちを含むか否かは、構文的な条件と文脈・状況的な条件に関係します。

１）構文的条件

「無意志動詞＋てしまった」のときは、後悔・残念（遺憾）の意味になりやすいです。

  (3) お金を落としてしまった。
  (4) 手術中に電気が消えてしまった。
  (5) きのう買ったカメラがもうこわれてしまった。

(⇒41 意志動詞・無意志動詞)

2）文脈・状況的条件

(1)の「食べてしまった」も文脈・状況によって、後悔・残念（遺憾）の気持ちを表します。

(6) A：昼ご飯いっしょに行きませんか。僕がおごりますよ。
    B：ああ、残念。もう食べてしまったんですよ。
(7) A：お母さん、きのうのケーキまだある。
    母：ごめん。おなかがすいていたので、食べてしまったの。

● 「〜てしまう」の意味用法

「〜てしまった」に対し、「〜てしまう」はどのようなときに使われるのか考えてみましょう。

次の(8)(9)の「〜てしまう」は、近い将来、あるいは、ある時点で、動作・事態が完了することを表しています。(8)(9)には特に「後悔・残念（遺憾）の気持ち」は含まれていません。一方、(10)(11)は動作・事態の完了というより、話し手の「後悔・残念（遺憾）の気持ち」を表しています。

(8) ちょっと待って。すぐ食べてしまいます。
(9) 私は毎晩9時には寝てしまう。
(10) 早く買わないと、なくなってしまうよ。
(11) 3歳の息子にはいつも困ってしまう。

このように、「〜てしまう」が後悔・残念（遺憾）の気持ちを含むか否かは、「〜てしまった」と同じく、構文的な条件と文脈・状況的な条件に関係します。「意志動詞＋てしまう」のときは動作・事態の完了を、「無意志動詞＋てしまう」のときは後悔・残念（遺憾）の意味になりやすいようです。

● 「〜てしまおう」「〜てしまってください」など

「〜てしまおう」「〜てしまってください」などの意志表現は、意志動詞と結び付いて、いろいろな形で使われます。

　　(12)　このビデオは午前中に見てしまおう。
　　(13)　一気に飲んでしまってください。
　　(14)　こんな仕事やめてしまいたい。
　　(15)　そんなもの、捨ててしまえ。

これらの場合は、もっぱら完了の意味で使われます。

● 「〜てしまう／しまった」の縮約形

「〜てしまう／しまった」は話しことばでは、しばしば次のように縮められて（縮約されて）発音されることがあります。規則としては「てしま」が「ちゃ」に、「でしま」が「じゃ」になります。

　　行ってしまう　　行っちゃう　　行っちゃった
　　飲んでしまう　　飲んじゃう　　飲んじゃった

指導法あれこれ

　学習者にとって物事の完了を表す「〜てしまった」は理解しやすいようですが、後悔・残念（遺憾）の気持ちを含む「〜てしまう」「〜てしまった」の理解は難しいようです。
　後悔・残念（遺憾）の気持ちを表す「〜てしまう」「〜てしまった」の導入には、絵カードやイラストを用いるのが効果的です。
　私は「バス停に駆けつけたものの、バスがちょっとの差で出発してしまった」という状況を表す絵を使って、100％導入に成功しました。バスだけでなく、「電車に乗ろうとして走ったのにドアが閉まってしまった」という絵などもいいでしょう。

縮約形の「〜ちゃった」は若者だけでなく、年配の人でもよく使います。しかし、使われる状況、場面が不適切だと子供っぽく聞こえてしまうので注意が必要です。「動詞＋ちゃう／ちゃった」の指導では、動詞を大きく発音して、「ちゃう／ちゃった」は小さく、速く発音するように練習させてください。そして、あまり使い過ぎないように指導してください。日本人がどのように使っているかを、まず観察し、親しい友達との会話で、少しずつ使うようにさせるほうが無難なようです。

指導ポイント

1. 「〜てしまった」は完了だけでなく、後悔・残念（遺憾）の気持ちを表すことが多く、それは状況や文脈で判断される。日本人が「〜てしまった」をどんなときに使っているのか、絵を使ったり、状況設定などをして、多くの例を示すこと。
2. 動詞によって「てしまう」と結び付きやすいものがある。後悔・残念（遺憾）の気持ちと結び付きやすい「忘れる」「落とす」「なくす」「こわす」「割る」などである。目安として言及するといい。
3. 縮約形「〜ちゃう」「〜ちゃった」などは使いすぎると子供っぽく聞こえるので、使い方に注意させること。

37 ～てみる

A：今度開店したラーメン屋へ行った？
B：ううん、まだ。
A：きのう行ってみたんだけど、なかなかおいしかったよ。値段も安いし。
B：そう。じゃ、今度一度行ってみよう。

学習者はどこが難しいか。よく出る質問。

1．「食べてみる」は英語のtry to eatと同じ？
2．「行ってみたい」と「行きたい」はどう違うの？
3．「行ってみたくない」は言える？

学習者の誤用の例

1．A：がんばってくださいね。
　　B：はい、がんばってみます。→はい、がんばります。
2．テニスが好きなので、できるようになってみたい。
　　→テニスが好きなので、できるようになりたい。
3．電車に乗った人はどんどん中の方まで進んで座席を探してみる。
　　→電車に乗った人はどんどん中の方まで進んで座席を探そうとする。

説明

● 「〜てみる」の意味用法

　補助動詞である「〜てみる」は通常ひらがなで表されます。意志動詞のテ形と結び付いて、「何かをやって、それができるかどうか、いいか悪いかなどを探る」という意味を表します。

　　(1)　このケーキを食べたい。
　　(2)　このケーキを食べてみたい。

(1)と(2)はどう違うでしょうか。(1)は単に「食べたい」という欲求を表し、(2)は「どんな味がするか、おいしいかどうか」を探るために「食べたい」という意味を表します。

　同じことが(3)(4)についても言えます。

　　(3)　どうぞ召し上がってください。
　　(4)　どうぞ召し上がってみてください。

(3)は単に食べることを、(4)は食べて、味をみることを勧めています。「〜てみる」は何か「探るべきこと」があって、その結果をみるために何かをするというときに使われます。

　　(3)'　おなかがすいたでしょう。どうぞ召し上がってください。
　　(4)'　おいしいかどうかわかりませんが、どうぞ召し上がってみてください。

　辞書や教科書の単語リストなどに「〜てみる」がtry to 〜と訳されているものがあるので、学習者は「〜てみる」を「試す」「試みる」と同意語と思い込んでしまうことがあります。

　「〜てみる」は何か話題になっている「探るべきもの」があった上で使われますが、「〜てみる」＝I'll try to 〜と思い込んでいる学習者は、突然何の文脈もなしに、「勉強してみます。」のような文を作ってしまうことがあります。

　「〜てみる」は「〜ておく」と同様、通常、(5)のように話し手自身の行為・動作に用

いられます。第三者が主語である(6)は不自然に感じられます。

　(5)　私がやってみます。
　(6)？田中さんがやってみます。(→田中さんがやってみるそうです。)

　また、「～てみる」は遠慮がちに「ちょっとやる」という気持ちを表すことから、聞き手に対して丁寧さが加わることがあります。(7)の会話ではbのほうが丁寧に感じられます。

　(7)A：じゃ、やってください。
　　B：a．はい、やります。
　　　　b．はい、やってみます。

　「～てみる」は「何かをやって、いいかどうかをみる」という意味で、もっぱら肯定表現で使われます。次のように否定の形では使われません。

　(8)A：ちょっと飲んでみてください。
　　B：？いいえ、飲んでみません。
　　　　？いいえ、飲んでみたくないです。

指導法あれこれ

　「～てみる」は「～てみてください」「～てみたほうがいい」「～てみよう」などいろいろな形に変化します。いろいろ活用させて、よく練習しましょう。

　①ちょっと飲んでみてください。
　②この靴、はいてみてもいいですか。
　③ほかの人に聞いてみたほうがいい。
　④早く行ってみたい。
　⑤この本を読んでみようと思う。
　⑥正直に言ってみろ。

「～てみる」が導入されたら、そのあと教師が毎日の授業の中でできるだけ「～てみる」を使ってみてください。
　もし、学習者が事務のことで質問してきたら、

　　「私はよくわからないから、事務の人に聞いてみてくれませんか。」

クラスの授業の中でも、

　　「もう一度発音してみましょう。」
　　「もう一度読んでみましょう。」
　　「大きな声で言ってみてください。」
　　「隣の人と相談してみてください。」などなど。

ただし、不自然にならないように。また、「～てみる」だけを強調しないように。そして、指示の中に必ず「～てみる」のない指示も混ぜてください。

　　「もっと大きな声で読んでください。」
　　「もう一度言ってください。」
　　「リーさん、言ってみて。」
　　「繰り返してください。」
　　「質問ありますか。何でも聞いてください。」
　　「隣の人に聞いてみてください。」

　学習者に「～てみる」が使えることを期待する前に、まず、自然な形で、同じ動詞や表現に「～てみる」が付いたり付かなかったりすることを、耳からわからせてみてください。

> **指導ポイント**
>
> 1. 「〜てみる」の意味は to try（「試す」「試みる」）ではなく、「何かをして、その結果を見る」to do and see how…であることを最初に十分わからせること。
> 2. 実際の会話では「食べてみてください」と「食べてください」を区別なしに使うことが多い。「〜てみる」がどうしても必要な状況、例を準備して、学習者に示すようにすること。
> 3. 「〜てみてください」「〜てみたほうがいい」「〜てみたい」など、「〜てみる」のいろいろな形を導入し、練習すること。
> 4. 補助動詞「てみる」「ておく」「てくる」「ていく」「ている」などを数多く習うと混同してしまいがちなので、教えっぱなしにしないで時間を置いて繰り返し、いくつかを組み合わせたりして授業に取り入れること。

38 〜ところだ・〜（た）ばかりだ

A：帰ってきたばかりなのに、もう行くの。
B：うん、仕事だから、しかたないだろう。
A：今、晩ご飯ができたところなのよ。
B：食べる時間がないから、あとで食べるよ。

学習者はどこが難しいか。よく出る質問。

1．「出かけます」と「出かけるところです」、「風呂に入っています」と「風呂に入っているところです」、「今帰りました」と「今帰ったところです」はそれぞれどう違うの?
2．「(今帰った)ところです」と「(今帰った)ばかりです」はどう違うの?
3．「〜ところだ」の使い方がよくわからないので、実際の会話でほとんど使えない。

学習者の誤用の例

1．今本を読んでところです。→今本を読んでいるところです。
2．A：ケーキをどうぞ。
   B：さっきご飯を食べたばかりところです。
     →さっきご飯を食べたばかりです。
3．日本へ来たところで、まだよくわかりません。
   →日本へ来たばかりで、まだよくわかりません。

説 明

● 「～ところだ」の意味用法

　動作が今どのような状態にあるかを問題にする文法形式をアスペクト（相）と呼びます。「ところだ」は動詞の辞書形、「ている」形、タ形に接続して、動作がどのような状態にあるかを表します。(⇒40 テンス・アスペクト)

　　1)「動詞辞書形＋ところだ」

　　(1)　今から寝るところだ。
　　(2)　私も帰るところです。

「動詞辞書形＋ところだ」はその動作が今すぐ起こる状態を表します。(1)(2)はそれぞれ「今から寝る」「私も帰ります」でも意味は同じです。ただし、「今まさに起こる、する」という点が強調された言い方になります。

　　2)「動詞ている＋ところだ」

　　(3)　今書類を見ているところです。
　　(4)　今考えているところだ。

「動詞ている＋ところだ」はその動作が今行われている最中であることを表します。(3)(4)はそれぞれ「今書類を見ています」「今考えている」と意味は同じです。ただし、動作が進行中であるという点が強調された言い方になります。

　　3)「動詞タ形＋ところだ」

　　(5)　今仕事が終わったところです。
　　(6)　たった今空港に着いたところだ。

「動詞タ形＋ところだ」はその動作がたった今終了したことを表します。(5)(6)はそれぞれ「今仕事が終わりました」「今空港に着いた」と意味は同じですが、動作がたっ

た今終わったという点が強調された言い方になります。

「〜たところだ」では、(5)(6)のように、時を表す副詞には、「今」「たった今」などがよく使われます。

● 「〜(た)ばかりだ」の意味用法

「ばかりだ」は種々の意味用法があります。ここでは、「ところだ」とよく似た働きを持つ「動詞タ形＋ばかりだ」を取り上げます。

「動詞タ形＋ばかりだ」

(7)　今仕事が終わったばかりです。
(8)　今空港に着いたばかりだ。

(7)(8)を見ると、「動詞タ形＋ばかりだ」と(5)(6)の「動詞タ形＋ところだ」は、ほとんど変わりがないように見えます。「動詞タ形＋ところだ」が、「その動作がたった今終了したこと」に焦点が置かれるのに対し、「動詞タ形＋ばかりだ」は、「その動作が終了して、あまり時間がたっていないこと」に焦点が置かれます。両者を図示すると次のようになります。

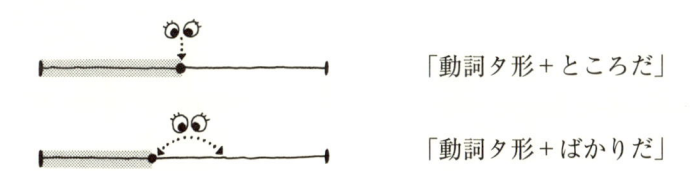

「動詞タ形＋ところだ」

「動詞タ形＋ばかりだ」

「動詞タ形＋ばかりだ」は「〜ばかりで」「〜ばかりなので」「〜ばかりだから」「〜ばかりなのに」という形で、理由や逆接を表すことが多いです。

(9)　3か月前に日本に来たばかりで、まだ何もわからない。
(10) A：ケーキ、どうぞ。
　　 B：さっき昼ご飯を食べたばかりなので、あとでいただきます。
(11) あの新人社員は入社したばかりなのに、大きな顔をしている。

「～たばかりだ」では、時を表す副詞には、「さっき」「今」がよく使われます。

指導法あれこれ

ここでは、「～ところだ」の実際的な使われ方を見てみましょう。

(12) A：Bさん、お先に。
　　B：私も帰るところです。ごいっしょしましょう。
(13) A：結論はどうなりましたか。
　　B：今書類を見ているところです。もうちょっと待ってください。
(14) A：仕事終わりましたか。
　　B：今仕事が終わったところです。ちょっと後片付けをして帰ります。

(12)～(14)のBは、「ところだ」を加えることによって、相手の問いかけや要求に対して、自分の状況を説明しています。
　では、次にこのような実際的な使われ方を利用した練習方法を考えてみましょう。

〈練習〉
「～ところだ」を使って、会話を完成してください。
　①（電話で）
　　田中：もしもし、Aさんですか。
　　　A：ああ、田中さん。
　　田中：あしたの授業のことなんですが。
　　　A：ああ、私も田中さんに電話しようと_____ところです。
　②（携帯電話で）
　　林：もしもし、Aさん、今どこですか。
　　　A：駅の前の通りを_____ところです。あと、2分で着きますよ。

③山田：Aさん、もうご飯食べた。
　　A：ううん、今から_____ところ。
　山田：ちょうどよかった。じゃ、いっしょに食べよう。
④夫：ただいま。
　妻：お帰りなさい。
　夫：どこ行くの。
　妻：今から_____ところなのよ。すぐ戻ってくるから、ちょっと待っててね。
⑤（電話で）
　妻：もう空港に着いたの？
　夫：うん、今_____ところだ。あと30分ぐらいで家に着くから。

指導ポイント

1. 「〜たところだ」は「動作がたった今終了したこと」に、「〜たばかりだ」は「その動作が終了して、あまり時間がたっていないこと」に焦点が置かれる。両者の意味的な違いと使い分けを、具体的な状況を数多く示してつかませること。

2. 「〜ところだ」は相手の問いかけや要求に対して自分の状況を説明するときに、「〜ばかりだ」は「〜ばかりで」「〜ばかりなので」「〜ばかりだから」、また、「〜ばかりなのに」という形で、理由や逆接を表すときに用いられることが多い。

3. 「ところ」の持つ意味は広い。ここで取り上げた「時」のほかに「場所」「点」「部分」などを表すので、学習者の理解に合わせて、どこかでまとめるとよい。

39

「〜ことにする・〜ことになる」
「〜ようにする・〜ようになる」

A：転勤で名古屋へ行くことになりました。
B：ご家族もごいっしょですか。
A：いいえ、一人です。
　　家族は置いていくことにしました。
B：大変ですね。
A：ええ、でも、週末には帰ってくる
　　ようにしたいと思っています。

学習者はどこが難しいか。よく出る質問。

1．「行きます」と「行くことにします」はどう違うの？
2．「〜ことにする」と「〜ようにする」はどう違うの？
3．「〜ことになる」と「〜ようになる」はどう違うの？
4．「〜ことにします」と「〜ことにしました」、「〜ようにします」と「〜ようにしました」はどう違うの？
5．「わかるようになる」と「わかってくる」は同じ？

学習者の誤用の例

1．A：がんばってください。
　　B：はい、がんばるようにします。→はい、がんばります。
2．大学をやめるようにしました。→大学をやめることにしました。
3．薬を飲んだら、治るようになりました。
　　→薬を飲んだら、治ってきました。

4．日本に来てから、どんどん太るようになってきた。
　→日本に来てから、どんどん太ってきた。

説 明

「～ことにする・～ことになる」「～ようにする・～ようになる」はそれぞれ異なった意味用法を備えています。これらの中で「～ことにする・～ようにする」は話し手の気持ちを表すムード（モダリティ）に、「～ことになる・～ようになる」はテンス・アスペクトに属します。（⇒32 ムード（モダリティ））（⇒40 テンス・アスペクト）

● 「～ことにする・～ことになる」の意味用法

1)「動詞辞書形／ナイ形＋ことにする」
　話し手が主体的にものごとを決定・決心したことを表します。動詞は意志動詞が用いられます。決定・決心したことを相手に報告する形で使われることが多く、その場合は「～ことにした」が用いられます。（⇒41 意志動詞・無意志動詞）

　(1)　来月引っ越すことにしました。
　(2)　仕事を引き受けないことにした。

2)「動詞辞書形／ナイ形＋ことになる」
　話し手が主体的に決定・決心したのでなく、「他者によって決められた」こと、また、「結果的にそうなる」ことを表します。動詞は意志動詞、無意志動詞どちらも用いられます。

　(3)　来月帰国することになった。
　(4)　おたくの仕事を担当することになりました。
　(5)　ここには高層マンションが建つことになった。

　話し手自身が決定・決心したことは通常「～ことにする」で表されますが、「～ことになる」で表すこともあります。「～ことになる」を用いると婉曲な言い方になるので、相手への配慮を表したいときに用いられます。

(6)　部下：来月結婚することになりました。つきましては、仲人をお願いしたい
　　　　　のですが。
　　　　上司：それは、それは。わかりました。

● 「～ようにする・～ようになる」の意味用法

1)「動詞辞書形／ナイ形＋ようにする」
　動詞は意志動詞・無意志動詞どちらも用いられます。「動詞＋ようにする」は、話し手自身が事柄の成立を目指して「努力する／心がける／配慮する」という意味と、「ほかの人・ものに働きかけて変化を起こす」という二つの意味用法があります。

　A．「動詞＋ようにする」は、話し手自身が事柄の成立を目指して「努力する／心がける／配慮する」という意味になります。この場合、動詞は意志動詞を用います。

　(7)　これからは先生に何でも相談するようにします。
　(8)　毎日野菜をとるようにしています。

　B．「～ようにする」の前に無意志動詞を用いると、「ほかの人・ものへ働きかけることによって、そのことを実現する」という意味になります。

　(9)　洗濯機を修理して、使えるようにしてください。
　(10)　庭にえさをまいて、小鳥たちがいつでも飛んでくるようにした。

2)「動詞辞書形／ナイ形＋ようになる」
　「状態の変化」を表しますが、時間をかけて習慣・能力が身に付くという意味合いを持つことが多いです。意志動詞・無意志動詞、どちらも用いられます。

　(11)　最近は多くの女性が外で働くようになった。
　(12)　うちの子は8か月で歩けるようになった。

　否定形は「～ないようになる」または、「～なくなる」が使われます。一般には「～なくなる」が使われますが、時間をかけて習慣的になるという意味合いで「～ないよう

になる」を使うこともあります。

　(13) a. 運動は、最初はやっていたが、だんだんやらなくなった。
　　　 b. 運動は、最初はやっていたが、だんだんやらないようになった。

指導法あれこれ

　ここでは学習者の「よく出る質問」1と5について考えます。

質問1　「行きます」と「行くことにします」はどう違うの？
　「〜ます」と「〜ことにする」の違いは、前者がもうすでに決定・決心したあとの意志の表明であるのに対し、後者は決定・決心の過程を述べています。過程を述べることで、まだ迷いのあることや、「あえてそうする」などの気持ちを伝えていると考えられます。

　(14) A：どちらへお出かけですか。
　　　 B：a.　郵便局へ行きます。
　　　　　 b. ? 郵便局へ行くことにします。
　(15) A：旅行の申し込みの締め切り、きょうまでだけど、どうしますか。
　　　 B：a. ? うーん、現時点では行きますが、変わるかもしれません。
　　　　　 b.　うーん、現時点では行くことにしますが、変わるかもしれません。

(14)では、Bbは特に決心・決意を伝える状況にないのに「〜ことにする」を使っている点で不自然になっています。また、(15)では、Baの「行きます」は「行く」という意志を述べているので、あとで変更になることとは相容れません。一方、Bbの「行くことにする」は決心・決定の表明だけなので、実際の行動が伴わない場合にも使えることになります。

質問5　「わかるようになる」と「わかってくる」は同じ？（⇒35　〜てくる・〜ていく）
　「わかるようになる」と「わかってくる」の違いについては、「わかるようになる」が時間をかけて「わからなかったものがわかる」という状態に達するのに対し、「わかって

くる」はある時点で「わかる」という変化が起こることを表します。「〜ようになる」に比べると「〜てくる」には事態の発生という意味合いが含まれます。
　「〜ようになる」「〜てくる」の表現ができるかどうかは、次のように動詞によって違ってきます。

1．「〜ようになる」で表せるが、「〜てくる」では表せない場合
　　1）意志動詞（食べる・行く、など）の場合

　　　⒃ a． 最近野菜を食べるようになった。
　　　　 b．？最近野菜を食べてきた。
　　　⒄ a． 自分で塾に行くようになった。
　　　　 b．？自分で塾に行ってきた。（「その動作をして戻ってくる」という意味になる。）

　　2）「できる」「書ける」などの可能動詞

　　　⒅ a． 最近アイススケートができるようになった。
　　　　 b．？最近アイススケートができてきた。
　　　⒆ a． 漢字が書けるようになった。
　　　　 b．？漢字が書けてきた。

2．「〜ようになる」では表せないが、「〜てくる」で表せる場合（無意志動詞　変わる・太る、など）

　　　⒇ a．？最近少し太るようになった。
　　　　 b． 最近少し太ってきた。
　　　(21) a．？世の中が変わるようになった。
　　　　 b． 世の中が変わってきた。

3．「〜ようになる」でも「〜てくる」でも表せる場合（わかる）

　　　(22) a．最近日本語がわかるようになった。
　　　　 b．最近日本語がわかってきた。

指導ポイント

1. 「〜ことにする」は主に話し手の決定・決心を、「〜ようにする」は「努力する／心がける」「ほかに働きかけて変化を起こす」ということを表す。
2. 「〜ことにした」「〜ようにした」とタ形を使うことで、1の決定・決心、努力などの気持ちを聞き手に伝えることができる。
3. 「〜ことになる」「〜ようになる」は話し手の視点が「そうなった」という結果に置かれている。
4. 「〜ます」（「行きます」）と「〜ことにする」（「行くことにします」）の違いは、前者がもうすでに決定・決心したあとの意志の表明であるのに対し、後者は決定・決心の過程を述べている。過程を述べることで、まだ迷いのあることや、「あえてそうする」などの気持ちを伝えている。

40 テンス・アスペクト

A：すてきなTシャツですね。
B：去年ハワイへ行ったとき、買いました。
A：ハワイですか。
B：Aさんはハワイへは？
A：ええ、まだ一度も行っていません。

学習者はどこが難しいか。よく出る質問。

1. 「きのう」「先週」などの過去を表す副詞があると、過去を表す「た」を落としてしまう。
2. 未完了の「(食べ)ていない」が使えず、「(食べ)なかった」を使ってしまう。
3. 「〜とき、〜」の中のテンス・アスペクトがわかりにくい。
4. 名詞修飾節の中のテンス・アスペクトがわかりにくい。

学習者の誤用の例

1. A：昼ご飯、食べましたか。
   B：いいえ、まだ食べませんでした。→いいえ、まだ食べていません。
2. 日本へ来て一番困ることは、日本語がわからないことでした。
   →日本へ来て一番困ったことは、日本語がわからないことでした。
3. 疲れます。ちょっと休みましょう。→疲れました。ちょっと休みましょう。
4. 赤ちゃんが急に泣き始めた。→赤ちゃんが急に泣き出した。
5. その手紙を読むと、彼女は突然倒れ出した。
   →その手紙を読むと、彼女は突然倒れた。

説 明

●テンス・アスペクトについて

　テンス（時制）はその事柄が時間のどの時点で起きるか／起こったか、どういう状態であるか／あったかを問題にします。一方、アスペクト（相）は、動き・状態を時間の流れの中でとらえ、その開始、継続、終了などを表すものです。しかし、例えば「彼が来た」は「きのう彼が来た」という過去のある時点で起きたことを述べているのか、「さっき彼が来て、今ここにいる」という継続の状態を述べているのか、言い換えれば、テンスを表すのかアスペクトを表すのか区別のつかない場合が多いです。それで、多くの場合は、テンスとアスペクトをひとくくりにして「テンス・アスペクト」と呼ぶことが多いです。

１．テンス
　テンス（時制）は、非過去（未来・現在）と過去に二分されます。
　１）非過去
　　（１）a．あした北海道へ行く。
　　　　　b．きょうはいい天気だ。
　２）過去
　　（２）a．きのう北海道へ行った。
　　　　　b．きのうは大雪だった。
　日本語では「きのう」「先週」などの過去を表す副詞が現れると、述語に「た」を付けなければなりません。学習者の母国語の中には過去を表す副詞があれば述語を非過去のままにしてもよい言語もあります。そのような言語を母国語とする学習者は「た」を落としてしまいがちです。
　また、形容詞についても、形容詞が活用すること自体、なかなか理解できない学習者も多いです。日本語では形容詞が活用し、過去を表すことができることを十分理解させる必要があります。（⇒６ い形容詞・な形容詞１）（⇒７ い形容詞・な形容詞２）

2．アスペクト

アスペクトは次のような形式を使って表されます。

1)「る」「た」(未完了・完了)
2)補助動詞(〜ている・〜てある・〜てしまう、など)
3)複合動詞(〜(し)始める・〜(し)出す・〜(し)続ける・〜(し)終わる、など)
4)その他(〜るところだ・〜ているところだ・〜たところだ・〜たばかりだ、など)

2)4)については、本書の各項目の説明を参照してください。ここでは、1)「る」「た」、および、テンス・アスペクトにおいて注意すべき点を見ていきます。(3)「の複合動詞については「学習者の誤用の例」4、5をあげるにとどめます。)

● 「る」「た」(未完了・完了)

「行く、食べる、見る」のような動詞の未完了の形を「る」、「行った、食べた、見た」のような完了の形を「た」で表します。

　　(3) A：あの映画見ましたか。
　　　　B：a.　いいえ、まだ見ていません。
　　　　　　b.？いいえ、まだ見ませんでした。

Aの問いに対して、Baは「その映画を見ること」が完了していないという意味で、適切ですが、bは過去のある時点で「見なかった」ことを言う表現をとっているため不適切になります。このように、「〜ましたか」の答えが常に「〜ませんでした」となるとは限らないことに注意が必要です。(⇒33 〜ている)

● 従属節中のテンス・アスペクト

　　(4) a．シンガポールに行くとき、帽子を買った。
　　　　b．シンガポールに行ったとき、帽子を買った。

(4)では、「とき」の前に、aには「行く」、bには「行った」が使われています。これは主節の「帽子を買った」ときが、シンガポールに行くことが完了しているかどうかで使い分

けています。aはシンガポールへ行くことが未完了のとき、つまり、行く前に、bはシンガポールへ行くことが完了したとき、つまり、行ったあとで帽子を買ったことになります。(⇒63 〜とき)

同じ従属節でも名詞修飾節の中のテンス・アスペクトはやや複雑になります。

(5) a．いすに座っている人が急に立ち上がった。
　　b．いすに座っていた人が急に立ち上がった。

(5)では、aでもbでも意味は変わりません。(6)ではどうでしょうか。

(6) a．　立ち上がった人はそのまま歩き出した。
　　b．？立ち上がる人はそのまま歩き出した。

(6)ではbは間違いになります。(5)の「座っている」は状態を、(6)の「立ち上がる」は動作を表しています。このように、名詞修飾節では述語(動詞・形容詞など)が状態を表しているか、動作を表しているかによって「た」が使えるか「る」が使えるかが変わってきます。(⇒54 名詞修飾節)

● タ形の慣用的表現

次の表現は現在の状態を表しているにもかかわらず、タ形が用いられることが多いです。

(7)　おなかがすきました。
(8)　のどがかわきました。
(9)　ああ、疲れた。
(10)　風邪をひきました。
(11)　困ったなあ。
(12)　それはよかったですね。／残念でしたね。
(13)　ずいぶん遅かったね。

(11)〜(13)は現在の状態を表しているとともに、話し手の気持ち(ムード(モダリティ))も表しています。次の例も、話し手の気持ちを含んだ用法と考えられます。

(14) あった、あった。こんなところにありました。
(15) 薬を飲んだほうがいいですよ。(⇒18 〜(た)ほうがいい・〜てもいい・〜たらいい)
(16) 会議は3時からでしたね。

指導法あれこれ

　感謝を表すとき、私達は「ありがとうございます」とも「ありがとうございました」とも言います。謝るときには「すみません」とも「すみませんでした」とも言います。どのように使い分けているのでしょうか。「失礼します」「失礼しました」はどうでしょうか。

(17) A：林さん、この本を借りてもいいですか。
　　　 B：あ、どうぞ。
　　　 A：ありがとうございます。
　　　　　：
　　　 A：(本を返すとき)林さん、この間の本、ありがとうございました。
(18) A：この間はお世話になって、ありがとうございました。
　　　 B：いいえ。

(17)では、「ありがとうございます」は本を貸してもらったという、その場の好意に対する感謝を表します。一方、「ありがとうございました」は、「借りて返す」という行為が一件落着したことに対する感謝を表します。
　(18)は、AとBが再会したときの会話で、この間の「お世話になった」という行為が一件落着したことに対する感謝の気持ちを述べています。

(19) (店で)すみません。これください。
(20) A：(電車の中で足を踏まれて)あ、痛い。

B：あ、すみません。
　　　A：気をつけてください。
　　　　　　　⋮
　　　B：(電車を降りるとき)どうも、すみませんでした。

(19)では、「すみません」は呼びかけに使われています。また、(20)の「すみません」は、今起こっている出来事に対する陳謝を表しています。一方、同じ(20)の「すみませんでした」はすでに発生した行為・出来事に対する陳謝の気持ちを表していると考えられます。

　(21) A：もうお帰りですか。
　　　B：ええ、ちょっと用事がありますので。
　　　A：そうですか。
　　　B：じゃ、失礼します。
　(22) A：(ドアを開けて部屋に入る)失礼します。
　　　B：あ、何ですか。
　　　A：実は、……。
　　　　　　　⋮
　　　A：(部屋を出るとき)どうも、失礼しました。
　(23) A：玉井さんですか。
　　　B：いいえ、ちがいます。
　　　A：あ、失礼しました。

(21)の「失礼します」は別れるとき、退出するとき、また、(22)では介入時(ここでは、部屋に入るとき)に使われています。一方、「失礼しました」は、(22)では退出時に、(23)では間違ったことに対する陳謝を表しています。「失礼します」「失礼しました」は両方とも改まった言い方です。

　私達日本人は、「ありがとうございます」「ありがとうございました」、「すみません」「すみませんでした」などの使い分けに困難を感じることは少ないですが、学習者には案外難しい問題のようです。簡単なことだと軽視しないで、会話練習のときなど、

簡単な説明を交えながら、十分練習してください。

> **指導ポイント**
>
> 1. 日本語のテンス・アスペクトは非過去と過去（または、未完了と完了）に分かれることをきちんと理解させること。
> 2. 学習者は「きのう」「先週」などの過去を表す語があると、動詞・形容詞を過去にすることを忘れやすいので注意すること。
> 3. 「行くときに買った」と「行ったとき買った」では、「買った」のは「行く」動作・行為が完了しているときか、そうでないかで決まる。学習者は時のとらえかたを間違えやすいので注意すること。
> 4. 「〜たか」という質問に対し、まだ終わっていないことを表すには、「〜ていない」を使うように指導すること。（例：「食べたか。」「いいえ、まだ食べていない。」）
> 5. 現在の事柄を表すときに、タ形を用いることがある。慣用的な表現として理解させるとともに、学習者の理解力を見ながら、どこかで「た」の持つムード性にも言及するとよい。

41 意志動詞・無意志動詞

A：CD、持って来てくれた?
B：あ、忘れた。
A：忘れちゃったの。
B：忘れないように、忘れないようにと思っていたのに、忘れてしまった。ごめん。

学習者はどこが難しいか。よく出る質問。

1. 意志動詞・無意志動詞の区別は必要なの?
2. 「いる」「なる」は意志動詞?それとも無意志動詞?
3. 「忘れちゃった」「落としちゃった」の「忘れる」「落とす」は意志動詞?それとも無意志動詞?

学習者の誤用の例

1. ダンスができたいです。→ダンスができるようになりたいです。
2. (財布がないことに気がついて) 財布が落ちました。→財布を落としました。
3. どうぞ困らないでください。→どうぞ心配しないでください。
4. 氷が割られない。→氷が割れない。

説 明

● 「意志動詞」と「無意志動詞」とは何か

　皆さんは意志動詞・無意志動詞ということばを聞いたことがありますか。
　日本語教育でこれらを前面に掲げている教科書は少ないですが、日本語の動詞を考えるとき、意志動詞・無意志動詞という考え方は重要になります。
　主語（動作・行為の主体）の意志を表すことのできる動詞を意志動詞、できない動詞を無意志動詞と言います。「札幌へ行きたい。」「ワインを飲もう。」「きょうは調子が悪いので、会社を休む。」の「行く」「飲む」「休む」は、主語の意志を表しているので、意志動詞と言います。一方、「時計がこわれた。」「小雨が降っている。」「借金がある。」の「こわれる」「降る」「ある」は、主語の意志を表すことができないので、無意志動詞になります。（日本語教育では、意志動詞を、主語がコントロールできるので＋controllable、無意志動詞を－controllableと説明することがあります。）
　意志動詞か無意志動詞かの区別は、一般にはその動詞が意向形（「～（よ）う」の形）をとれるかどうか、願望を表す「たい」を付けられるか、また、命令（休め／休みなさい）にできるかどうかで判断します。

● 無意志動詞の例

　多くの動詞は意志動詞なので、以下に無意志動詞の例をあげておきます。

　　例：ある、できる、わかる、要る、困る、生まれる、（雨が）降る、（風が）吹く、など。

　なお、自動詞と他動詞がペアで存在する場合、その自動詞は無意志動詞になります。（⇒42 他動詞・自動詞）

　　例：つく、閉まる、決まる、変わる、かかる、なおる、こわれる、割れる、など。

● 意志動詞と無意志動詞の形が同じもの

　動詞の中には、同じ動詞であるのに、意志動詞になったり、無意志動詞になったり

するものもあります。例えば、「忘れる」は「電車にかばんを忘れてきた」のような場合は、意志のコントロールのできない動作なので無意志動詞ですが、「もう戦争のことは忘れてしまいたい」の場合は意志動詞になります。ほかにも次のようなものがあります。

	意志動詞	無意志動詞
なる	ピアニストになりたい	暗くなる
いる	いっしょにいよう	子供がいる
落とす	石を落とすな	鍵を落としちゃった

●意志動詞を用いる表現

　意志動詞は動作主の意志を表す動詞なので、多くの文法形式と結び付いて、以下のような意味用法を表すことができます。無意志動詞にはこのような用法（働き）はありません。

1）いろいろな意志表現を表す
　　意向「〜(よ)う」　読もう、読むつもりだ
　　願望「〜たい」　　読みたい
　　命令　　　　　　　読め、読むな、読みなさい
　　依頼　　　　　　　読んでください

2）可能形になる（⇒44 可能・〜ことができる）
　　可能形　　　　　　読める

3）「てみる」「ておく」「てある」と結び付く
　　〜てみる　　　　　読んでみる
　　〜ておく　　　　　読んでおく
　　〜てある　　　　　読んである

4）やりもらい（授受）表現と結び付く
　　〜てあげる　　　　読んであげる
　　〜てもらう　　　　読んでもらう
　　〜てくれる　　　　読んでくれる

5）決定・決心を表す
　　〜ことにする　　　飲むことにする
6）目的を表す
　　〜に行く　　　　　飲みに行く
　　〜に来る　　　　　飲みに来る

● **従属節中の意志動詞・無意志動詞**

　従属節の中が、意志動詞か無意志動詞かによって意味が変わるものがあります。

〜ながら　　意志動詞　　（例：見る）テレビを見ながら、ご飯を食べる。（同時動作）
　　　　　　無意志動詞　（例：ある）妻がありながら、浮気をする。（逆接）
〜ため（に）意志動詞　　（例：とる）博士号をとるために、日本へ来た。（目的）
　　　　　　無意志動詞　（例：痛む）虫歯が痛むために、寝られない。（理由・原因）

指導法あれこれ

　学習者は「説明」1）〜6）のような用法に対して、誤って無意志動詞を使ってしまうことが多いので注意が必要です。
　意志動詞か無意志動詞かの区別ができるようになると、可能形を作るときにも、無意志動詞「わかる」を可能形にして「わかられる」という形を作ったり、「決まられる」「割られる」などと言ってしまう誤りを防ぐことができます。
　また、「〜ながら」の二つの用法の使い分けや、目的を表す「〜ために」「〜ように」の使い分けも、意志動詞・無意志動詞との結び付きという観点から整理することができます。

　　意志動詞＋ために　　博士号をとるために、日本へ来た。
　　無意志動詞＋ように　博士号がとれるように、大学で一生懸命勉強している。

　では、次に初級の学習者に意志動詞・無意志動詞を区別させる練習を考えてみましょう。

〈準備〉
　学習者をペア、または3人1組にし、カードを配ります。用意するカードには、「食べる・見る・勉強する・行く」などの基本的な意志動詞、「わかる・ある・困る・開く・つく・消える」などの、これも基本的な無意志動詞を書いてください。1枚のカードに一つの動詞です。意志動詞・無意志動詞数枚ずつでいいでしょう。それを学習者の組数作ります。30人のクラスなら、10～15組になります。

〈練習〉
1）まず、学習者に、カードの動詞を意志動詞と無意志動詞に分けさせます。
2）分けるのが終わったら、学習者それぞれのグループが、自分達の分けた意志動詞と無意志動詞を発表します。ほかの学習者は合っているかどうか判断します。（合っていれば何点と、点数を競わせるのもおもしろいかもしれません。）
3）次に意志動詞を使って、いろいろな形を作らせます。「～てください」「意向形～（よ）う」「～たい」「命令」「可能形」など、すでに習った形を作らせてください。
4）次に文を作らせます。3）を使って文を作らせてもいいでしょう。
5）無意志動詞では「～ている」の形を作らせたり、文を作らせましょう。

3）～5）は口頭で言わせてもいいし、書かせるのもいいでしょう。動詞の数はあまり欲張らずに、学習者が楽しんでできるように、基本的な動詞に限るほうがいいと思います。

指導ポイント

1. 意志動詞・無意志動詞の概念が理解できていると、「～(よ)う」「～つもりだ」「～たい」などの意志・願望表現、命令、依頼、可能、その他「～ておく」「～てある」「～てみる」などを作るとき、使用する動詞を選ぶ目安ができる。
2. 意志動詞・無意志動詞の区別は、時間をかけて理解させること。意志動詞（無意志動詞）の使われる文法項目を学習するときに、意識的に意志動詞（無意志動詞）であることに言及すると、学習者は覚えやすくなる。

42 他動詞・自動詞

A：このテーブル、重くて動かないんですよ。
　　いっしょに押してくれませんか。
B：いいですよ。
（2人で押す）
A：あ、動いた!!ありがとう。

学習者はどこが難しいか。よく出る質問。

1．日本語の他動詞・自動詞と英語の他動詞・自動詞の概念は違うの?
2．いつ他動詞を使い、いつ自動詞を使うの?
3．対になっている他動詞・自動詞がよく似ていて覚えられない。
4．他動詞・自動詞を形で区別するルールはないの?

学習者の誤用の例

1．2月にコースが始めました。→2月にコースが始まりました。
2．親が息子を大切に育ってきた。→親が息子を大切に育ててきた。
3．私は手紙を書くとき、涙を出します。
　　→私は手紙を書くとき、涙が出ます。
4．成績によっていい仕事を見つけるかどうかが決まる。
　　→成績によっていい仕事が見つかるかどうかが決まる。

説 明

●日本語の他動詞・自動詞について

「ドアを開ける」「電気をつける」の「開ける」「つける」のように「名詞（目的語）+を」をとる動詞を他動詞、「ドアが開く」「電気がつく」の「開く」「つく」のように「名詞（目的語）+を」をとらない動詞を自動詞と言います。

ただし、「名詞+を」をとっていても、「名詞+を」が「動作・作用の対象」になっていない、次のような動詞は他動詞とは言いません。

　通過点を表す「を」：道を通る、右側を歩く、空を飛ぶ
　出発点・起点を表す「を」：部屋を出る、バスを降りる、大学を卒業する

人がドアを開けるとき、その人の動作に注目すると、「○○さんがドアを開ける／開けた」になります。一方、動作を受ける対象の「ドア」に注目すると、「ドアが開く／開いた」になります。

このように、他動詞と自動詞は、話し手が動作主に焦点を合わせて述べるか、動作を受ける対象に焦点を合わせるかによって使い分けられます。

他動詞・自動詞は次のように、ペアで存在することが多いです。次にあげるのは基本的な他動詞・自動詞のリストです。

	他動詞		自動詞
（〜を）	開ける	（〜が）	開く
	閉める		閉まる
	つける		つく
	消す		消える
	こわす		こわれる
	なおす		なおる
	決める		決まる
	変える		変わる

	他動詞		自動詞
(〜を)	入れる	(〜が)	入る
	出す		出る
	かける		かかる

　他動詞から自動詞を、また、自動詞から他動詞を作るルールがないかと学習者はよく質問しますが、ルールが多岐にわたっているので、簡単ではありません。基本的には次のようなことが言えます。次の１）〜４）は『初級を教える人のための日本語文法ハンドブック』(2000)を参考にしてまとめたものです。

１）自動詞には-aruで終わるものが多い。
　　（とまるtomaru、変わるkawaru、決まるkimaruなど。ただし、「預かるazukaru」
　　「教わるosowaru」などは他動詞。）
２）-aruで終わる自動詞を-eruに変えると他動詞になるものが多い。
　　（tomaru/tomeru, agaru/ageru, hirogaru/hirogeru）
３）-reruで終わるものは自動詞が多い。（流れるnagareru、売れるureru、折れるoreruなど。ただし、「入れるireru」「くれるkureru」などは他動詞。）
４）-suで終わるものはほぼすべて他動詞。（こわすkowasu、倒すtaosu、飛ばすtobasu）

　また、次のように一つの動詞で他動詞・自動詞両方を兼ねているものもあります。

他動詞	自動詞
窓を開（ひら）く	窓が開（ひら）く
仕事を終わる	仕事が終わる
車をバックする	車がバックする

　他動詞のみ、また、自動詞のみしかないという動詞も多く存在します。次の動詞の相手（　　）を考えてみてください。

他動詞	自動詞
書く	（　　　）
作る	（　　　）
置く	（　　　）
（　　　）	いる
（　　　）	ある
（　　　）	わかる

上の（　）はいずれも、他動詞や自動詞が存在しません。

● 他動詞・自動詞の役割

私達はいつ他動詞を使い、いつ自動詞を使うのでしょうか。両者の特徴は次のようにまとめられます。

他動詞	自動詞
話し手が動作主に注目している。	話し手が動作を受ける対象に注目している。
「どうするか」というほかへの働きかけを表す。	「どうなるか」という結果を表す。
意志（意図）的な行為ととらえる。	人間などの意志（意図）は含まれていない。
行為に注目する。	行為の結果や変化に注目する。
「だれが（したか）」が重要である。	「だれが（したか）」と言う必要がない。
「積極的にした」という感じがある。	「積極的にした」という感じがない。自然に起こったという言い方をする。
「～ておく」「～てある」「～ましょうか」「～てください」「～たいと思う」「～ようと思う」などといっしょに使われることが多い。	すぐ・よく・なかなか＋自動詞（例：よくこわれる、なかなか開かない）の形で使われることが多い。

●他動詞・自動詞の実際の使われ方の例

　他動詞・自動詞は前表のような基本的な使われ方とは別に、実際の場面では状況に応じた使われ方をすることがあります。
　日本人は押し付け表現を嫌う傾向があります。自分の結婚の報告を上司にする場合、日本人はaとbのどちらの言い方を好むでしょうか。

　　(1) a．来月結婚することにしました。
　　　　b．来月結婚することになりました。

aは自分で決めたということを強調した言い方です。bは自分で決めたにもかかわらず人が決めたような言い方をしています。日本人はbのような言い方をすることで、婉曲に、謙虚に伝える(また、伝えられる)ことを好む傾向があります。
　次のようなときにも、他動詞を使うか自動詞を使うかで意味合いが変わってきます。

　　(2) a．お借りしたカメラをこわしてしまいました。すみません。
　　　　b．お借りしたカメラがこわれてしまいました。すみません。

bはカメラが勝手にこわれてしまったような印象を与えます。仮に自分がこわしたのでなくてもaのように表すことで、自分が責任を感じているという誠意を表すことができます。
　このほかにも、エレベータなどでは次のようなアナウンスを聞くことが多いです。

　　(3)　ドアが開きますのでご注意ください。
　　(4)　5階に止まります。
　　(5)　ドアが閉まります。

もちろん、エレベータ嬢がボタンを押して操作しているわけですが、「私が」とは言わずにエレベータを主体のように表しています。
　以上の(1)～(5)のような使われ方は、基本的には他動詞・自動詞の持つ性質・特徴から来ていると考えられます。

● 日本語の他動詞・自動詞と英語の他動詞・自動詞は同じか

　日本語に他動詞・自動詞という概念が必要なのかということはずっと言われています。他動詞・自動詞というのは、もともと西欧語から来た概念で、受身文が作れるかどうかという点で区別され、次のkillのように、受身文が作れる動詞は他動詞と考えられています。

　　　She killed him. →He was killed by her.

この西欧語から来た概念を日本語にそのまま当てはめたわけですが、日本語は必ずしも英語などと一致しません。
　日本語の受身文は多岐にわたり、(6)の場合は英語と一致しますが、(7)の場合は、日本語独特の受身文といえます。

　(6)　彼女は彼を殺した。→彼は彼女に殺された。
　(7)　夕べ子供が泣いて眠れなかった。
　　　→夕べは子供に泣かれて眠れなかった。

「泣く」は「名詞（目的語）+を」をとらないので他動詞ではなく、自動詞です。したがって、日本語では自動詞でも受身形を作ることができるので、受身形を作れるかどうかという基準では日本語の他動詞・自動詞の区別はできないわけです。（⇒43 受身）

指導法あれこれ

　学習者の母国語では他動詞・自動詞の区別がない場合が多いです。例えば、英語では He opens the door. が「（彼が）ドアを開ける」、The door opens.が「ドアが開く」と、一つの動詞で「開く・開ける」を表します。そのような学習者には、まず、日本語の他動詞・自動詞の概念をわからせることが必要になります。
　これは、自他の概念をつかませるために、私自身がよく行う方法ですが、1本のろうそくを教室に持ち込んで、火をつけます。学習者にはろうそくではなく、<u>教師の動</u>

作のみに注目させます。教師の動作に注目したとき、「(先生が)火をつける」「火をつけた」を導入します。
　次に、先生ではなく、ろうそくだけに注目させます。だれが火をつけたかは問題にしないで、ろうそくの変化に注目させます。そして、「火がついた」を導入します。(ろうそくがなければ、ドアを開けたり閉めたりして導入してもいいでしょう。ただし、ろうそくほどはインパクトがないかもしれません。)
　自他の概念をわからせるためにこのような方法をとるのは効果的ですが、一方で、他動詞・自動詞は語彙の問題であると考えるのも一つの方法です。左側に他動詞を、右側に自動詞を並べたリストを作って学習者に渡し、動作主に注目するときは左側の動詞を、ものそのものに注目するときは、右側の動詞を使うというように指導します。
　最初は「説明」にあげたような「開ける・開く」「閉める・閉まる」「とめる・とまる」「つける・つく」「消す・消える」などの10組程度の基本的な動詞を渡します。そして、単語としてそれを覚えるように指示します。小テストでそれらの他動詞・自動詞を覚えているかどうかチェックし、7割方覚えた時点で、もう10組程度の新しい動詞のリストを渡し、覚えてくるように指示します。そして、また、小テストでチェックをします。
　この方法は特に初級レベルの学習者には有効なようです。中級、上級になってから、他動詞・自動詞の使い方、使い分け、とらえ方をもう少し文法的、理論的に説明すればいいのです。
　他動詞・自動詞の概念がわかった学習者が言うことは、日本語の他動詞・自動詞は「あく・あける」など音や表記がよく似ていて覚えにくいということです。他動詞・自動詞の学習は語彙の学習と考えて、徹底的に動詞を覚えさせるというやり方も有効だと思います。

> **指導ポイント**
>
> 1. 日本語の他動詞・自動詞の基本的な区別は、「名詞（目的語）＋を」をとるか否かということである。他動詞は「名詞（目的語）＋を」をとり、自動詞はとらない。
> 2. 人の行為に焦点を置く場合（他動詞）、物事の変化に焦点を置く場合（自動詞）と、焦点・視点の違いで自他のどちらが選ばれるかということを正確につかませること。
> 3. 他動詞・自動詞はある意味で、語彙の問題でもあるので、基本的な自他の動詞を、繰り返し正確に覚えさせること。
> 4. 日本人は「人が何かをした」という表現より、「（その結果）何かがこうなった」という表現を好む傾向があるので、そうしたことにも、適宜触れておくとよい。

43

受身

A：もしもし、警察ですか。
B：はい、警察です。
A：あの、5丁目の山田ですけど、空巣に入られたみたいなんです。
B：何かとられましたか。
A：引き出しの中のお金がなくなっています。

学習者はどこが難しいか。よく出る質問。

1. 動詞の受身形が正しく作れない。
2. 行為をした人がだれで、された人がだれかつかめない。
3. 行為者を表すのに、助詞は「に」「によって」「から」のどれを使えばいいの?
4. 日本語の受身はすべて迷惑を表すの?

学習者の誤用の例

1. 私は兄に起きられました。→私は兄に起こされました。
2. (私は)田中さんの明るい態度に大変感心された。
   →田中さんの明るい態度に大変感心した。
3. 男の人のくつが女の人の靴に踏まれた。
   →男の人が女の人に靴を踏まれた。
4. 泥棒にかばんがとられました。→泥棒にかばんをとられました。
5. モナリザはダビンチに描かれた。→モナリザはダビンチによって描かれた。

説 明

●ヴォイスについて

「ホセがカルメンを殺した」を受身の文にすると、「カルメンがホセに殺された」となって、「カルメンを」が「カルメンが」と目的語（目的格）から主語（主格）に変わります。同様に、「部下が出張する」を使役の文にすると「（上司が）部下を出張させる」となって、主語（主格）が目的語（目的格）に変わります。このように、「（ら）れる」や「（さ）せる」などを付けることによって、格関係が規則的に変わる文法形式をヴォイス（態・ボイス）と言います。「中国語を話す」が「中国語が話せる」に変化する可能の文もこれに属します。

●受身表現（受動態）

「ホセがカルメンを殺す」のような能動文と、「カルメンがホセに殺される」のような受身文はどう違うのでしょうか。私達が物事について述べるとき、行為者の側から「だれが何をした」と述べる場合と、視点を行為を受けたほうに移し、被行為者の側から述べる場合があります。

受身表現は後者の、被行為者の側に視点を置いて述べる文法形式です。動詞の受身形は次のようになります。一段／Ⅱグループ動詞と不規則／Ⅲグループ動詞の「来る」は可能形と同じになります。

五段／Ⅰグループ		一段／Ⅱグループ		不規則／Ⅲグループ	
書く	書かれる	食べる	食べられる	来（く）る	来（こ）られる
飲む	飲まれる	見る	見られる	する	される
呼ぶ	呼ばれる				
とる	とられる				
立つ	立たれる				
言う	言われる				
話す	話される				

日本語の受身（受動態）は大きく直接受身と間接受身に分けられます。直接受身というのは、「カルメンがホセに殺される」のように、主語（カルメン）が、だれか（ホセ）によって直接的な動作・行為を受ける受身のことを言います。
　一方、間接受身は「私は子供にパソコンをこわされた」のように、主語（私）がだれか（子供）によって、直接的な動作・行為を受けたのではないが、パソコンをこわされたことによって、間接的に何らかの影響（多くの場合、迷惑・被害）を受けることを表す受身です。

●直接受身

　直接受身では、用いられる動詞は他動詞で、(1)(2)のように、動作を行う人・ものは「に」で表されます。（⇒42 他動詞・自動詞）

(1)　兄が弟をなぐった。
　　　↓
　　弟が兄になぐられた。

(2)　夫は彼女を深く愛していた。
　　　↓
　　彼女は夫に深く愛されていた。

　行う動作が「書く・作る・建てる・発明する・設計する」などのように、何かを創造することを表す動詞では、多くの場合次のように「によって」が用いられます。

(3)　有名な建築家がこのビルを建てた。
　　　↓
　　このビルは有名な建築家によって建てられた。

　また、(4)のように原料などには「から」が用いられます。

(4)　ワインはぶどうから作られる。

　特に動作を行う人・ものを表す必要がない場合（行為者のない受身文）は、「〜に／によって」が省略されます。

(5) 輸入品には高い関税がかけられている。
(6) この日本家屋は100年前に建てられたものだ。

●間接受身

　間接受身というのは英語などにはない受身で、主語が、ある事態・事件で迷惑・被害をこうむったという含みを持ちます。そのため迷惑受身、被害受身とも呼ばれることが多いです。

　用いられる動詞は他動詞と自動詞の両方で、迷惑をこうむるもの（主語）は話し手であることが多いです。文の形としては、(7)(8)のように、「（主語）が／は（だれか）に（主語の所有物など）を～（さ）れる」という形をとります。

(7) 子供が私のカメラをこわした。
　　　↓
　　私は子供にカメラをこわされた。

(8) だれかが私の足を踏んだ。
　　　↓
　　私は電車の中で足を踏まれた。

(7)(8)では「こわす」「踏む」のように他動詞が用いられていますが、(9)のように自動詞が用いられる場合もあります。

(9) 私の子供が泣いた。
　　　↓
　　私は子供に泣かれて、困った。

指導法あれこれ

　外国人学習者は間接受身の概念が理解しにくいようです。学習者だけではなく、ネイティブの日本人である私自身も日本語教師1年生のとき、間接受身というものがよくわかっていないようでした。次の(10)を(10)'のように訳して、学習者に笑われたという経験があります。

(10) 私は弟にケーキを食べられた。
(10)' I was eaten cakes by my younger brother.

これでは「私」が「弟」に食べられてしまうことになりますね。
　また、学習者は、迷惑を受ける人を主題として文頭に出すということがなかなかわからず、(11)(12)のような文を作ってしまいがちです。

(11) ？私のカメラは弟にこわされた。
(12) ？私の靴が女の人の靴に踏まれました。

正解はそれぞれ、「私は弟にカメラをこわされた。」「私は女の人に靴を踏まれました。」となります。
　(9)で紹介した自動詞の受身を学習者に教える必要があるのかないのかについては、議論のあるところです。日本人でも「一晩中子供が泣いて、困った。」と言うことが多いかもしれません。
　次の(13)(14)でも「販売員が来て困った。」「雨が降って、ずぶぬれになった。」と言うことが多いと思われます。

(13) きのうは、しつこい訪問販売員に来られて困った。
(14) 雨に降られて、ずぶぬれになってしまった。

自動詞の受身を取り上げない教科書も出てきています。仮に授業で取り上げる必要があっても、理解することに重点を置いて指導するのも一つの考え方だと思われます。

指導ポイント

1. 動詞の受身形を正しく作れない学習者が多い。丁寧形と普通形の肯定・否定（書かれます・書かれません、書かれる・書かれない）、そしてテ形（書かれて）は正しく覚えさせること。
2. 受身形と可能形が混同しやすいので、同じ部分と異なる部分を確認させること。
3. 受身文では、だれが行為者で、だれが被行為者か、混乱してしまう学習者が多い。常に人関係を確認させながら、例文提示や練習を行うこと。
4. 受身文では、行為者は通常「に」で表されるが、「によって」「から」でないと不自然になる場合もあることに注意させること。
5. 日本語の受身は基本的には迷惑を表す。しかし、無生物が主語になっている場合は、迷惑の意味がなくなる。（例：冷凍野菜が大量に輸入されている。）

44 可能・～ことができる

A：今入ってもいいですか。
B：演奏が始まりましたので、今は入れません。
A：……。
B：あと15分ほどで休憩に入りますので、そのときに入ることができます。

学習者はどこが難しいか。よく出る質問。

1．「日本語が話せる」と習ったけれど、「日本語を話せる」も使っていいの?
2．「わかる」の可能形は「わかれる」「わかられる」?
3．「可能形」と「～ことができる」は使い方が違うの?

学習者の誤用の例

1．日本語が少しわかれるようになりました。
　→日本語が少しわかるようになりました。
2．勉強すれば、よい成績がとられるにちがいない。
　→勉強すれば、よい成績がとれるにちがいない。
3．このコップは落としても割られない。
　→このコップは落としても割れない。
4．韓国ではこんなに高い木は見えません。
　→韓国ではこんなに高い木は見られません。

説 明

●「可能形」について

　可能形を指導する上でのポイントは三つあります。一つは可能形そのものの活用形の問題、二つ目は可能表現にかかわる「助詞」の問題、三つ目は可能形の意味用法の問題です。

　まず、可能形の活用から見ていきましょう。

　すべての動詞が可能形になるのではありません。可能形にできるのは「食べる」「行く」「勉強する」などの意志動詞だけです。(「開く」「閉まる」「消える」などの無意志動詞は可能形にできません。「わかる」「できる」はすでに可能の意味を含んでいるので、可能形にはできません。) (⇒41 意志動詞・無意志動詞)

　Ⅰグループ動詞の可能形は、「行け」「飲め」などの命令形、「行けば」「飲めば」の「バ形」と似ています。また、一段／Ⅱグループ動詞、不規則／Ⅲグループ動詞の「来る」の可能形は受身形と同じです。学習者の活用形の混乱が見られ始めるのが、可能形あたりからです。

五段／Ⅰグループ		一段／Ⅱグループ		不規則／Ⅲグループ	
行く	行ける	食べる	食べられる	来(く)る	来(こ)られる
飲む	飲める	いる	いられる	する	できる
遊ぶ	遊べる				
帰る	帰れる				
待つ	待てる				
会う	会える				
話す	話せる				

　「する」の可能形は「できる」です。したがって、「理解する」の可能形は「理解できる」になります。学習者はcan understandのつもりで、「わかる」を「わかれる」や「わかられる」と可能形にしようとしますが、先に述べたように「わかる」自体の可能

形はありません。

●「可能形」と助詞

可能形にかかわる助詞の問題は二つあります。一つは「できる」目的（対象）に「が」をとるか「を」をとるかということです。

(1)　私は中国語が話せる。

可能形は基本的には「漢字が書ける」「英語の新聞が読める」のように「が」をとりますが、「が」をとるか「を」をとるかはゆれている部分もあり、新聞などでも「を」を使っているのを見かけることがあります。どちらをとるかは「〜たい」の場合と似ているところがありますが、「食べる」「飲む」「書く」など日常生活の動詞は「を」より「が」の使用が好まれるようです。(⇒14　〜たい)

「が」より「を」が使われやすいのは次のような場合です。

1) 対象がだれか混乱が起きる場合
　(2)？彼は妻が引き止められない。
　　→彼は妻を引き止められない。
2) 他動性の動詞で、それ自体が長い音節を持つ動詞
　(3)？あの柵にこの犬が結び付けられない。
　　→あの柵にこの犬を結び付けられない。
3) 従属節（名詞修飾節、副詞節）の中
　(4)　好きな字を書き込める装置を開発した。
　(5)　節約をできる階層は限られている。

可能形にかかわるもう一つの助詞の問題は、「できる」主体に「に」をとれるのはどんな場合かということです。

(6)？私に日本語が話せます。
(7)　私にはこれ以上話せない。
(8)　あの人にできるのに、どうしてあなたにできないの?

(6)の文は不自然ですが、(7)のような否定の文、(8)のような他者との比較の文では「に」が現れることがあります。(7)(8)に共通して言えることは、対比的な意味合い（否定も対比が含まれます）のときには「に」が付くことが多いです。

● 「可能形」の意味用法

可能形は大きく「能力可能」と「状況可能」の二つに分けられます。

(9) 私は中国語が話せる。（能力）
(10) 会議中は中に入れません。（状況1）
(11) この水は汚くて飲めない。（状況2）

「能力可能」は主体にとってそのことができる能力があるかどうかを表します。一方、「状況可能」は(10)のように状況が許可されるか否か（状況1）や、(11)のようにそのものが持っている状態・性質によって行為が可能か否か（状況2）を表します。
学習者の母国語には、「能力可能」と「状況可能」で違う表現を使う言語もあるので、日本語の可能表現の特徴を説明しておく必要があります。また、可能形は自動詞、自発動詞などと関係してきます。

(12) プラスチックのコップは落としても割れない。
(13) ピアノを移動したいが、重くて動かない。

「割れる」「動く」は自動詞（他動詞は「割る」「動かす」（⇒42 他動詞・自動詞））ですが、学習者は可能形にしたがり、「割られない」「動けない」などとしてしまいます。

可能形と同じ形を持つ自動詞には次のようなものがあります。

他動詞	可能形・自動詞
皿を割る	皿が割れる
棒を折る	棒が折れる
紙を破る	紙が破れる
米をとる	米がとれる
本を売る	本が売れる

● 「見える・聞こえる」

　可能形と同時に提出される項目に「見える・聞こえる」があります。厳密には自発動詞と呼ばれるものですが、可能表現と重なる部分もあるので、日本語の教科書では、可能形のところで提出されているようです。

　「見える・聞こえる」に関しては、「見られる・聞ける」という可能形との意味用法の違いが重要になります。

　　(14) a．ここから富士山が見える。
　　　　b．上野美術館へ行くと、ルノワールの全作品が見られる。
　　(15) a．波の音が聞こえる。
　　　　b．1,000円も出せば、一流の噺家の落語が聞ける。

　「見える・聞こえる」は自発動詞なので、(14)(15)aのように「自然と目の中に入ってくる」「自然と耳に入ってくる」という意味になります。一方、「わざわざ行く」とか「お金を出す」などの人間の意志と手間が入ると、(14)(15)bのように「見られる」「聞ける」が使われます。

● 「〜ことができる」

　可能形「書ける」「行ける」は、多くの場合「書くことができる」「行くことができる」と言い換えることができます。では、可能形と「〜ことができる」は同じ意味用法を持つのでしょうか。また、使い分けがあるのでしょうか。結論から言えば、可能形と「ことができる」は意味用法は同じ場合が多いです。

　両者の特徴をまとめると、次のようになります。

「可能形」
　1) 話しことばによく使われる。
　2)「飲む・食べる・買う」などの日常生活に頻出する動詞に使われやすい。
「〜ことができる」
　1) やや書きことば的である。
　2) 論理的な動詞（「述べる」「まとめる」など）に使われやすい。

3 ）一段／Ⅱグループ動詞、不規則／Ⅲグループ動詞では、可能形と受身形が同じ形なので、混同を防ぐために「ことができる」が使われることがある。
4 ）他動詞や動詞の使役形で「せる」で終わる動詞に使われやすい。
（例：早く済ませられる→早く済ませることができる）

指導法あれこれ

1．可能表現と許可

「この芝生に入れません」という可能形を使った注意書きは、「入ってはいけない」という禁止を表しています。また、「だれでも自由に入れます」は「入ってもいい」という許可を表しています。このように可能表現と許可表現はつながっているところがあります。

学習者の中には、「可能形」「～ことができる」と許可表現「～てもいい」を混同して、授業中お手洗いへ行く許可を求めるときに次のように言うことがあります。

(16) ？先生、お手洗いに行くことができますか。

状況によって、例えば図書館で本を借りるときに、貸し出しの可能性を聞く「この本、借りることができますか」と、貸し出し許可を求める「借りてもいいですか」とはかなり似た意味合いを持っていますが、(16)のように授業中での許可求めであることがはっきりしている場合は、「お手洗いに行ってもいいですか」にする必要があります。

2．可能形の「ら抜き」

「見れる」「食べれる」「来れる」などの可能形の「ら抜き」が多く聞かれるようになりました。最近では書いたものにも現れるようになりました。この「ら抜き」は一段／Ⅱグループ動詞と不規則／Ⅲグループ動詞に見られます。

(17) パソコンからいろいろなホームページが見れる世の中になりました。
(18) A：あした本当に来れるの。
　　 B：うん、大丈夫だよ。

一方で、五段／Ｉグループ動詞の可能動詞として、「行かれる」「言われる」などが使われることもあります。

　⑴⑼Ａ：あした大丈夫。
　　　Ｂ：うーん、もしかしたら行かれないかもしれない。
　⑵⑳Ａ：彼にはっきり言えばいいのに。
　　　Ｂ：そんなこと言われないよ。

「ら抜き」に比べてこちらのほうは方言的な性格も帯びているようですが、若い人たちの間では使われているようです。
　これらの現象はことばの「ゆれ」に属するものですが、外国人学習者にはどの程度紹介・指導すればいいのでしょうか。
　日本へ留学や就学、また、仕事で来ている学習者は生の言語環境で生きています。実を言えば、彼らは日本の若者達との接触を通して、非常に敏感にことばの「ゆれ」をつかみたがっています。授業では標準的な日本語を指導しなければなりませんが、現在の新しいことばの動きを、時々は紹介してあげたいと思います。

指導ポイント

1. 可能形の練習をするときには、動詞のグループ（I, II, III）を確認しながら練習すること。
2. 可能形を覚えさせるためには、「書ける」「行ける」だけでなく、「漢字が書けます」「一人で行けます」のように、文として身に付けさせると効果的である。
3. 可能形がとる助詞は、基本的には「を」は「が」になるが、ゆれている部分もあるので、明らかにそうでない場合以外は、あまり神経質に指導しなくてもよい。
4. 学習者は「わかる」の可能形を「わかられる」などとしがちであるが、「わかる」の可能形は「わかる」で、動詞そのものが可能の意味を含んでいることを教えておくこと。
5. 可能形を習うころから、活用形の混同が始まるので、命令形（行け）、バ形（行けば）、受身形（行かれる）など、ほかの活用形を習うときに、可能形との異同を比較して示すとよい。
6. 「割る」の自動詞は「割れる」、可能形も「割れる」になるというように、自動詞と可能形が同じになる場合があるので、レベルを見て整理すること。

45 もののやりもらい（授受）

A：このいす、すてきねえ。
B：ほしかったら、あげるよ。
A：えっ、ただでくれるの。
B：もちろんだよ。
A：ああ、うれしい。いいもの、もらっちゃった。

学習者はどこが難しいか。よく出る質問。

1．日本語には「与える」の意味で「あげる」「くれる」があり、混乱する。
2．「さしあげる」「いただく」「くださる」は敬語表現？
3．「やる」はもう使わないの？

学習者の誤用の例

1．ネロさんは私にCDをあげました。
　　→ネロさんは私にCDをくれました。
2．田中さんは私にテープをもらいました。
　　→私は田中さんにテープをあげました。
3．友達にこの本をくれました。
　　→友達にこの本をもらいました／友達がこの本をくれました。

説 明

● 「もののやりもらい（授受）」表現について

　日本語にはものや事柄の移動を表す動詞があります。「教える・習う」は教える人から習う人へ、「貸す・借りる」は貸す人から借りる人へ、ものや事柄が移動します。

　「あげる・もらう」そして「くれる」も、あげる（くれる）人からもらう人にもの・ことが移ります。この「あげる・もらう・くれる」がかかわる表現を「やりもらい」または「授受」表現と言います。

　この「やりもらい表現」に関しては、「もののやりもらい」と「動作のやりもらい」に分け、ここでは「もののやりもらい」について見ていきます。（⇒46 動作のやりもらい（授受））

● 「あげる」「もらう」「くれる」

　やりもらいは、通常、次のように「あげる」「もらう」が用いられます。

　　(1)　リーさんはチョンさんにCDをあげた。
　　(2)　リーさんはチョンさんに（から）ケーキをもらった。

(1)(2)では、リーさんを話し手（私）にすることができます。

　　(3)　リー：私はチョンさんにCDをあげた。
　　(4)　リー：私はチョンさんに（から）ケーキをもらった。

しかし、チョンさんを話し手にして、チョンさんの位置に「私」を置くことはできません。

　　(5)？チョン：リーさんは私にCDをあげた。
　　(6)？チョン：リーさんは私に（から）ケーキをもらった。

(5)(6)は「学習者の誤用の例」1、2のように、学習者がよくおかす誤りです。
　(5)の場合、日本語では「あげる」の代わりに「くれる」が用いられます。

(5)' リーさんが私にCDをくれた。

「くれる」は「あげる」「もらう」と異なり、使い方に制約があります。主語が話し手（私）以外の人であること、そして、受け取るのは、常に話し手（私）か話し手（私）のグループの者（ウチの者、家族・会社のメンバーなど）になります。

(7) リーさんが弟／部下にCDをくれた。

「くれる」の受取人が話し手（私）自身のときは、通常「私に」は省略されます。

(8) リーさんがCDをくれた。

一方、日本語では(6)のような「私に（から）もらう」という言い方はしません。このときは(6)'のようになります。

(6)' 私はリーさんにケーキをあげた。

「もののやりもらい」を表す文では、「～が／は～に～を（あげる／もらう／くれる）」という助詞が用いられます。主語・主題に関しては通常「は」が用いられますが、(5)'や(7)(8)のように「くれる」では、だれが「私」にくれたかが重要になってくるため、主語選択を表す「が」が使われやすくなります。（⇒28「は」と「が」）

● 「さしあげる」「いただく」「くださる」

もの・ことを与える人と受け取る人の関係によって、「あげる」「もらう」「くれる」の代わりに、「やる」「さしあげる」「いただく」「くださる」が用いられることがあります。

(9) 私は子供にチョコレートをやる。
(10) 私は先生にCDをさしあげた。
(11) 私は村田先生に（から）テープをいただく。
(12) 課長が（私に）入場券をくださった。

「あげる／さしあげる」「もらう／いただく」「くれる／くださる」の使い分けは、敬語の使い方と同じで、地位・年齢の上下、親しみの度合いにかかわる親疎関係、会話

の行われる場などに影響を受けます。地位・年齢が上の人に対してや知らない人に対しては「さしあげる」「いただく」「くださる」が用いられます。

　下の図は、話し手の「私」を中心にして「あげる／さしあげる」「もらう／いただく」「くれる／くださる」の使い分けを図式化したものです。（実際には、他者から他者へ「やる／あげる／さしあげる」、他者が他者から「もらう／いただく」も使われます。）

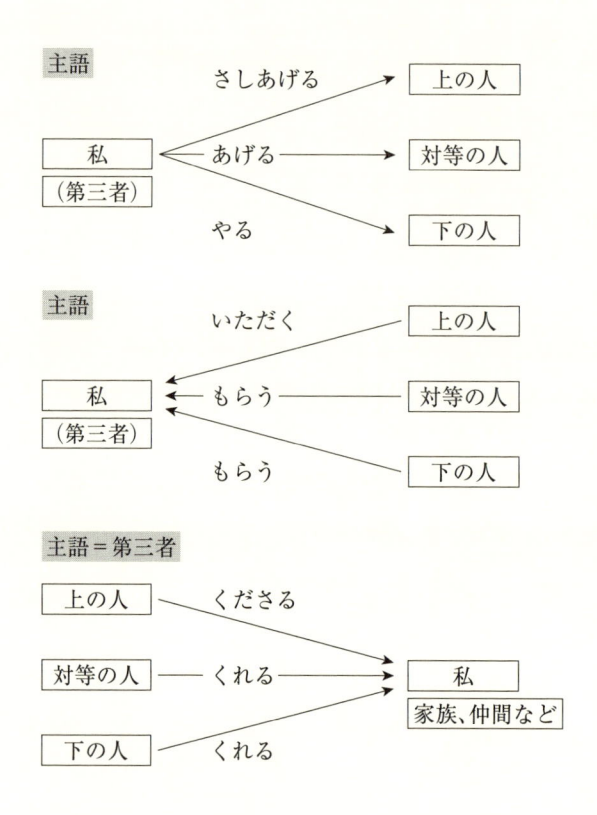

```
主語
              さしあげる
                        →   上の人
  私  ←      あげる    →   対等の人
（第三者）
                やる
                        →   下の人


主語
              いただく
                        ←   上の人
  私  ←       もらう   ←   対等の人
（第三者）
                もらう
                        ←   下の人


主語＝第三者

 上の人  ──くださる──→
 対等の人 ── くれる ──→    私
                              家族、仲間など
 下の人  ── くれる ──→
```

（矢印の方向に「もの」が移動します。地位・年齢が上、親密度の低い場合を「上の人」とします。地位・年齢が下、親密度の高い場合を「下の人」、その中間を「対等の人」とします。）

「あげる」の使用範囲が広がって、自分の家族に対しても「子供にミルクをあげる」のような言い方をするようになっています。「やる」は「犬にえさをやる」程度にしか用いられなくなっていますが、ほかの人に自分の家族について話すときは「やる」を使ったほうが本来の日本語と言えます。仲間どうしの会話では「やる」はよく使われています。

指導法あれこれ

「やりもらい」は、もの・事柄の移動と人の関係がポイントです。だれが何をあげ、だれが何をもらうのかがつかめるかというところが一番重要になります。導入の仕方としてはまず、造花の、それも派手できれいな花を1、2本用意します。そして、それを実際に学習者に持たせて練習します。

  A：（隣の学生に）Bさんに花をあげます。（実際に渡す）
  B：（受け取って）ありがとうございます。Aさんに花をもらいました。
    （そして、学生Cに）Cさんに花をあげます。
  C：ありがとう。Bさんに花をもらいました。
    ⋮

これを全員に繰り返します。単調になってきたら花の代わりにCDや漫画の本などを使います。学習者の印象に残るような、楽しいものを選んでください。
「あげる」「もらう」が終わったら、「くれる」の練習です。

  A：（隣の学生に）Bさんにこのおもちゃをあげます。（実際に渡す）
  B：（受け取って）ありがとう。Aさんにおもちゃをもらいました。
    Aさんがおもちゃをくれました。
    （そして、次に学生Cに）Cさんにこのおもちゃをあげます。
  C：ありがとう。Bさんにこのおもちゃをもらいました。
    Bさんがおもちゃをくれました。
    ⋮

これをまた、全員に繰り返します。途中で「もらいました」の文を省略して、次のように「くれる」の文をすぐ言わせてもいいです。

   D：（受け取って）ありがとう。Cさんがおもちゃをくれました。
     （そして、次に学生Eに）Eさんにこのおもちゃをあげます。

　途中で「やりもらい」しているものについて、「これは何のおもちゃですか」など会話をはさむのも自然で楽しくなります。
　「いただく」「くださる」も使えるように、教師が途中に入ったり、学生の中でだれかを先輩や年上の人にしたりして、自由に使い分けできる練習に変えるといいでしょう。
　この、実際に動作を使ってもののやりとりを練習することで、授受動詞「あげる」「もらう」「くれる」「いただく」「くださる」などの使い方が身に付きます。
　ここで、しっかりもののやりとりを身に付けておかないと、あとで学習する「動作のやりもらい（〜てあげる・〜てもらう・〜てくれる）」がうまくいかず、授受動詞の混乱が続くことになりますので、十分練習しておく必要があります。

指導ポイント

1. 「もののやりもらい」では、「あげる」と「くれる」が混乱する。自分以外のだれかが自分や自分の家族・仲間にくれるときは、「くれる・くださる」を使うことを、繰り返し練習すること。
2. 「さしあげる」「いただく」「くださる」はそれぞれ、「あげる」「もらう」「くれる」の敬語表現である。自分とかかわる相手が「上の人」の場合に用いられる。
3. 「やる」は「犬にえさをやる」などに使われているが、ほかの人に自分の家族について話すとき、また、家族・仲間内では「やる」も使われる。
4. 自分にもらいたいときは、「あげてください」ではなく、単に「ください」になる。
5. 学習者の母国語によっては、家族のメンバーにも敬語を使う場合があるが、日本語では家族は話し手自身と同じ扱いをするので、注意させること。

46 動作のやりもらい（授受）

A：どこで日本語を勉強したんですか。
B：バンコクの日本語学校で勉強しました。
A：先生は日本人ですか。
B：はい、山本先生と吉田先生に教えて
　　いただきました。

学習者はどこが難しいか。よく出る質問。

1．「買ってくれる」は「買って、そしてくれる」という意味?
2．「教えてもらう」と「教えてくれる」はどちらでも同じように使える?
3．「～てあげる」「～てさしあげる」を使うと失礼になるの?
4．やりもらい文の助詞の使い方が難しい。

学習者の誤用の例

1．先生はいつも親切に教えます。
　　→先生はいつも親切に教えてくださいます。
2．リーさんは私に本を貸してもらいました。
　　→私はリーさんに本を貸してあげました。
3．私は木村先生に辞書を貸してくださいました。
　　→私は木村先生に辞書を貸していただきました。
4．父が空港まで送ってくださいました。
　　→父が空港まで送ってくれました。
5．写真をとってもらいませんか。
　　→写真をとってもらえませんか。

説 明

● 「動作のやりもらい（授受）」表現について

「あげる・もらう・くれる」は「もののやりもらい」だけでなく「動作のやりもらい（授受）」も表します。

 (1) 田中さんが仕事を手伝いました。

この文は田中さんが何をしたかの事実だけを述べている文です。次の文はどうでしょうか。

 (2) 田中さんが私の仕事を手伝いました。

田中さんが「私」の仕事を手伝ったことはわかりましたが、「田中さんが手伝ったこと」だけを事務的に述べている感じがします。(3)はどうでしょうか。

 (3) 田中さんが(私の)仕事を手伝ってくれました。

ここではじめて日本語として自然な文になり、話し手「私」の（利益・恩恵を受けた）感謝の気持ちが表されています。

このように、(1)(2)のような事実だけを述べる文に、「あげる」「くれる」そして、「もらう」などの「やりもらい（授受）」の動詞を付けると、だれがだれのためにしたかという利益・恩恵の移動関係、そこから得られる感謝の気持ちなどを表すことができます。

● 「～てあげる／～てさしあげる」

利益・恩恵を与えるときに使います。

 (4) A：きのうの授業、休んじゃったの。
   B：じゃ、あとでノート、見せてあげるよ。

動作に使われる「～てあげる／～てさしあげる」は押しつけがましく聞こえることがあるので注意が必要です。上の人に対しては「～てさしあげる」を用いずに、次のよ

うに別の表現を使うように指導してください。

　(5)　仕事を手伝ってあげます。→仕事をお手伝いします。
　(6)　駅まで送ってさしあげましょう。→駅までお送りしましょう。

「45 もののやりもらい（授受）」で「やる」についての使い方に制約があることを説明しましたが、「動作のやりもらい」でも同じことが言えます。「～てやる」は、親しい者どうし、また、上の者が下の者に対して使いますが、ぞんざいに聞こえることが多いので注意が必要です。

　(7)（友達どうし）
　　　Ａ：きのうの授業、さぼっちゃった。
　　　Ｂ：ノート、見せてやるよ。
　(8)　部下：この使い方がわからないんですが。
　　　上司：今教えてやるから、待っててくれ。

● 「～てもらう／～ていただく」

　利益・恩恵を受けるときに用います。上の人から受けるときは「～ていただく」、対等の人、および、下の人からは「～てもらう」を使います。

　(9)　私はポンさんにタイ語を教えてもらった。
　(10)　私はタノム先生にタイ語を教えていただいた。

「～てもらう／～ていただく」には利益・恩恵を受ける以外にも、次のような、いくつかの意味用法があります。

［依頼］「～てもらえる／～ていただける」の形で
　(11)　ちょっと教えてもらえますか／もらえませんか。
　(12)　ちょっと待っていただけますか／いただけませんか。

［指示］
　(13)　まず、ここで着替えていただきます。診察はそのあとで行います。

[要求]「～てもらいたい／～ていただきたい」の形で

(14) あした休ませていただきたいんですが／もらいたいんですが。

● 「～てくれる／～てくださる」

話し手以外の第三者（聞き手を含める）が、話し手（私）や話し手の家族・仲間などに利益・恩恵を与えるときに用います。主語が第三者で、利益・恩恵の受け手として「私」「私達」「私の家族・仲間」が続き、動詞に「～てくれる／～てくださる」が付く形をとります。助詞は基本的には「に」をとりますが、ほかの助詞をとる場合もあります。

(15) 事務の人が私達に説明してくれた。
(16) 先生が私にカタカナ語を教えてくださいました。

「～てくれる／～てくださる」の文では、「もののやりもらい」のときと同じく、利益・恩恵の受け手の「私に」や「私達に」が省略されることが多いです。

(15)' 事務の人が説明してくれた。
(16)' 先生がカタカナ語を教えてくださいました。

「～てくれる／～てくださる」は「～てもらう／～ていただく」と同じように依頼表現としても使用されます。

(17) ちょっと教えてくれますか／くださいますか。
(18) ちょっと待ってくれませんか／くださいませんか。

（⇒47 使役・使役やりもらい・使役受身）

● 「やりもらい」表現と助詞

「～てもらう／～ていただく」では、(19)～(21)のように「～が／は～に～てもらう／～ていただく」という形をとることが多いですが、「～てあげる／～てさしあげる」「～てくれる／～てくださる」では、動詞が本来とる格助詞をとります。

(19) リーさんは小林さんに日本語を教えてもらった。
(20) リーさんは小林さんに仕事を手伝ってもらった。
(21) リーさんは小林さんに役所へ連れて行ってもらった。

(22) 小林さんはリーさんに日本語を教えてあげる。
　　　（←リーさんに日本語を教える）
(23) 小林さんはリーさんの仕事を手伝ってあげる。
　　　（←リーさんの仕事を手伝う）
(24) 小林さんはリーさんを役所へ連れて行ってあげる。
　　　（←リーさんを役所へ連れて行く）

(25) 小林さんはリーさんに日本語を教えてくれた。
(26) 小林さんはリーさんの仕事を手伝ってくれた。
(27) 小林さんはリーさんを役所へ連れて行ってくれた。

● **「やりもらい」表現と待遇表現**

　上の人に対して「〜てもらう」の代わりに「〜ていただく」、「〜てくれる」の代わりに「〜てくださる」を用いると説明しました。また、先生が目の前にいないときには、「きのうは小林先生が教えたよ」と言った人も、先生が目の前にいれば、「きのうは小林先生が教えてくださった」と言うかもしれません。このように人間関係や場面に配慮した表現を待遇表現といいます。「やりもらい」表現、特に「動作のやりもらい」表現は待遇表現の重要なものです。あとで取り上げる敬語も待遇表現の一つです。（⇒48 敬語）

指導法あれこれ

　もし学習者に「動作のやりもらい」の混乱があるようなら、すぐさま「もののやりもらい」に戻って、授受動詞「あげる」「もらう」「くれる」「いただく」「くださる」と、ものの移動の方向、人の関係を復習してください。そのときも何か具体的なものを使って、再確認させてください。

　「買ってあげる」「買ってもらう」などを、何かを「買って」から、それを実際に「あげる」「もらう」と誤解する学習者がいますが、「買う」が本動詞で、「あげる」「もらう」は本動詞に付いて（補助動詞として）、「恩恵を与える」という意味を付け加えるだけであることに注意させてください。「買ってくれる」についても同じです。

　「動作のやりもらい」の練習は、実際に学習者が直面するような事柄でやってみましょう。

　　①日本語がまだ十分でないので、銀行に連れて行ってもらう
　　②日本人の友達を紹介してもらう
　　③カメラの安い店を教えてもらう
　　④盆踊りを教えてもらう

では、「カメラの安い店を教えてもらう」で練習してみましょう。まず基本編です。
　　A：(隣の学生Bに) 先週行ったんですが、○○カメラはとても安いですよ。
　　B：ああ、そうですか。じゃ、きょう行ってみます。
そして、Bに、形の練習として次の文を作らせます。
　　B：Aさんにカメラの安い店を教えてもらいました。
　　　　Aさんがカメラの安い店を教えてくれました。
　　　　(そして、次にBが学生Cに)
　　　　先週行ったんですが、○○カメラはとても安いですよ。
　　　　　　　　　　︙

次は応用編です。

A：(隣の学生に)Bさん、ちょっとお願いがあるんですが。
　　B：はい、何ですか。
　　A：新しいカメラがほしいんですが、安い店を教えてもらえませんか。
　　B：ええーと、ちょっと待ってください。Cさんに聞いてみます。
　　　（Cさんに聞く）
　　　Cさんに教えてもらいました。○○カメラがいいそうです。
　　　（Cさんが教えてくれました。○○カメラがいいそうです。）
　　A：○○カメラですね。ありがとう。
　　　　　　:

「もののやりもらい」の「指導法あれこれ」でも述べたように、動作のやりもらいも頭だけの理解ではなく、実際に動作をさせてください。提出する動詞も、少々難しくても学習者が必要としているものを与えたほうが定着はいいようです。

指導ポイント

1. 「あげる」と「くれる」を混同して、「田中さんは私に教えてあげます」などと言いがちなので、主語が第三者で、利益、恩恵の受け手が「私」のときは、「くれる」を使うことを徹底させること。

2. 「〜てあげる／〜てさしあげる」は恩着せがましく聞こえやすいので、注意して使わせること。特に上の人にはほかの謙譲表現を使うようにさせたほうがよい。(例:とってあげます→おとりします、手伝ってさしあげましょうか→お手伝いしましょうか)

3. 「動作のやりもらい」文では、基本的には動詞が本来とる格助詞をとる。ただし、「〜てもらう／〜ていただく」では「〜に〜てもらう／〜ていただく」という形をとる。

4. 学習者はしばしば「貸す」と「借りる」を混同する。「貸してもらう」と「借りてもらう」、「貸してくれる」と「借りてくれる」の区別がつかないので、時間をかけて、ゆっくり練習すること。

47

使役・使役やりもらい・使役受身

A：だれか待っているんですか。
B：ええ、田中さんを。
A：田中さん……。
　あの人はいつも人を待たせるんですよ。
B：もう1時間も待たされているんですよ。
A：これ以上待たないで、帰ったほうが
　いいですよ。

学習者はどこが難しいか。よく出る質問。

1．動詞の使役形が正しく作れない。
2．使役受身形が正しく作れない。
3．使役、使役受身、使役やりもらい、いずれにおいても、行為者がだれで、被行為者がだれかつかめない。
4．使役、使役受身、使役やりもらい、いずれも、いつ使ってよいかがわかりにくい。

学習者の誤用の例

1．お父さんは正夫君に新聞を持って来させてくれました。
　→お父さんは正夫君に新聞を持って来させました。／お父さんは正夫君に新聞を持って来てもらいました。
2．スポーツの目的は試合をなるべく早く終わせて勝つことだ。
　→スポーツの目的は試合をなるべく早く終わらせて勝つことだ。
3．学生：先生、頭が痛いので、クラスを休んでいただきたいんですが。
　　　　→先生、頭が痛いので、クラスを休ませていただきたいんですが。

4．ちょっとすみません。写真をとらせていただきませんか。
　→ちょっとすみません。写真をとらせていただけませんか。

5．私は子供のとき、ピアノを習わさせられた。
　→私は子供のとき、ピアノを習わせられた。

説　明

●使役表現（使役態）

動詞の使役形は次のようになります。

五段／Ⅰグループ	一段／Ⅱグループ	不規則／Ⅲグループ
書く　書かせる	食べる　食べさせる	来(く)る　来(こ)させる
飲む　飲ませる	見る　　見させる	する　　させる
遊ぶ　遊ばせる		
帰る　帰らせる		
立つ　立たせる		
会う　会わせる		
話す　話させる		

使役文では、原則として、動詞が「を」をとる動詞は(1)、「を」をとらない動詞（自動詞）では(2)の形をとります。

(1)　部下が仕事を手伝う。
　　　　↓
　　　上司が部下に仕事を手伝わせる。（～が～に～を使役動詞）

(2)　部下が本社へ行く。
　　　　↓
　　　上司が部下を本社へ行かせる。（～が～を使役動詞）

使役表現というのは、「上司が部下に仕事を手伝わせる。」のように、主語が人に何かをさせることを表すのが基本的な意味です。「人に何かをさせる」のですから、

そこには強制的な意味合いが生じることが多いですが、「好きなようにやらせておく」のように強制を含まない場合もあります。

そこで、前者のような強制的な意味合いを持つ使役表現を「プラス強制」、後者の強制的な意味合いを持たない使役表現「マイナス強制」に分けて説明したいと思います。

次の例は「プラス強制」の使役文です。

(3) 親が（命令して）子供に部屋を掃除させた。
(4) 先生が学生に練習をやらせる。
(5) 我が家では子供達を5時にはうちへ帰らせます。

一方、「マイナス強制」の使役表現の意味用法は多岐にわたります。

(6) 子供には、1日に1時間だけテレビゲームをさせる。（許可）
(7) 変なことを言って彼女を怒らせてしまった。（誘発）
(8) あの親は、暗くなっても子供を外で遊ばせている。（放置）
(9) 私がそばにいながら、孫にけがをさせてしまった。（責任）

(7)の「誘発」は、ある事柄・きっかけで引き起こしたことを表します。「困る」「驚く」「泣く」などの感情を表す自動詞が多く使われます。この場合は「彼女を怒らせる」「親を困らせる」のように、必ず「を」をとります。

● 使役形と「〜てもらう／〜ていただく」（⇒46 動作のやりもらい（授受））

「人に何かをさせる」表現で、人に頼んだりお願いしたりする、また、上の人にさせる場合は、使役表現でなく「〜てもらう／〜ていただく」の形をとります。

(10) 私は林さんに仕事を手伝ってもらった。
(11) 課長の奥さんに教えていただいた。

● 使役やりもらい

「人に何かをさせる」という使役の表現に、授受表現「〜てあげる／〜てもらう／

「〜てくれる」などが結び付いたものを、「使役やりもらい」表現と言います。

　⑿　親が何でも自由にさせてくれた。
　⒀　写真をとらせていただけませんか。
　⒁　あした休ませてもらいたんですが。

　使役やりもらいは「〜(さ)せてもらえますか／〜(さ)せていただけませんか」「〜(さ)せてもらいたい／〜(さ)せていただきたい」、また、「〜(さ)せてくれますか／〜(さ)せてくださいませんか」のように相手に依頼する、許可を求める用法として用いられることが多いです。
　「〜(さ)せてもらえますか／〜(さ)せていただけませんか」は「もらう」「いただく」の部分を可能の形にしなければならないので注意が必要です。(「学習者の誤用の例」4)
　「もののやりもらい」のところで述べたように、この「使役やりもらい」も人間関係や場面に配慮した表現で待遇表現に大きくかかわっているので、それらに配慮した使われ方が必要となってきます。

●**使役受身**　(⇒43 受身)

　使役文がもとの文となって、そこから受身文が作られると、使役受身表現ができます。使役受身は強制的に物事をさせられる(「プラス強制」)ときに用いられ、「マイナス強制」の意味は表しません。

　⒂　大学病院では予約をしていても1時間は待たされる。
　⒃　店員が上手に勧めるので、買わなくていいものまで買わされてしまった。

　「〜(さ)せられる」は短縮して、動詞の五段／Ⅰグループでは「〜される」になることが多いです。ただし、語尾に「－す」を持つ動詞(話す、直す、など)は「〜(さ)せられる」のまま用いられることが多いです。
　また、一段／Ⅱグループ動詞、不規則／Ⅲグループ動詞では「〜(さ)せられる」のまま用いられます。

		使役	使役受身
五段 Ⅰグループ	働く 帰る 話す	働かせる 帰らせる 話させる	働かされる 帰らされる 話させられる
一段 Ⅱグループ	食べる 見る	食べさせる 見させる	食べさせられる 見させられる
不規則 Ⅲグループ	する 来(く)る	させる 来(こ)させる	させられる 来(こ)させられる

(17) 彼と飲むと、いつも僕がお金を払わされる。
(18) 彼女はいやいや院長の息子と結婚させられた。
(19) 何度も練習させられて、関西アクセントを直させられた。

指導法あれこれ

　学習者にとって使役表現の難しいところは、だれがその行為をさせ、そして、だれが実際に行為をする／したかの、人関係がつかみにくいという点です。日本語では主語・主題が省略される場合が多いので、よけいにわかりにくくなるようです。
　使役表現ですでに、行為者がだれで被行為者がだれかがつかみにくいのに、使役やりもらいでは、その上に授受関係が加わるため、外国人学習者には一層人関係がつかみにくくなります。次のような文を提示して、実際に行為をする人はだれかを言わせる練習をする必要があります。

(20) a．写真をとらせていただけませんか。
　　 b．写真をとっていただけませんか。
(21) a．あした休ませてもらいたいんだが。
　　 b．あした休んでもらいたいんだが。

また、外国人学習者は母国語の影響で次のような文を作りがちです。

(22)？それは私を驚かせました。

(23)？それは私をがっかりさせました。

日本語では、無生物が、使役を含めて他動詞の主語になることは少なく、主語が理由・原因の表現をとって、(24)(25)のように、「そのためにこうなった」と「なる動詞」や自動詞を使うのが普通です。

(24) それを見て／聞いて、私は驚きました。
(25) それを見て／聞いて、私はがっかりしました。

指導ポイント

1. 使役形を正しく作れない学習者が多い。丁寧形と普通形の肯定・否定（書かせます・書かせません、書かせる・書かせない）、そしてテ形（書かせて）は正しく覚えさせたい。
2. 使役形と受身形の混同が起こるので、時間をかけて覚えさせること。
3. 使役文では、だれがだれにその行為をさせるのかを学習者にきちんとつかませること。使役やりもらい、使役受身においては、より人関係をつかみにくいので、例文の提示や練習などでは常に「だれがだれに」の関係に注意させること。
4. 使役文では被動作主に「を」を使うか「に」を使うか選択しなければならない。基本としては目的語をとる他動詞は「に」（子供に本を読ませる。）、目的語をとらない自動詞は「を」（子供を笑わせる。子供を買い物に行かせる。）になる。

48 敬語

(パーティで)
A：日本では何を勉強なさっているんですか。
B：情報工学です。
A：そうですか。
B：山田さんはお仕事は。
A：○○会社に勤めています。
　　すみません、ちょっとそのはしを。
B：ああ、私がお取りしましょう。
　　どうぞ。
A：どうもすみません。

学習者はどこが難しいか。よく出る質問。

1．日本語の「敬語」は複雑で覚えられない。
2．「林さんが召し上がる」、「林さんがお食べになる」、「林さんが食べられる」のうち、どれが一番丁寧か。どれを使ったらよいのか。
3．謙譲語が適切に使えない。
4．「敬語」を使わなければという意識から、丁寧すぎる表現になる。

学習者の誤用の例

1．先生は帰りになりました。→先生はお帰りになりました。
2．　先生：(重そうな荷物を持っている。)
　　留学生：先生、荷物を持ってあげます。→荷物をお持ちします。
3．　先生：本、どうやって手に入れますか。
　　留学生：あした図書館でお借りします。→あした図書館で借ります。

4．何を<u>お召し上がりになられました</u>か。
　　→何を召し上がりましたか。／何をお召し上がりになりましたか。

説　明

●敬語と相手（聞き手）

　敬語は、話し手が、相手（聞き手）あるいは「話題の人物」に敬意を表す表現です。相手（聞き手）や話題の人物が、「目上の人（先生や上司、自分より年上の人など）」、また、「知らない人や親しくない人」の場合に敬語が使われます。また、改まった場で話すときも敬語が用いられます。
　次の会話を見てください。小林さんは話し手Aにとって上司に当たります。Aは小林さんが帰ったかどうか、まず、先輩に尋ね、次に同僚に尋ねました。

　　(1)(先輩に聞く)
　　　　A：小林さんはもうお帰りになりましたか。
　　　先輩：いや、まだだと思う。
　　(2)(同僚に聞く)
　　　　A：小林さんはもうお帰りになった？
　　　同僚：いや、まだだと思う。

2人との会話のあと、当の小林さんが部屋に戻ってきました。

　　(3)(上司の小林さんその人に聞く)
　　　　A：あ、小林さん、そろそろお帰りになりますか。
　　　小林：ええ、帰ろうと思います。

(1)も(2)も、Aは話題の人物「小林さん」に敬意を表して、「小林さんはお帰りになった」と尊敬語を使っています。しかし、(1)では「お帰りになりましたか」と丁寧体（「デス・マス体」）を、(2)では「お帰りになった？」と普通体を使っています。これは先輩と同僚というように聞き手によって丁寧さを使い分けているからです。

一方、(3)は、話題の人物「小林さん」に直接話しかけています。ここでは、相手(聞き手)＝話題の人物という関係になります。

学習者は、(3)のように、相手(聞き手)が話題の人物、つまり、敬意を表すべき対象と直接話す場合が多いと考えられますので、本書では「話題の人物＝聞き手」の場合を中心に敬語の説明を行います。

●話題の人物＝聞き手の場合

1．尊敬語
1）尊敬語の意味用法
(4)(小林さんに)
　　A：小林さんは何時にいらっしゃいましたか。
　小林：3時ごろです。
　　A：そうですか。ジュースをどうぞ。
　小林：私は冷たいものは飲まないんです。
　　A：そうですか。小林さんは冷たいものはお飲みにならないんですか。

(4)では、「いらっしゃる」「お飲みになる」などの、話題の人物＝聞き手(小林さん)が文の主語になって「尊敬語」が使われています。「尊敬語」では相手(聞き手)の行為・状態を表す述語(動詞・形容詞など)を「尊敬語」で表せばいいことになります。

2）尊敬語の形
動詞を用いて尊敬語を表す形には次の三つがあります。

　a．敬語動詞の「尊敬動詞」
　b．「お＋マス形の語幹＋になる」
　c．受身形を使った尊敬表現

では、a～cについて個々に見ていきましょう。

a．敬語動詞の「尊敬動詞」
aの「尊敬動詞」は敬語動詞の表の網かけ部分になります。

表　敬語動詞

	尊敬動詞	謙譲動詞	
		謙譲	丁重
行く	いらっしゃいます おいでになります	伺います まいります	まいります
来る	いらっしゃいます おいでになります	伺います まいります	まいります
いる	いらっしゃいます おいでになります		おります
食べる 飲む	召し上がります		いただきます
寝る	お休みになります		休みます
言う	おっしゃいます	申します 申し上げます	申します
見る	ご覧になります	拝見します	
する	なさいます	いたします	いたします
ある			ございます
である			でございます
着る	お召しになります		
知っている	ご存じです	存じています／ おります 存じ上げています／おります	存じています／ おります
死ぬ	お亡くなりになります		亡くなります
あげる		さしあげます	
もらう		いただきます	
くれる	くださいます		

302

b．「お＋マス形の語幹＋になる」

(5) 先生はビールをお飲みになりますか。
(6) どのくらいお待ちになりましたか。

「お＋マス形の語幹＋になる」で「尊敬語」の形を作ることができます。「お帰りになる」「お待ちになる」「お話しになる」などです。「なる」は「～になります／なりました」「～になってください」「～にならないでください」などと変化します。

c．受身形を使った尊敬表現
「尊敬語」の形は次のように受身形を使っても表すことができます。新しい尊敬の形とも言われていますが、現在では広く使われています。

(7) 先生はビールを飲まれますか。
(8) どのくらい待たれましたか。

しかし、「お＋マス形の語幹＋になる」と違って「待たれてください」「話されないでください」のようには使うことができません。

２．謙譲語
１）謙譲語の意味用法

(9)小林：手伝ってくれますか。
　　　A：はい、お手伝いします。

Aは上司である小林さんに「手伝ってほしい」と言われ、「お手伝いします」と答えました。ここでは話し手が自分自身を低めて（謙遜して）話す形をとっています。この形を「謙譲語」と言います。

「謙譲語」では話し手が文の主語となって、自身の行為・状態を表す述語（動詞・形容詞など）を「謙譲語」で表せばいいことになります。

(9)では、Aは上司小林さんの仕事を手伝います。Aの「手伝う」という行為は上司小林さんに関係しています。このように「謙譲語」では話し手の行為は必ず相手に

関係している必要があります。(10)を見てください。

 (10) 小林：毎朝何時に起きますか。
   A：？6時にお起きします。
    6時に起きます。

(10)では、Aが6時に起きる行為は小林さんとは関係がないことなので、「謙譲語」「お起きします」を使うことができません。

2）謙譲語の形
動詞を用いて謙譲語を表す形には次の二つがあります。

 a．「謙譲動詞」
 b．「お＋マス形の語幹＋する／いたす」

a．「謙譲動詞」
「謙譲動詞」は敬語動詞の表の「謙譲」の部分を使います。

 (11) A：小林さん、ちょっと伺いたいんですが。
   小林：はい、何ですか。

 b．「お＋マス形の語幹＋する／いたす」
 (12) A：小林さん、ちょっとお聞きしたいんですが。
   小林：はい、何ですか。
 (13) 荷物、お持ちします。

「お＋マス形の語幹＋する／いたす」は不規則／Ⅲグループ動詞では次のように「ご／お～する／いたす」になります。

 (14) では、ご説明します。
 (15) あとでお電話いたします。

(14)のように「ご（説明）」になるか、(15)のように「お（電話）」になるかは難しい問題で、漢語には「ご」が、和語には「お」が付きやすいという傾向がありますが、例外も多い

です。（次の丁重語のところを見てください。）

3．丁重語

敬語には尊敬語と謙譲語のほかに、丁重語というのがあります。表「敬語動詞」の右側の「丁重」の欄にのせておきましたが、代表的なものは「まいります」「おります」です。

(16)　まもなく電車がまいります。
(17)　日曜日はたいてい家におります。

(16)は駅のアナウンスでよく聞かれますが、話し手・聞き手の人間関係とは無関係に、単に丁重さを表すために「まいります」を使っています。また、(17)の「家にいる」ことは聞き手への謙遜を表しているというより、自分自身の生活について、話し手が単に丁重に話している表現です。

丁重表現には、名詞に「お」「ご」が付いて、「お天気」「お風呂」「お電話」「ご家族」などと表現することがあります。基本的には、名詞が和語の場合は「お」を、漢語の場合は「ご」をとりますが、例外も多く見られます。

お＋名詞（お名前、お住（ま）い、おなべ、おはし、お皿、お車、お仕事、お風呂、お天気、お電話）

ご＋名詞（ご近所、ご住所、ご家族、ご兄弟、ご親戚、ご挨拶、ご都合、ご無理、ご心配、ご無事、ご協力、ご説明、ご案内）

●話題の人物＝聞き手でない場合

今まで話題の人物が相手（聞き手）である場合に絞って話を進めてきましたが、ほかの人に「話題の人物」について話す場合についても触れておきましょう。

(18) A：林先生はそうおっしゃいましたが。
　　 B：ああ、そうですか。
(19) A：林先生は何時にお帰りになる？
　　 B：さあ、わからないな。

(18)は目上の人に、(19)は友達に、敬意を払うべき「話題の人物」林先生のことを話しています。
謙譲語では次のようになります。

 (20) A：あした林先生の仕事をお手伝いするつもりです。
    B：ああ、そうですか。
 (21) A：あした林先生の仕事をお手伝いするつもりだよ。
    B：ああ、そう。

(20)は目上の人に、(21)は友達に、敬意を払うべき「話題の人物」とのこと話しています。

指導法あれこれ

1.「尊敬動詞」「お＋マス形の語幹＋になる」「受身形を使った尊敬表現」

「尊敬語」の「尊敬動詞」「お＋マス形の語幹＋になる」「受身形を使った尊敬表現」の中で、どれを使えば丁寧なのか、また、一番適切なのかについて、学習者はよく質問します。

個人差や地方差があるようで、一概には言えませんが、私は次のように説明しています。

「まず、尊敬動詞を使ってみる。尊敬動詞を忘れたときには作り方に沿って、「お＋マス形の語幹＋になる」を使う。その次の方法として受身形を使った尊敬表現を使うといい。」

尊敬動詞は「行く・来る・言う・見る」など「お＋マス形の語幹＋になる」では言い換えにくいものが多いので、「お＋マス形の語幹＋になる」にばかり頼らないで尊敬動詞を覚えたほうがよいと思われます。

受身を使った尊敬表現は最近は広く使われているので、それを覚えさせるのも一方法です。ただし、尊敬動詞・「お＋マス形の語幹＋になる」と比べると、敬意の程度がやや落ちるので、相手によって注意する必要があります。

2．待遇表現について

　近年、次のように敬語表現をもっと広く、待遇表現の観点からとらえようという研究が進んでいます。

　　待遇表現 ｛ a．言語形式としての敬語
　　　　　　　b．言語行動まで含めた敬意表現

　今までは、aの言語形式（語形式や文法形式）に重点を置いて説明してきました。待遇表現ではaのほかに、「〜てもらう」「〜ていただく」「〜くださる」のような「やりもらい」表現の使用、話しているうちに相手との心理的距離が近くなって、丁寧体から普通体に移っていくようなこと、自分の父親を「父」と呼ぶか、「お父さん」「パパ」「おやじ」と呼ぶか、なども含めて考えます。これらはbに含まれます。

　例えば、急にあしたの約束をキャンセルしなければならないときに、「理由を説明するかしないか」「謝りのことばを入れるか入れないか」「丁寧語を使うか」「会いに行って話すか、電話で済ませるか」などの言語行動まで含めて、広義の敬意表現としてとらえようとするものです。そこには話し手の話すスピードや抑揚・強弱も含まれます。

　敬語をより広くとらえ、人との関係でのことばづかいを考えようとするのが待遇表現です。待遇表現は、文法だけの問題ではなく、文化、コミュニケーションの問題になってきます。

　言語形式としての敬語はきちんと教えていかなければなりませんが、敬語は文化、コミュニケーションそのものだということを、指導する者は常に心得ていたいものです。

指導ポイント

1. 敬語の基本は、「主語（その動作・行為をする人）の動作・行為に尊敬語を使う」および「話し手の動作・行為に謙譲語を使う」である。このことを学習者にまずよく理解させること。
2. 次に尊敬語の作り方・謙譲語の作り方、敬語動詞を覚えることを徹底させること。覚えるためには、聞いたり話したりする機会をできるだけ増やすこと。
3. 敬語を意識するあまり、丁寧になり過ぎることも多い。謙譲語「お～します／いたします」は相手とのかかわりがある場合にのみ使用させること。
4. 「～でございます」も多用すると丁寧になり過ぎるので注意させること。
5. 日本語では、自分の家族のことをほかの人に話すときには謙譲語を使用する。たとえ親のことでも、外に向かって話すときは尊敬語は使わないよう注意させること。

49 〜と思う

A：漢字が覚えられないんですが。
B：そうですか。辞書を持っていますか。
A：いいえ、電子辞書を買おうと思っていますが。どう思いますか。
B：私は、電子辞書より普通の辞書のほうがいいんじゃないかと思いますが。

学習者はどこが難しいか。よく出る質問。

1．「思います」を「重いです」「思いです」と混同する学習者がいる。
2．「と思う」の前に正しく普通形を置くことができない。
3．「思う」と「思っている」の使い分けができない。
4．「行かないと思う」を「行くと思わない」としてしまう。

学習者の誤用の例

1．日本語は難しいと思いです。→日本語は難しいと思います。
2．戦争がなかったらいいわねと思いました。
　　→戦争がなかったらいいと思いました。
3．あの人はいつも自分がほかの人よりえらいと思う。
　　→あの人はいつも自分がほかの人よりえらいと思っている。
4．日本人は親切だと思っています。→日本人は親切だと思います。

説 明

●引用節について

　人の言ったこと、思ったことなどを文に取り込むことを引用と言います。そして、取り込まれた部分を引用節と言います。引用の代表的な形式は「～と言う」（例：田中さんはあした来ると言った。）と、「～と思う」（例：田中さんはあした来ると思う。）です。前者は発言内容を、後者は思考内容を格助詞「と」を用いて、文の中に取り込みます。（⇒50 ～と言う）

●「～と思う」

　ここでは引用の形式のうち、「～と思う」について取り上げます。「～と思う」は話し手の意志や願望を表す場合（「～（よ）う／たい＋と思う」で表す）と、話し手の判断・断定（意見・考え）を聞き手に伝える場合（「判断＋と思う」で表す）があります。

1) ～（よ）う／たい＋と思う

　　(1)　医者になりたいと思う。
　　(2)　来年帰国しようと思います。

(1)(2)のように、「と思う」が「たい」や「（し）よう」と結び付いて、話し手の気持ちを聞き手に伝えています。ここでは「～と思う」は、実質的な（英語のI think that～のような）意味は持たず、話し手の気持ちを表すムード（モダリティ）性を加えるために付加されているだけと考えられます。（⇒32 ムード（モダリティ））

2) 判断＋と思う

　(3)～(5)のように、話し手の判断・断定（意見・考え）を聞き手に伝えるものです。「～と思う」の前には、「動詞」「形容詞」「名詞＋だ」などの普通形が来ます。

　　(3)　日本は物価が高いと思います。
　　(4)　今晩雪が降ると思う。

(5) 彼が犯人だと思う。

自分の判断をやわらげて伝えるために、「〜と思う」の前に「だろう」「んじゃないか」「かな」などのムード(モダリティ)表現が付くことが多いです。

(6) 日本は物価が高いんじゃないかと思います。
(7) 今晩雪が降るだろうと思う。

● 「〜と思う」と「〜と思っている」

「〜と思う」には、「結婚しようと思う」「結婚しようと思っている」のように、「〜と思う」を使う場合と「〜と思っている」を使う場合があります。両者には使い分けのルールがあるのでしょうか。

「〜と思う」「〜と思っている」の使い分けを考えるために、「〜(よ)う／たい+と思う」と「判断+と思う」に分けて考えます。また、「〜と思う」の主体がだれかを、話し手(私)の場合と、第三者(聞き手(あなた)も含む)の場合について考えます。

1) 〜(よ)う／たい+と思う

「〜(よ)う／たい+と思う」の文では、「思う」主体は話し手自身に限られ、「〜と思う」「〜と思っている」どちらを使っても意味はあまり変わりません。

(8) (私は)海外旅行に行こうと思う。
(9) (私は)海外旅行に行こうと思っている。

一方、思考の主体が第三者の場合は、(11)のように「〜と思っている」は適切ですが、(10)のように「〜と思う」を使うと不自然になります。

(10) ?(彼は)海外旅行に行こうと思う。
(11) (彼は)海外旅行に行こうと思っている。

2) 判断+と思う

「判断+と思う」では、思考の主体が第三者の場合、(13)のように「〜と思っている」は適切ですが、(12)のように「〜と思う」は不自然になります。

(12) ？（彼は）日本語はやさしいと思う。
(13) （彼は）日本語はやさしいと思っている。

では、思考の主体が話し手自身（私）の場合はどうでしょうか。

(14) （私は）日本語はやさしいと思う。
(15) ？（私は）日本語はやさしいと思っている。

「私」の場合は、(14)のように「～と思う」は適切ですが、(15)のように「～と思っている」は、やや不自然に感じられます。しかし、(16)(17)のように、話し手の強い主張やこだわりがあったときは、「～と思っている」は不適切でなくなります。

(16) （あなたは反対するかもしれないが、）私は日本語はやさしいと思っている。
(17) （みんなはのんきだけれど、）私は、将来何が起こるかわからないと思っている。

(16)(17)は話し手の主張を表していますが、「私は」があったほうが自然な場合が多いようです。「私は」とともに「と思っている」が使われやすいと言えるでしょう。

以上をまとめると次のようになります。

		思う	思っている
～（よ）う ～たい	私	○	○
	第三者	×	○
判断	私	○	△ （主張・こだわり）
	第三者	×	○

●思考の主体「私」の省略

以上から言えることは、「～と思う／思います」は話し手（私）にしか使えないこと、また、第三者は「～と思っている／思っています」しか使えないということです。

これは逆の方向から考えると、「～と思う／思います」の思考主体は常に話し手「私」ということになります。したがって、会話などではわかりきっているために、「私は」

が省略されやすくなります。

指導法あれこれ

　「～と思う」と「～と思っている」の使い分けについては「説明」で取り上げましたが、そのほかに学習者が戸惑う点が二つあります。
　一つは、「～と思う」の文の否定をどこですればいいかということ、もう一つは、主節と引用節内のテンス・アスペクトの関係です。
　一つ目に関して、学習者はI don't think～の形式に引きずられて「～と思いません」としてしまいがちです。

　　(18)？日本語は難しいと思いません。

日本語が難しいか否かについて単純に自分の考えを述べるのであれば、「と思う」の前を否定にして「難しくないと思う」になります。一方、だれかが「日本語は難しい」と言ったことに対し、それを否定するときには「難しいと(は)思わない」が使われます。
　二つ目の主節と引用節内のテンス・アスペクトについては、英語のように時制の一致のある言語を持つ学習者が混乱しやすいようです。
　「彼が来ると思う」「彼が来たと思う」までは混乱しませんが、「彼が来ると思った」になると、I thought he came.なのだから、「彼が来たと思った」にすべきだと主張し始める学習者がいます。では、次の(19)～(22)はいつ使うのか考えてみてください。

　　(19)　彼が来ると思う。
　　(20)　彼が来たと思う。
　　(21)　彼が来ると思った。
　　(22)　彼が来たと思った。

(19)は「(私が)思う」時点ではまだ彼は来ていません。(20)はもう来ています。少なくとも「私」はそう思っています。
　(21)は、ある過去の時点で、そのときは彼は来ていませんが、「私」は「彼が来る」と

思ったことを表します。(22)は、(21)と同じ時点で、実際どうだったかはわかりませんが、「私」は「彼が来た」と思ったことを表します。

> **指導ポイント**
>
> 1. 「と思う」の前に来る、動詞・形容詞・「名詞＋だ」の普通形を十分練習させること。「い形容詞」に「だ」(「おもしろいだ」「安いだ」)を付けやすいので注意させること。
> 2. 話し手が「～と思う／思います」を使うときには、通常「私は」が省略される。「私は」を入れると、主張が強く感じられるので注意すること。
> 3. 「～と思う／思います」は話し手の思考伝達のみに使い、第三者の場合は「～と思っている／思っています」になるので、注意させること。
> 4. 「～(よ)う／たい＋と思う」と「判断＋と思う」(「日本語は難しいと思います」)は、分けて練習したほうがよい。
> 5. 話し手の「判断」に「と思っている」を付けると、主張・こだわりの意味合いが出るので、注意させること。

50 〜と言う

A：あなたはきのう自分でやると
　　言いましたよ。
B：いいえ、そうは言っていません。
　　私は自分でやれることはやると
　　言ったんです。
A：……。
B：私はいつもそう言っています。
　　やれないことはやれないんですから。

学習者はどこが難しいか。よく出る質問。

1．間接話法で、「と言う」の前に正しく普通形を置くことができない。
2．「〜と言った」「〜と言っている」「〜と言っていた」の使い分けが難しい。
3．引用を表す格助詞「と」が正しく使えない。

学習者の誤用の例

1．田中さんは秋葉原は安いだと言いました。
　　→田中さんは秋葉原は安いと言いました。
2．田中さん、先生が来てくださいと言いました。
　　→田中さん、先生が来てくださいと言っています。
3．田中さん、前田さんがどうぞよろしく言いました。
　　→田中さん、前田さんがどうぞよろしくと言っていました。

説 明

● 「～と言う」（⇒49 ～と思う）

　ここではだれかがだれかに（ひとり言の場合もありますが）何かを伝える用法のうち、「～と言う」を取り上げます。「～と言う」の「と」は引用を表す格助詞です。
　「～と言う」には、ある人が言ったことばをそのまま伝える直接話法と、ある人が言ったことばを話し手が言い直して伝える間接話法があります。

　　(1)　リーさんは「きょうは休みます。」と言った／言いました。（直接話法）
　　(2)　リーさんはきょうは休むと言った／言いました。（間接話法）

１）直接話法
　直接話法は、言った通りを繰り返すことによってその人の発言を再現する働きを持ちます。「と言う」の前は、言った通りを再現するいろいろな形が来ます。

　　(3)　田中さんは「今行きます／頭が痛いです。」と言いました。
　　(4)　社長に「すぐ来てください。」と言われた。

２）間接話法
　間接話法は、言ったことばを話し手が言い直して伝えるため、「と言う」の前は普通形が来ます。

　　(5)　田中さんは今行く／頭が痛いと言いました。

　(4)のように、伝える内容が依頼や命令の場合の間接話法は、次のように、命令形を使うか、「と」の代わりに「ように」が使われることが多いです。

　　(6)　社長にすぐ来いと言われた。
　　(7)　社長にすぐ来るように言われた。

● 「〜と言った」「〜と言っている」「〜と言っていた」

「〜と言う」は実際の文では、状況に応じて、「〜と言った」「〜と言っている」「〜と言っていた」と変化します。

　(8)　小川さんは今晩来ないと言った。
　(9)　小川さんは今晩来ないと言っている。
　(10)　小川さんは今晩来ないと言っていた。

「〜と言った」「〜と言っている」「〜と言っていた」はどのように使い分けられるのでしょうか。三つの意味用法について考えてみましょう。

1．「〜と言った」

(8)の「言った」は、小川さんの「今晩来ない」という発言・発話を事実として聞き手にそのまま伝えているだけです。基本的には相手（聞き手）に対する働きかけはないと考えられます。

2．「〜と言っている」

「〜と言っている」は「聞き手への働きかけ」「発言の一定期間の継続」「客観性・第三者の発言」の三つの働きがあります。

1）「聞き手への働きかけ」

(9)の「小川さんは今晩来ないと言っている。」の「言っている」は、小川さんの「今晩来ない」という発言・発話を聞き手に伝えていますが、「〜ている」を使って、発言内容を現在と密接に結び付くものとして提示しています。

現在との結び付きが強いということは、多くの場合、「（小川さんが今晩来ない）と言っているんですが、どうしますか」、また「（小川さんが今晩来ない）と言っているんですが、対応してください」と聞き手に働きかけたり、何らかの行為をするように示唆したりする働きを持っています。

このときには、発言者（「〜と言っている」の主体）は助詞「が」をとることが多くなります。

(9)' 小川さんが今晩来ないと言っている。

２）「発言の一定期間の継続」
「〜ている」が継続動作・状態を表すために、「(9)小川さんは今晩来ないと言っている。」は、小川さんがある一定期間「今晩来ない」ことを言い続けているとも解釈できます。

(9)" 小川さんは今晩来ないと（ずっと）言っている。

３）「客観性・第三者の発言」
「〜と言った」の主体は話し手自身の「私」であることが多いですが、「〜と言っている」は第三者が発言の主体になることが多いです。
次の文は学習者が作った文ですが、子供っぽく感じられます。「〜と言った」を「〜と言っている」としたほうが第三者の伝言を客観的に伝えています。

(11) 先生が事務室に来てくださいと言いました。
　　　↓
　　　先生が事務室に来てくださいと言っています。

このように、発言の主体が第三者の場合は、「〜と言っている」を使ったほうが、自然になります。

3.「〜と言っていた」

「〜と言っていた」も「〜と言っている」と同じく、「聞き手への働きかけ」「発言の一定期間の継続」「客観性・第三者の発言」という特徴を持っています。しかし、「聞き手への働きかけ」に関しては、「〜と言っていた」は「言った」のが今ではなく過去であるため、現在との結び付きが弱くなり、聞き手への問いかけや働きかけ・示唆の程度がやや弱くなります。

「発言の一定期間の継続」については、過去のある時点に一定期間続けてそう言っていたと解釈することができます。また、「客観性・第三者の発言」についても「〜と言った」より客観性を持ち、第三者が主体になることが多いです。

次の(12)も相手に小林さんのメッセージを伝えていますが、「〜と言った」では子

供っぽく感じられます。「〜と言っていた」としたほうが第三者の過去のある時点での発言内容を客観的に伝えられます。

(12) 小林さんがどうぞよろしくと言いました。
　　　　　　　　↓
　　　小林さんがどうぞよろしくと言っていました。

●発言者「私」の省略

「〜と言う」という引用文では発言者が話し手自身（私）で、特に「私」を強調する必要のない場合は、「私」が省略されることが普通です。そうなると外国人学習者はだれが言ったのかがわからなくなり、思い違いをすることがしばしばあります。

次の(13)(14)はだれが言ったり、言われたりしたかわかりますか。

(13) 行かないと言ったのに、次の日にどうして来なかったのかと言われた。
(14) あしたカメラを持って来るように言ったので、持って来るでしょう。

日本語では発言者が「私」の場合、通常「私」は省略されること、反対に発言者が第三者の場合は混乱を避けるために省略されにくくなります。学習者には、「私」の省略された文をたくさん見せて、人関係を正しくつかませてください。

指導法あれこれ

「説明」で、日本語には話し手の発言内容をそのまま伝える直接話法があると述べましたが、直接話法はどうしても子供の発言のようなイメージを与えてしまうので、大人には、間接話法「普通形＋と言う」に重点を置いて指導してください。命令・依頼の場合は、「普通形＋ように言う」が使えると、日本語が自然になるので、学習者の様子を見ながら、導入してみてください。

発言内容を受ける格助詞「と」の代わりに、話しことばでは「って」を用いることができます。

(15)　ラジオで今晩台風が来ると言っていましたよ。
　(16)　ラジオで今晩台風が来るって言っていましたよ。

「って」には、「と」の代わりに用いられるほかに、次のような用法があります。

　1）「というのは」　例：TTPって何ですか。
　2）「〜と言って」　例：先生をカラオケに誘おうとしたら、忙しいって断られた。
　3）「〜と言っている／言っていた」　例：山田さん、来年結婚するって。
　4）「〜という〜」　例：小川さんって（いう）人から電話がありました。

　学習者は教室の外で「って」をよく聞くようで、授業でも使いたがるときがあります。作文・レポート・論文などの書いたものでは使用しないこと、話すときもあまり多用しないこと、「って」を強調して発音しないことに注意させてください。
　「〜と言っている」「〜と言っていた」は実際の会話の中では、「〜と言ってる」「〜と言ってた」「〜と言ってました」のように「ている」の「い」が脱落しやすくなります。「い」を抜いたほうが自然な場合も多いのですが、これも「って」と同じく、書きことばでは使わないように指導してください。

> **指導ポイント**
>
> 1. 学習者には「普通形＋と言う」を使った間接話法に重点を置いて指導すること。したがって、普通形が正しく作れるように十分練習させること。
> 2. 「〜と言った」「〜と言っている」「〜と言っていた」の使い分けは難しいので、最初のうちは、発言者が話し手自身（私）のときは、「〜と言った」、第三者のときは「〜と言っている」「〜と言っていた」を使うように指導してもよい。（ただし、レベルが高くなったら、それぞれの使い分けをどこかで説明しておくこと。）
> 3. 「と（言う）」の代わりに「って（言う）」を使いたがる学習者もいるので、使う場合には、書きことばには使用しないこと、多用しないこと、強調して発音しないことを徹底させる必要がある。

51
～という～

A：課長、西野さんという方がお見えですが。
B：西野さん？
A：ええ、応接室にお通しして
　　おきました。
B：ありがとう。
　　　　⋮
B：お待たせしました。山田ですが。
C：はじめまして。西野と申します。

学習者はどこが難しいか。よく出る質問。

1. 「名詞1＋という＋名詞2」の名詞が逆になって「国というフィリピン」のようになる。
2. いつ「～という～」を使えばいいのかがわかりにくい。

学習者の誤用の例

1. 私はトヨタという会社で働いています。
　　→私はトヨタで働いています。
2. お寺にはおじいさんという山田さんの親戚がいました。
　　→お寺には山田さんの親戚だというおじいさんがいました。
3. 子供のころから私には医者になるのような目的がありました。
　　→子供のころから私には医者になるという目的がありました。

説 明

● 「名詞1＋という＋名詞2」について

　「名詞1＋という＋名詞2」は、名詞1と名詞2の関係によっていくつかの意味用法があります。「木原さんという人」のように名前を表すもの、「弁護士という仕事」のように一般化を表すもの、「首相が辞任するという新聞記事」のように内容を表すものなどです。また、「首相が辞任するという新聞記事」のように、「文＋という＋名詞」という形をとるものもあります。

1）名前を表す「名詞1＋という＋名詞2」

　「名詞1＋という＋名詞2」という形をとって、名詞1で、名詞2の「名前」を示します。多くの場合、名詞1について話し手か聞き手が知らない（または、話し手が聞き手が知らないと思っている）場合、または、話し手・聞き手の両者が知らない場合に用いられます。

　　(1) a. 清水さんから電話がありましたよ。
　　　　b. 清水さんという人から電話がありましたよ。

「～という～」のない(1)aは、話し手も聞き手も清水さんを知っていると判断できますが、bでは、話し手か聞き手、または両者が知らない人のことだと判断できます。
　「学習者の誤用の例」1については、日本でこの文が発話された場合は不自然ですが、もし、トヨタの名前があまり知られていない海外などで発話された場合は、正しいことになります。このように周知のものについては、説明的に用いる以外は「～という～」は使いません。

2）一般化を表す「名詞1＋という＋名詞2」

　　(2)　弁護士という仕事は大変な仕事だ。
　　(3)　医者という職業にだけはつきたくない。
　　(4)　日本語ということばには複雑で曖昧なところがある。

(2)～(4)では、「名詞1＋という＋名詞2」という形をとって名詞1を名詞2で一般化し、それについて判断・説明・評価などを述べる役割を果たしています。

この場合は名詞1も名詞2も、話し手と聞き手の両者が知っている事柄で、それを取り立てて説明しています。

3）内容を表す「文＋という＋名詞」

 (5) 彼女が結婚するという噂を聞いた。
 (6) 新幹線に穴が開くという事故があった。
 (7) 彼女が金メダリストだという事実は重い。
 (8) 赤字をどう解消するのかという問題が残っている。

名詞に来るものには、「内容・説明・連絡・お知らせ・規則・意見・命令」などがあります。文で説明された内容を名詞で受け、まとめるという役割を果たしています。

また、次のように、名詞に「こと」が用いられる場合もあります。

 (9) 田中さんが推薦されたということは山田さんはだめだったということだ。

指導法あれこれ

初級レベルでは、まず、「林さんという人」や「安比というところ」などのように名前を表す「～という～」を勉強しますが、レベルが上がるにつれて、ディスカッションなどで質問をしたり、自分の意見を言ったり、まとめたりするときに「～という～」が使われることが多くなります。「～という～」がなければ説明や質問はできないと言っても過言ではないでしょう。次の例を見てください。

1）質問で

 (10) ○○というのはどういうことですか。
 (11) ○○というのは××ということですか。

2）さっき出た意見を取り上げる

(12)　今おっしゃった○○という意味がよくわかりません。
(13)　今○○ということ（問題）が出ましたが、……。

3）話題として提出する

(14)　××に関しては、日本には○○という考え方があるそうですね。
(15)　××に関しては、具体的にどうすればいいかという問題が出てきます。

4）説明

(16)　○○というのは、一般的には××とか△△とか言われているものです。
(17)　○○というのは、××ということだと思います。
(18)　○○というのは、いろいろな面から考えなければならない、難しい問題だと思います。

5）まとめる

(19)　××さんが言いたいことは、○○ということですね。
(20)　今の××さんの意見は、要するに、○○は△△だということだと思います。

　学習者が日常会話のやりとりだけではなく、自分の意見をきちんと述べることができるように、これらの「～という～」をうまく指導していきたいものです。

指導ポイント

1. 名前を表す「名詞１＋という＋名詞２」(林さんという人)の「という」をいつ使ったらよいかは学習者が戸惑うところである。名詞１について話し手が知らない場合、聞き手が知らない場合、両者が知らない場合など、具体的な場面・状況を数多く作って、会話練習の中に組み込むとよい。

2. 初級レベルでは、名前を表す「～という～」が中心になる。中級・上級とレベルが上がるにつれて一般化を表す「～という～」(医者という仕事)、内容を表す「～という～」(彼女が結婚するという噂)などの役割が大きくなるので、教師は説明の整理・準備をしておくこと。

3. 「～という～」はそのうしろに助詞などをとって、文の要素になっていく。学習者はどのように文を続けていけばよいかわからない場合が多いので、「～という～」の練習だけでなく、文作りの練習までさせること。(「林さんという人を知っていますか。」「林さんという人から電話があった。」「林さんという人と話したことがある。」など)

52 疑問引用節

A：国へ帰ろうと思っています。
B：そうですか。
A：まだ何日に帰るかわからないんですが。
B：……。
A：飛行機の切符がとれるかどうか
　　わからないので。
B：そうですか。大変ですね。

学習者はどこが難しいか。よく出る質問。

1．疑問引用節の終わりの「か」が抜けてしまう。
2．普通形を使って正しく疑問引用節が作れない。
3．疑問引用節の主語は「が」をとるの?
4．疑問引用節を受ける助詞が正しく使えない。

学習者の誤用の例

1．だれがこの手紙を書いたの知っていますか。
　　→だれがこの手紙を書いたのか知っていますか。
2．あしたどこへ行くかどうかわからない。
　　→あしたどこへ行くかわからない。
3．田中さんはどこへ行きましたわかりません。
　　→田中さんがどこへ行ったかわかりません。
4．どのように論文を書くことがわからない。
　　→どのように論文を書くのかがわからない。

説 明

●疑問引用節について

「小林さんはきょう何時に来ますか」や「小林さんはきょうの会議に来ますか」という疑問文に、「あなたはそのことを知っていますか」「そのことを教えてください」などの文を組み合わせると、(1)(2)のような文ができます。

 (1) あなたは小林さんがきょう何時に来るか知っていますか。
 (2) 小林さんがきょうの会議に来るかどうか教えてください。

このように、疑問文が主節の中に取り込まれたものを疑問引用節と言います。
　疑問引用節には、上の(1)のように疑問詞を持つ疑問文が組み込まれる場合と、(2)のように、疑問詞のない疑問文が組み込まれる場合があります。

 (1)の場合 ［小林さんはきょう何時に来ますか］
         ↓
 あなたは［小林さんがきょう何時に来るか］知っていますか。

 (2)の場合 ［小林さんはきょうの会議に来ますか］
         ↓
 あなたは［小林さんがきょうの会議に来るかどうか］知っていますか。

疑問引用節の中の主語は、通常、「が」で表されます。
　疑問詞がある場合は、「疑問詞〜か」という形を、疑問詞がない場合は「〜かどうか」という形をとります。(書きことばでは、「〜か否か」も用いられます。)
　ただし、実際の文では(3)のように「どうか」が省略されることも多いようです。

 (3) 小林さんがきょうの会議に来るか知っていますか。

(1)(2)の例は動詞文が引用節になっている例ですが、形容詞文、名詞文はどのように引用節になるのでしょうか。

「い形容詞」文
    (4) a. あの店の料理はおいしいかどうか知っていますか。
        b. この中でどれが一番安いか教えてください。

「な形容詞」文
    (5) a. 子供が元気かどうか教えてください。
        b. 田中さんがいつひまか知りません。

「名詞＋だ」文
    (6) a. 君の気持ちが本気かどうか言ってくれ。
        b. この車がいくらか知りたい。

「い形容詞」文では「か」「かどうか」の前には普通形がそのまま来ますが、「な形容詞」「名詞＋だ」文では「だ」が省かれるので注意が必要です。

●疑問引用節の主語

疑問引用節内の主語は通常、「が」で表されると説明しましたが、組み込まれる文が名詞文「～は～だ／です」の場合は「は」のままのこともあります。

        ［林さんの誕生日はいつですか］
                ↓
    (7) あなたは［林さんの誕生日が／はいつか］知っていますか。

        ［ここは禁煙ですか］
           ↓
    (8) ［ここが／は禁煙かどうか］教えてください。

●疑問引用節を受ける助詞

疑問引用節はそのうしろに助詞を伴って文の構成要素になっていきます。疑問引用節がどのような助詞をとるかは、名詞の場合と同じです。

    (9) 伊藤さんがいつ来るか（を）知っていますか。
   (10) 伊藤さんがいつ来るか（が）わかりますか。

(11) 伊藤さんがいつ来るか(は)わかりません。
(12) 伊藤さんがいつ来るか(を)教えてください。

これらの助詞は話しことばでは省略されることが多いです。

指導法あれこれ

　疑問引用節は主文の中に節が組み込まれているため、学習者は日常なかなか使いこなせないようです。「会議は何時に始まりますか」と聞かれて、「さあ、何時に始まるかわかりません」と答える学習者は少なく、多くの者は「さあ、わかりません」ですませてしまいます。

　自分から尋ねるときも、「田中さんが何時ごろ来るか知っていますか」にしたほうがいい場合も、「田中さんは何時ごろ来ますか。知っていますか。」と2文にすることが多いです。2文のままでも、十分通じるからです。

　しかし、作文やレポート・論文など、書きことばになると、とたんに疑問引用節が必要になってきます。

　疑問引用節が正確に作れるか否かは、引用節の文末を正確にできるかどうかということ、主語を「が」(名詞文のときは「は／が」どちらでもいい場合が多い)で表せるかということ、そして、疑問引用節のうしろに適切な助詞が置けるかにかかっています。

　疑問引用節を受ける助詞については、書きことばではほとんど省略しないので、正確さが必要とされます。次に例を示します。

(13) a．現在の危機をどのように打開するかがはっきりしない。
　　　b．?現在の危機をどのように打開するかはっきりしない。
(14) a．首相は次期総裁をだれにするかを検討している。
　　　b．?首相は次期総裁をだれにするか検討している。

(13)(14)において、bは誤りではないけれども、舌足らずの感じがします。aのように助詞を入れることによって文の意味がはっきりしてきます。

指導ポイント

1. 学習者は疑問引用節を最後までまとめるのが不得手で、「か」（例：いつ始まるか）が脱落しやすい。疑問引用節をきちんと完結させるように指導すること。
2. 学習者は「疑問詞〜か」と「〜かどうか」を混同して、「疑問詞＋〜かどうか」（例：いつ始まるかどうか）の文を作ってしまうので、疑問詞があるかないかを区別させること。
3. 疑問引用節内の主語は「が」をとること（名詞文では「が／は」どちらでもいい場合が多い）を意識させること。
4. 疑問引用節が文の構成要素として、主語になるのか、目的語になるのかなどを考えて、次にとる助詞を考えるように指導すること。特に書きことばでは、助詞の省略が少なくなるので、正確に練習させること。

53 名詞節「～こと・～の」

A：日本語はどうですか。
B：難しいですね。
A：聞くのと話すのでは、
　　どちらが難しいですか。
B：聞くほうが難しいです。
　　何度聞いてもわからないんです。
A：読んだり書いたりはどうですか。
B：読んだり書いたりすることは
　　それほど難しくないんですが。
A：ああ、そうですか。

学習者はどこが難しいか。よく出る質問。

1．「こと・の」の前に来る動詞・形容詞などの形が正しく作れない。
2．「～こと・～の」を使うべきときに、使えない。
3．「～こと」と「～の」の使い方は同じ？どちらを使ってもいいの？
4．名詞節の中の主語は「が」を使うの？「は」を使うの？
5．名詞節は正しく作れても、それを文の中に正しく位置付けられない。

学習者の誤用の例

1．手紙を書いて忘れないでください。
　　→手紙を書くのを忘れないでください。
2．人にやさしく、人のことを先に考えるのは大切なのだ。
　　→人にやさしく、人のことを先に考えることは大切なことだ。
3．夏休みにみんなが国へ帰ったことを見て、君は帰ろうと思わない？
　　→夏休みにみんなが国へ帰ったのを見て、君は帰ろうと思わない？

4．石油の価格が上がることは、中近東に問題が起こっているからだ。
　→石油の価格が上がるのは、中近東に問題が起こっているからだ。

説明

「日本人が英語を話す」「(それは)難しい」の2文を合体させると、(1)ができます。

(1) a．日本人が英語を話すことは難しい。
　　b．日本人が英語を話すのは難しい。

このように、文が「こと・の」によって名詞のようになることを名詞化と言います。名詞化されたものを名詞節と言います。これを図で示すと次のようになります。

```
_____文_____  | こと・の |
            名詞節
```

　名詞節の中の主語は名詞修飾節と同じく「が」で表されます(⇒54 名詞修飾節)。「こと」と「の」は多くの場合置き換えが可能ですが、置き換えができないときもあります。

● 名詞節「〜こと」

1．名詞節「〜こと」について

　「こと」の前には「動詞」や「形容詞」の普通形が来ますが、「名詞＋だ」の非過去・肯定の場合は「名詞＋だということ」、または、「名詞＋であること」になります。

動詞		な形容詞	
行く		元気な	
行かない	+こと	元気じゃ／ではない	+こと
行った		元気だった	
行かなかった		元気じゃ／ではなかった	
い形容詞		名詞+だ	
忙しい		休みだという／休みである	
忙しくない	+こと	休みじゃ／ではない	+こと
忙しかった		休みだった	
忙しくなかった		休みじゃ／ではなかった	

(2)　生きることはすばらしい。
(3)　山田さんが行かないことを知らなかった。
(4)　コンピュータを使うことで、大幅に時間が短縮される。
(5)　あしたの授業が休講だということ／休講であることを皆に連絡してください。

(2)では名詞節が主題に、(3)(5)では目的語になっています。また、(4)では名詞節に「で」が付いて「方法」を表しています。

2．「こと」しか使えない場合

1）～は～ことだ／です

「名詞1は名詞2だ／です」文の名詞2に名詞節が来るときは「～の」ではなく「～こと」が使われます。

(6) a．　私の趣味は本を読むことです。
　　b．？私の趣味は本を読むのです。
(7) a．　嫌いなことは掃除をすることだ。
　　b．？嫌いなことは掃除をするのだ。

「のだ」「のです」はムード（モダリティ）を表す表現として、全く別の意味用法を持ちます。(⇒25　～の(ん)だ)

2）辞書形＋ことができる（⇒44 可能・〜ことができる）

　(8)　揚さんはドイツ語を話すことができます。
　(9)　本は2週間借りることができる。

3）辞書形＋ことにする／ことになる（決定・結果）
　　　　（⇒39「〜ことにする・〜ことになる」「〜ようにする・〜ようになる」）

　(10)　ではこれで会議を終わることにします。
　(11)　A社がB社に吸収合併されることになった。

これは「辞書形＋ことに決める／ことに決まる」にも同じことが言えます。

　(12)　大学院へ行くことに決めた。
　(13)　留学することに決まりました。

4）辞書形／タ形＋ことがある

　(14)　気晴らしに時々パチンコをすることがある。
　(15)　まだ富士山に登ったことがありません。

●名詞節「の」

1．名詞節「の」について

「の」の前には普通形が来ますが、「名詞＋だ」の非過去・肯定では「名詞＋な」になります。

動詞		な形容詞	
行く 行かない 行った 行かなかった	＋の	元気な 元気じゃ／ではない 元気だった 元気じゃ／ではなかった	＋の
い形容詞		名詞＋だ	
忙しい 忙しくない 忙しかった 忙しくなかった	＋の	休みな 休みじゃ／ではない 休みだった 休みじゃ／ではなかった	＋の

(16)　レスリングを見るのが好きだ。

(17)　田中さんが入院したのを知っていますか。

(18)　きょうの授業が休講なのを知らなかった。

(16)では名詞節が主語に、(17)(18)では目的語になっています。

2．「の」しか使えない場合

1)「～の」＋知覚動詞（「見る・見える・聞く・聞こえる」など）

「見る・聞こえる」のように感覚器官を通じて外界の事物を見分け、とらえる動詞を知覚動詞と言います。「の」には知覚動詞に結び付いて、何か出来事が起こるのを知覚する用法があります。

(19)　きのう山田さんがデパートに入るのを見た。

(20)　飛行機が何機も飛んでいくのが見えます。

(21)　うぐいすが鳴いているのが聞こえる。

(22)　彼女がいつもより元気なのに気がついた。

2)強調構文（「～のは～だ」文）

「小林さんはきのう来なかった。」の「小林さん」と「きのう」を強調すると、それぞれ(23)(24)のようになります。

(23) きのう来なかったのは小林さんだ。
(24) 小林さんが来なかったのはきのうだ。

このように「〜のは〜だ」という形をとって、一部分を強調する文を強調構文と言います。強調構文では次のように理由も強調することができます。

(25) 小林さんが来なかったのは、忙しかったからだ。
(26) きょう来たのは、あなたに話があるからです。

指導法あれこれ

「説明」では「こと」しか使えない場合、「の」しか使えない場合の例をいくつか示しました。その他の例を次に示します。

1．「の」より「こと」が使われやすい例

1）うしろに「大切だ」「必要だ」が来る場合

(27) a． 人間は勉強することが必要だ。
　　 b．？人間は勉強するのが必要だ。
(28) a． 友達を裏切らないことが大切だ。
　　 b．？友達を裏切らないのが大切だ。

2）うしろに「考える」が来る場合

(29) a． 大学院の試験を受けることを考える。
　　 b．？大学院の試験を受けるのを考える。

3）うしろに「伝える・祈る・約束する」などの動詞が来る場合

(30) a． お帰りになりましたら、林から電話があったことをお伝えください。
　　 b．？お帰りになりましたら、林から電話があったのをお伝えください。

(31) a. ご病気が回復されることを祈っています。
　　 b. ?ご病気が回復されるのを祈っています。

2.「こと」より「の」が使われやすい例

1) うしろに「とめる」が来る場合

(32) a. 彼女が帰るのをとめる。
　　 b. ?彼女が帰ることをとめる。

2) うしろに「手伝う」「待つ」が来る場合

(33) a. 母がアイロンをかけるのを手伝う。
　　 b. ?母がアイロンをかけることを手伝う。
(34) a. 彼女が来るのを1時間も待った。
　　 b. ?彼女が来ることを1時間も待った。

(27)〜(34)は人によって、言う、言わないの個人差があるかもしれませんが、提出しておきました。私は次の(35)は「の」のほうが自然だと思うのですが、皆さんはどうでしょうか。

(35) a. ?彼は料理を作ることが上手だ。
　　 b. 彼は料理を作るのが上手だ。

指導ポイント

1. 「こと・の」に接続する動詞・形容詞の形を正しく作らせること。特に、「な形容詞」の非過去・肯定が「〜なこと・〜なの」になるので注意させること。
2. 名詞節の主語は「が」をとることを理解させること。
3. 名詞節が「だ／です」の前では「の」ではなく「こと」が使われる。(「趣味は本を読むことです。」)「〜のだ／〜のです」は別の意味用法になってしまうので注意させること。
4. 「こと」しか使えない場合、「の」しか使えない場合について、時間をかけて正しく覚えさせるとよい。

54 名詞修飾節

A：きのうBさんが買ったデジカメ、見せてください。
B：はい、どうぞ。
A：小さくて軽いですね。
B：今まで出たデジカメの中で一番軽いそうです。

学習者はどこが難しいか。よく出る質問。

1．修飾する節が前からうしろにかかるということが難しい。
2．名詞修飾節の述語（動詞・形容詞など）を正しい形にできない。
3．名詞修飾節と名詞の間に「の」を入れてしまう。
4．名詞修飾節内の主語は「が」をとるの？「の」をとるの？
5．名詞修飾節を含んだ文全体の主語と述語の関係がわかりにくい。

学習者の誤用の例

1．私はプラワットです、タイから。→私はタイから来たプラワットです。
2．きのう来ました人は小川さんです。→きのう来た人は小川さんです。
3．東京へ行ったの友達は小林さんです。→東京へ行った友達は小林さんです。
4．私は住んでいるアパートは広いです。→私が住んでいるアパートは広いです。

説 明

●名詞修飾節について

「あそこで話している人は小林さんだ。」という文は、「あそこで話している」と「その人は小林さんだ」という2文からできています。そして、「あそこで話している」が名詞修飾節になって「人」にかかります。名詞修飾節と修飾される名詞（被修飾名詞）の関係は次のようになります。

　　　　　名詞修飾節　　　　（被修飾）名詞

名詞修飾節は「連体修飾節」と呼ばれることもあります。
　「名詞修飾節＋名詞」は、文の要素になって、主節の中に組み込まれていきます。

(1) あそこで話している人は小林さんだ。（主語・主題）
(2) あそこで話している人を紹介してください。（目的語）
(3) あそこで話している人からインタビューを始めよう。
(4) 小林さんというのはあそこで話している人です。

１．名詞修飾節内の述語の形

　名詞修飾節内の述語は基本的には普通形をとります。「な形容詞」「名詞＋だ」の非過去・肯定のときは注意が必要です。

動詞		な形容詞	
行く 行かない 行った 行かなかった	｝ ＋名詞	元気な 元気じゃ／ではない 元気だった 元気じゃ／ではなかった	｝ ＋名詞
い形容詞		名詞＋だ	
忙しい 忙しくない 忙しかった 忙しくなかった	｝ ＋名詞	休みの 休みじゃ／ではない 休みだった 休みじゃ／ではなかった	｝ ＋名詞

(5) いつも元気だ→いつも元気な 次郎君 が病気になった。

(6) きょう休みだ→きょう休みの 人 はだれですか。

2．名詞修飾節内の主語

名詞修飾節内の主語は基本的には「が」をとります。

(7) 田中さんがきのうデパートで買った CD を貸してください。

(8) これは父がくれた 時計 です。

(7)(8)では名詞修飾節の主語「田中さん」「父」が「が」をとっていますが、「の」をとることもあります。

(9) 田中さんの買った CD を貸してください。

しかし、主語と述語の間に語が多く入るときは「の」は使えません。

(10) ？田中さんのきのうデパートで買ったCDを貸してください。

これは主語と述語（動詞・形容詞など）が離れすぎると主語と述語の関係がはっきりしなくなるからだと考えられます。

3．名詞修飾節内のテンス・アスペクト （⇒40 テンス・アスペクト）

(11) a．食べた人は部屋から出てください。
　　 b．食べる人は部屋から出てください。
(12) a．バスの中で、いすに座っている人が私に声をかけてきた。
　　 b．バスの中で、いすに座っていた人が私に声をかけてきた。

(11)ではa「食べる」かb「食べた」かで文の意味が全く異なります。一方(12)では、aでもbでも意味は変わりません。

(11)の「食べる」は動作を表していますが、(12)の「座っている」は状態を表しています。動作を表す動詞では「る」と「た」は別の意味になりますが、状態を表す動詞・形容詞などでは多くの場合同じ意味を表します。

(13) a．最近は着物を着た人が少なくなった。
　　 b．最近は着物を着ている人が少なくなった。

(13)はaもbも適切な文です。ここでは「着物を着た」が形容詞的な役割を果たしています。名詞修飾節では状態を表す「ている」がタ形で表されることが多いです。

(14) 　めがねをかけている人→めがねをかけた人
(15) 　安定している生活→安定した生活
(16) 　先がとがっているナイフ→先がとがったナイフ

● 「名詞修飾節＋時間・予定・約束」など

今まで述べてきた「名詞修飾節＋被修飾名詞」では、(1)のように、「その人は小林さんだ」の構成要素の一つ「(その)人」が被修飾名詞になって、名詞修飾節「あそこで話している」を受けて、「あそこで話している人は小林さんだ。」という形をとっています。

一方、(17)～(19)では、もとの文の構成要素ではないもの(時間・予定・約束)が被修飾名詞になっています。

(17)　忙しくてご飯を食べる時間がない。
(18)　きょうは出かける予定はありません。
(19)　彼女とデートする約束をしました。

日本語にはこのような名詞修飾節が多く見られます。

指導法あれこれ

　名詞修飾節の導入の一例をあげます。
　名詞修飾節が前からかかることをスムーズに導入するためには、形容詞で名詞を修飾することから入るとわかりやすいです。そして徐々に「文（普通形）」で名詞を修飾することを理解させていきます。

1）　大きいりんごは100円です。
　　　小さいりんごは50円です。
　　　↓
2）　あの背が高い人はだれですか。──田中さんです。
　　　この目が大きい人はだれですか。──中村さんです。
　　　↓
3）　あそこで本を読んでいる人はだれですか。──田中さんです。
　　　テニスをしている人はだれですか。──私の友達です。
　　　↓
　　　　　　普通形
　　　　　タバコを吸う
　　　　　肉を食べない
　　　　　今朝コーヒーを飲んだ　｝　人は○○さんです。
　　　　　飲まなかった
　　　　　本を読んでいる
　　　　　　↓

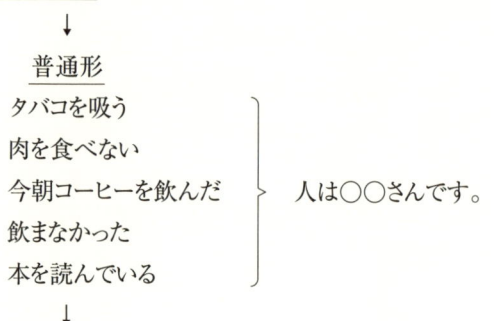

4）これはきのうデパートで買った時計です。
　　　　　　　↓
　　5）デパートで買った時計を見せてください。
　　　　　　　↓
　　　田中さんがきのう買ったカメラを見せてください。

4）では文の構造が「これは［名詞修飾節＋名詞］です」に変わりますが、学習者各自の持ち物について説明させるとスムーズに行きます。

　5）では4）を用いて、「名詞修飾節＋名詞」が目的語になる練習をします。4）でも「これは父がくれた時計です」のような文で名詞修飾節内の主語が「が」をとることを指導できますが、5）で明確にわからせることもできます。

　3）の普通形の練習のとき、また、翌日の復習のときなどに、教師（学生でもよい）が次のような質問をして該当する学生に手を上げさせると、クラスが盛り上がります。

　　今朝朝ご飯を食べた人？
　　今朝朝ご飯を食べなかった人？
　　きのうの晩日本語を勉強した人？
　　きのうの晩勉強しなかった人？
　　コーヒーが好きな人？
　　日本料理が嫌いな人？
　　ロシア語がわかる人？
　　日本の歌が歌える人？
　　京都に行ったことがある人？
　　　　：

> **指導ポイント**

1. 修飾するものは前からかかることを徹底させること。
2. 名詞修飾節の形を正しく作らせること。基本的には普通形を用いるが、「な形容詞」「名詞＋だ」の非過去・肯定では「〜な＋名詞」「〜の＋名詞」になるので、注意すること。
3. 名詞修飾節の主語は基本的には「が」をとることを理解させること。「の」をとるときには主語と述語の間の距離などの制約があるので注意すること。
4. 学習者全般に、名詞修飾節と名詞の間に「田中さんが買ったのカメラ」「これは読まないの本」のように「の」を入れる傾向が見られるので注意すること。
5. 「名詞修飾節＋名詞」を文全体の中のどこに置くかを十分練習すること。「名詞修飾節＋名詞」が文の主語になるのであれば「が」、主題なら「は」、目的語なら「を」などの助詞が必要になることに注意させること。

55 〜から

A：おなかすいたね。
B：……。
A：カップラーメンでも食べようか。
B：私はおなかすいていないから、いらないわ。
A：そんなこと言わないで。ちょっと待ってて。すぐ作ってくるから。

学習者はどこが難しいか。よく出る質問。

1. 「〜から」節と主節を逆にしてしまう。
2. 「〜から」節のうしろに「から」を付けずに、主節の冒頭に付けてしまう。
3. 理由を表す従属節と主節の文体が一致しない。
4. 「から」の前に「い形容詞」が来ると、「安いだから」「いいだから」のように「だ」を付けてしまう。
5. 時を表す「〜てから」と理由「〜(た)から」を混同する。
6. 前置きの「〜が」(例：頭が痛いんですが)の代わりに「から」(頭が痛いんですから)を使ってしまう。

学習者の誤用の例

1. 病院へ行きますから、頭が痛いです。→頭が痛いですから、病院へ行きます。
2. 頭が痛い、から病院へ行きます。→頭が痛いから、病院へ行きます。
3. から頭が痛い、病院へ行きます。→頭が痛いから、病院へ行きます。

4．疲れましたから、帰った。→疲れたから、帰った。／疲れたから、帰りました。／疲れましたから、帰りました。
5．安いだから、買ったほうがいい。→安いから、買ったほうがいい。
6．日本に来たから、1年になります。→日本に来てから、1年になります。

説 明

●複文と従属節について

　「頭が痛い」「沖縄へ行く」のように一つの述語（動詞・形容詞など）からなる文を単文と言います。
　一方、「頭が痛いから、病院へ行く」「沖縄へ行ったとき、はじめて海にもぐった」のように述語を二つ以上持つ文を複文と言います。複文は従属節（「頭が痛いから」「沖縄へ行ったとき」）と主節（「病院へ行く」「はじめて海にもぐった」）からなります。
　従属節には副詞節や名詞修飾節などがあります。

1．副詞節

　次の図に示すように、前文に接続する語（から・とき・ても、など）が付いて、後文にかかっていく従属節を副詞節と言います。上例の「頭が痛いから、（病院へ行く）」「沖縄へ行ったとき、（はじめて海にもぐった）」は副詞節になります。

```
_____    から、   _____
    前文       とき、      後文      （文末）
   従属節      たら、      主節
             が、
             ても、
              ：
```

２．名詞修飾節 （⇒54 名詞修飾節）

「山田さんが買った辞書を見せてください。」の文では、「山田さんが買った」が「辞書」を修飾しています。この文では「山田さんが買った」が従属節（名詞修飾節）で、「辞書を見せてください」が主節になります。

３．名詞節 （⇒53 名詞節「～こと・～の」）

「リーさんが帰国すること／のを知らなかった。」の文では、「リーさんが帰国する」が「こと・の」によって名詞化されて、主節「知らなかった」の目的語になっています。このように「こと・の」で導かれる従属節を名詞節と言います。

４．引用節 （⇒49 ～と思う）（⇒50 ～と言う）

「今晩雪が降ると思う。」「田中さんは行くと言いました。」の「今晩雪が降る」「田中さんは行く」のように文の中に引用されている節を引用節と言います。

５．疑問引用節 （⇒52 疑問引用節）

「彼女がいつ来るかわからない。」「あした行くかどうか教えてください。」の「彼女がいつ来るか」「あした行くか」のように文の中に引用されている疑問を表す節を疑問引用節と言います。

●理由を表す「～から、～」（２文接続の「から」）について （⇒56 ～ので）

理由を表す「～から」は前文が理由を、後文がその結果を表します。「～から」は話しことばに用いられ、話し手の直接的な理由付けの気持ちを表します。

１．主節と意志表現

「～から」は主節の文末にいろいろな意志表現をとることができます。

(1) 寒いから、窓を閉めろ。（命令）
(2) ケーキを作りましたから、召し上がってください。（依頼）
(3) おなかが痛いから、病院へ行こうと思います。（意向）

２．「から」の前に来る語の形

「～から」の文の文体については、基本的には(1)のように「普通形＋から、普通形」

または(2)のように「丁寧形＋から、丁寧形」になります。ただし、場合によっては、(3)のように「普通形＋から、丁寧形」になることもあります。「～から」を使って丁寧に話したいときは、「丁寧形＋から、丁寧形」の形を用いるほうがいいでしょう。

● 「～からだ／です」

「～からだ」は次の(4)や(5)のような形をとります。

(4) きょう来たのはあなたに話があるからです。
(5) A：どうして休んだんですか。
　　B：おなかが痛かったからです。

(4)の形は強調構文と言われ、「きょう来た」ことの理由を明確にするために使われます。(⇒53 名詞節「～こと・～の」)
　(5)は「どうして」や「なぜ」を使った質問に対する答えに、「～からだ／です」が使われています。

● 終助詞的な「から」

　終助詞というのは、文の終わりに付いて、話し手の気持ちを表したり、聞き手に働きかける助詞です。代表的なものには「か・ね・よ・な」などがあります。(⇒31 終助詞「か・ね・よ」)
　終助詞的な「から」は次のような形をとって、追加的な軽い理由付けを表します。

＿＿＿＿＿＿＿＿＿＿。　＿＿＿＿＿＿＿＿＿から。
　　　　前文　　　　　　　　　　後文

(6) いいんです。もう終わったことですから。
(7) A：あしたどうする。
　　B：うーん。あとで電話するから。

●「〜てから」と「〜(た)から」

　学習者の質問の5については、「62 〜前に・〜あとで・〜てから」の「指導法あれこれ」のところで説明してありますので、参考にしてください。

●前置きの「〜が」と「〜から」

　学習者の質問の6については、「58 〜が・〜けれども」の「指導法あれこれ」のところで説明してありますので、参考にしてください。

●理由を表さない「〜から」

　「〜から」文の中には、直接的には理由を表さない「〜から」もよく現れます。

　(8)　僕の部屋に引き出しがあるから、中から書類を持って来て。
　(9)　さっきお会いしたから、先生はまだ学校にいらっしゃるはずだ。

(8)(9)の「〜から」は直接的な理由を表しているわけではありません。(8)では、「部屋に引き出しがある」ことが理由で書類を持って来るわけではありません。また(9)も、「さっき会ったから」先生がまだいるのではありません。
　このように、直接的な理由を表さないけれど、「〜から」を使うことがよくあります。これは「理由を表さない「〜から」」とか a weak reason（弱い理由）を表す「〜から」として説明されています。
　外国人学習者の中にも、日本人の使う「〜から」文を聞いて、理由を表していないと指摘することがあります。日本人は、間接的には「理由」を表していると理解していますが、学習者にはわかりにくいようです。

指導法あれこれ

　特に、終助詞的な「〜から」は外国人学習者にはなかなかわかりにくいものです。私自身も『An Introduction to Modern Japanese』(IMJ)(1977)という初級教科書を使う前までは、理由の「〜から」は「おなかが痛いから、病院へ行く。」のように2文をつなぐ「から」しか教えたことがなかったので、終助詞的な「から」をどう教えればいいのか戸惑いました。

　IMJは会話教育に重点を置いた教科書です。この中では「ちょっと待ってください。お茶をいれますから。」という表現が、2文接続の「から」よりも先に出てきます。

　現在でも学習者がすんなりとわかる教え方は見つからないのですが、ここで少し考えてみましょう。

1) まず、実際の日本人の会話やドラマを聞かせて、文末に「〜から」がどのように現れるかを観察させる。学習者に課題として、実際に発話された文を収集させてもよい。

2) 終助詞的な「から」の意味用法の中から比較的よく使われる「から」の使い方を紹介する。これは相手を慰めたり安心させたりする意味合いを持ち、うしろに「大丈夫ですよ」という話し手の気持ちが入っていると説明する。例えば、次のような会話を導入する。

　　(10) A：きのう貸してあげた辞書は。
　　　　 B：あ、忘れてしまいました。
　　　　 A：……
　　　　 B：待っててください。すぐ取ってきますから。
　　(11) A：(電話で)どう行ったらいいですか。
　　　　 B：まっすぐ来てください。すぐわかりますから。
　　(12) A：お金ないんだけど。
　　　　 B：いいから、いいから。私が払うから。

3) (10)〜(12)の会話を自然な音調で何度か聞かせる。

4）学習者に練習させる。練習のときは、「から」がない場合と比較させてもいい。

　　(10)'　B：待っててください。すぐ取ってきます。
　　(11)'　B：まっすぐ来てください。すぐわかります。
　　(12)'　B：いい、いい。私が払う。

「から」がないとやや事務的な言い方になってしまいます。
　このようにして、少しずつ終助詞的な「から」に親しませる方法はどうでしょうか。ただし、練習するとしても「から」は強調せず、小さな声で言うように指導してください。

指導ポイント

1．学習者は理由を表す「〜から」節と、主節の順序を逆にしてしまうことがある。日本語では、「〜から」が先に来て、主節があとに現れることを十分理解させ、練習すること。
2．「い形容詞」が「から」と接続するとき、「高いだから」「寒いだから」と「だ」が付きやすいので注意すること。
3．2文接続の「から」、終助詞的な「から」、理由を表さない「から」など、「〜から」にはいろいろな用法があるので、教師は整理して提出すること。

56 〜ので

A：もしもし、林ですが。
B：ああ、林さん。
A：ちょっと体調が悪いので、きょうお休みします。
B：風邪ですか。
A：そうだと思うんですが。
B：わかりました。どうぞお大事に。

学習者はどこが難しいか。よく出る質問。

1．「〜ので」と「〜から」はどこが違うの？
2．「〜ので」の文では、主節の文末に意志表現がとれないの？
3．「ので」の前はいつも普通形が来るの？
4．「な形容詞＋なので」「名詞＋なので」がなかなかできない。

学習者の誤用の例

1．約束しましたので、時間通りに来るだろう。
　→約束したので、時間通りに来るだろう。／約束しましたので、時間通りに来るでしょう。
2．うるさいので、静かにしろ。→うるさいから、静かにしろ。
3．試合がもうすぐので、準備しておきましょう。
　→試合がもうすぐなので、準備しておきましょう。
4．学校が遠いので、家から30分ぐらいかかるので、オートバイを買う。
　→学校が遠くて、家から30分ぐらいかかるので、オートバイを買う。

説 明

●理由「～ので」（2文接続の「～ので」）

2文が接続して、理由を表す「～ので」は次のような形をとります。

```
_____ ので、_____
        前文                       後文    （文末）
        従属節                     主節
```

1．主節と意志表現

「～ので」と「～から」は意味用法が似ていますが、「～ので」は本来、因果関係（理由と結果）や事実関係を論理的に述べるときに使われます。（⇒55 ～から）

(1) 家賃が安いので、ここに引っ越した。
(2) きのう会合があったので、帰りが遅くなった。

「～から」は命令や誘いなどのいろいろな意志表現をとることができますが、「～ので」では命令などの強い意志を表すものとはつながりにくいようです。（⇒32 ムード（モダリティ））

(3) すぐまいりますので、少々お待ちください。（依頼）
(4) もう遅いので、家へ帰りたい。（願望）
(5) いい天気なので、散歩に行こう。（意向）
(6) ? うるさいので、静かにしなさい。（命令）
(7) ? うるさいので、静かにしろ。（命令）

2．「ので」の前に来る語の形

「ので」の前に来る語は普通形をとります。「な形容詞」「名詞＋だ」の接続の仕方に注意してください。

動詞		な形容詞	
行く 行かない 行った 行かなかった	＋ので	元気な 元気じゃ／ではない 元気だった 元気じゃ／ではなかった	＋ので
い形容詞		名詞＋だ	
忙しい 忙しくない 忙しかった 忙しくなかった	＋ので	休みな 休みじゃ／ではない 休みだった 休みじゃ／ではなかった	＋ので

(8)　あしたは仕事が休みなので、徹夜しても大丈夫だ。

(9)　あしたは仕事が休みなので、徹夜しても大丈夫です。

文全体が(8)のように普通体でも、また、(9)のように丁寧体でも、「ので」の前には普通形が来ます。

　ただし、丁寧な話しことばでは、次のように「ので」の前に丁寧形が接続することも多いです。

(10)　ドアが閉まりますので、ご注意ください。

(11)　あした伺いますので、よろしくお願いします。

●**終助詞的な「ので」**

「から」ほどではありませんが、「ので」が終助詞的に使われることがあります。

(12)　ちょっとお待ちください。すぐ取ってきますので。

(13) A：どうしたらいいかな。

　　B：大丈夫です。私がやっておきますので。

● 「～から」と「～ので」の比較

「～から」と「～ので」は多くの場合、置き換えが可能です。ただし、両者には次のような違いがあります。

	～から	～ので
文体	話しことば。論文などの書きことばで使ってはいけない。	基本的には話しことばであるが、書きことばに使うこともある。
主観性	理由付けに対する話し手の気持ち・感情を表す。	主に因果関係（理由と結果）や事実関係を表す。
意志表現	いろいろな意志表現ができる。	命令などのあまり強い意志表現はできない。
丁寧度	話し方によって丁寧さを欠くことがある。	丁寧である。「～ます／ですので」を使ってより丁寧な表現ができる。

この比較は絶対的なものではなく、どちらかと言えばそう言えるという程度を示したものです。

指導法あれこれ

「学習者の誤用の例」4を見てください。ここでは「～ので～ので」と1文の中に2度も「～ので」が使われています。次の(14)(15)も学習者は同じ誤りをしています。

　(14) ？ きょう大使館へ行くので、忙しいので、学校へ行きません。
　(15) ？ お金がないから、辞書が買えないから、困ります。

1文に理由を表す従属節が複数来る場合、学習者はしばしば(14)(15)のように、「～から～から」「～ので～ので」と同じものを並べてしまいます。「～から」と「～ので」の組み合わせ方の注意や、理由を表す「～て」「～ために」への置き換えなどが必要になります。(⇒57 ～ために・～ように) (⇒59 ～て)

(14)は(16)に、(15)は(17)a、bに直すことができます。

　　(16)　きょう大使館へ行くので、忙しいから、学校へ行きません。
　　(17) a．お金がなくて、辞書が買えないから、困ります。
　　　　b．お金がなくて、辞書が買えないので、困ります。

訂正文の(16)(17)は、図で示すと次のようになります。

　　(16)'　　きょう大使館へ行くので、忙しいから、学校へ行きません。
　　(17)' a． お金がなくて、辞書が買えないから、困ります。
　　　　b． お金がなくて、辞書が買えないので、困ります。

(16)(17)には従属節が「〜から」「〜ので」「〜て」と3種類出ています。しかし、それらには「含む・含まれる」において大小関係があり、この3種類では次のようになります。
　　〜から＞〜ので＞〜て

(16)では「大使館へ行くので、忙しい」全体を理由付けにするためには、「含む・含まれる」関係において「〜ので」を含むことのできる「〜から」を、次に持ってくる必要があります。

(17)a、bでは、「お金がなくて、辞書が買えない」の理由付けとして、「〜て」を含むことができる「〜から」も「〜ので」も使うことができます。

指導ポイント

1. 「～ので」と「～から」の使い分けは日本人の間でもだんだんなくなってきている。しかし、「～ので」文では、主節に命令形などの強い意志表現が現れにくい。
2. 「ので」の前は通常、普通形が来るが、「な形容詞」「名詞＋だ」の非過去・肯定では、「～なので」となる。「安いなので」などになりやすいので、十分練習させること。
3. 「ので」の前には動詞・形容詞の普通形だけでなく、丁寧形が用いられることも多い。特に、アナウンスや丁寧な話しことばでは「～ますので」「～ですので」などが使われる。学習者にはそのことにも言及しておいたほうがよい。

57 〜ために・〜ように

A：情報工学を勉強するために日本へ来ました。
B：そうですか。日本語はどうですか。
A：国で1年勉強してきました。
B：そうですか。お上手ですよ。
A：いえ、いえ、もっと上手に話せるように、今日本語学校で勉強しています。

学習者はどこが難しいか。よく出る質問。

1. 原因・理由を表す「〜ために」と目的を表す「〜ために」を混同する。
2. 「ために」の前の語を正しく接続できない。
3. 目的「〜ために」と「〜ように」の使い分けが難しい。
4. 目的「ために」の前には意志動詞が、「ように」の前には無意志動詞（可能形や自動詞）が来るの？

学習者の誤用の例

1. 一番よい成績をとったために、みんなにほめられました。
  →一番よい成績をとったので、みんなにほめられました。
2. 新しいアパートに引っ越したのために、宮本さんに連絡できなかった。
  →新しいアパートに引っ越したために、宮本さんに連絡できなかった。
3. 大学に入るように、毎日受験勉強しています。
  →大学に入れるように、毎日受験勉強しています。
4. 日本の文化をわかるように、日本に何年も住まなければなりません。
  →日本の文化がわかるためには、日本に何年も住まなければなりません。

説 明

「～ために」は原因・理由を表す「～ために」と、目的を表す「～ために」があります。両方とも次のような文の形をとります。

```
_____ ために、_____
     前文                      後文    （文末）
  原因・理由を表す従属節           主節
    目的を表す従属節
```

「ため」は（形式）名詞なので、前に来る述語は名詞修飾と同じ普通形（「な形容詞」の非過去・肯定では「～な＋ために」、「名詞＋だ」では「～の＋ために」）をとります。

● 原因・理由を表す「～ために」

原因・理由を表す「～ために」では、「雪のために」「病気のために」などの「名詞の＋ために」の形、また、「雪が降ったために」「家が倒壊したために」のように「動詞のタ形＋ために」の形をとることが多いです。原因・理由の「～ために」は書きことばで用いられることが多い表現です。

１．主節と意志表現

原因・理由を表す「～ために」は、本来、因果関係（原因・理由と結果）や事実関係を論理的に述べるときに使われます。

(1) 急用ができたために、午後の会議には出られない。

したがって、主節の文末には意志表現はとりません。

(2) ？急用ができたために、午後の会議は休ませてください。

原因・理由を表す「～ために」は「に」を省略しても意味は変わりません。

(3) a．雨が続いたために、作物に被害が出た。
　　 b．雨が続いたため、作物に被害が出た。

原因・理由を表す「～ために」文では、(1)や(3)のように、後文（主節）にはよくないことが来やすいです。

２．「～ために」節の中の主語

「～ために」節の中の主語は「が」をとります。主節の「主語」は「は・が」の規則にしたがって、「は」をとったり「が」をとったりします。(⇒28「は」と「が」)

(4)　マンションが建ったために、部屋に日が射さなくなった。

●目的を表す「～ために」

目的を表す「～ために」では、「自分のために」「家族のために」などの「名詞の＋ために」の形、また、「生きるために」「入学するために」のように「動詞の辞書形＋ために」の形をとることが多いです。動詞は意志動詞が来ることが多いです。

原因・理由を表す「～ために」と異なり、目的を表す「～ために」では、(6)(7)のように主節の文末に意志表現をとることができます。

(5)　家族を守るために頑張りました。
(6)　家族を守るために頑張ってください。
(7)　家族を守るために頑張れ。

●目的を表す「～ように」

「～ようだ」のところで、例示の「～ように」、比喩の「～ように」について説明しています（⇒22　～ようだ（～みたいだ））。ここでは、目的を表す「～ように」について説明します。

目的を表す「～ように」も、「～ために」と同じように、次のような文の形をとります。

_____ ように、_____
　　　　　　前文　　　　　　　　　　　後文　　（文末）
　　　　目的を表す従属節　　　　　　　主節

(8) 日本語の会話が理解できるように、毎日テープを聞いている。
(9) 子供が元気に育つように、親は頑張っている。
(10) 風邪がひどくならないように、薬を飲んで早めに寝よう。

これらの例文からわかるように、「ように」はその前に、無意志動詞（可能形や自動詞）、動詞のナイ形が来ることが多いです。これは、「～ように」が「そういう事柄・状況が結果として成立するように」という意味合いを持つからです。「～ために」が意識的に目的達成の意志を表すのに対して、「～ように」は「結果としてそうなることを目的として」という意味を表します（⇒41 意志動詞・無意志動詞）。「～ように」節の中の主語は「～ために」と同じく「が」をとります。

次に(11)を見てください。

(11) 子供が何でも食べるように、私は料理に工夫をしています。

(11)では「ように」の前に意志動詞の「食べる」が来ています。「ように」の前には無意志動詞（可能形や自動詞）、動詞のナイ形が来ることが多いと説明しましたが、(11)のように「～ように」節の主語（子供）と主節の主語（私）が異なるときは、意志動詞が来ることもあります。

指導法あれこれ

「説明」では原因・理由を表す「～ために」は動詞のタ形を、目的を表す「～ために」は意志動詞の辞書形をとることが多いと説明しました。しかし、そうでない場合もあります。次の例は原因・理由か目的か考えてみてください。

(12) 彼女は太るために、ジムに通っている。
(13) 子供がたくさん食べるために、お米の買い置きを欠かさない。
(14) 子供が私立名門校に入るために、500万円借金をした。

(12)～(14)は「～ために」まで読むと「目的」を表しているように思ってしまいそうですが、実は、原因・理由にもとれる文です。

(12)は、太りたいのが目的でジムに通っているのか、太ってしまうのがいやなので（理由）、ジムに通っているのかどちらにも解釈できます。(13)も、子供がたくさん食べられるように（目的）、米の買い置きをするのか、子供がたくさん食べてしまうから（理由）、買い置きするのか判断の分かれるところです。(14)も、名門校に入る目的でなのか、名門校に入ることが原因・理由で借金をしたのかわかりにくいです。

　初級レベルの間は、「動詞のタ形→原因・理由」「動詞の辞書形→目的」と割り切って教えるのもよい方法だと思いますが、簡単にはそう言い切れないことを、指導する側が承知しておく必要があります。

　原因・理由と目的の「〜ために」が両義に解釈できることの一つの理由は、理由と目的が根本的には同じことだからと考えられます。

(15)　電子工学を勉強するために、日本へ来ました。

(15)は電子工学を勉強することが日本へ来た理由であり、それが目的でもある、つまり、理由と目的は多くの場合連続性のあるものと言えるでしょう。

指導ポイント

1. 原因・理由を表す「ために」は動詞のタ形をとって「～たために」となることが多い。また、名詞とともに「～のために」が使われることも多い。目的を表す「ために」は動詞・辞書形をとって「～(る)ために」となることが多い。また、名詞とともに「～のために」が使われることも多い。
2. 原因・理由を表す「～ために」と目的を表す「～ために」の使い分けを、形の上からも意味の上からも、混同しないように、わかりやすい説明と十分な練習をすること。
3. 目的を表す「～ように」は「結果としてそうなるように」という形と意味を持つ。「ように」の前には結果の状態を表す無意志動詞（可能形や自動詞）、動詞のナイ形などが来ることが多い。「～ように」が定着するまでは、それらの動詞で練習するとわかりやすい。
4. 「～ために」「～ように」節の主語は、ほかの従属節と同じく「が」をとる。一方、主節は「が」をとったり、「は」をとったりするが、それは1文での「は・が」の使い方と同じ。

58 ～が・～けれども

A：コンピュータの調子が悪いんですが。
B：いつからですか。
A：もう１週間になります。
B：メーカーに電話しましたか。
A：ええ、２、３度かけたんですが、つながらないんです。

学習者はどこが難しいか。よく出る質問。

1．「～が」と「～けれども」の使い方に違いはあるの?
2．「～けれども」と「～けれど」「～けど」はどう違うの?
3．前文（従属節）・後文（主節）の文体の不一致が起こりやすい。
4．「～が」「～けれども」の文で対比を表す「は」が使えない。
5．「おもしろくて難しい」と「おもしろいが難しい」の混同が起きる。

学習者の誤用の例

1．そのゲームが 難しそうけど、やってみないとわからない。
　→そのゲームは 難しそうだけど、やってみないとわからない。
2．買物をしたいですが、金がない。
　→買物をしたいが、金がない／買物をしたいですが、お金がありません。
3．漢字が難しいですが、文法がやさしいです。
　→漢字は難しいですが、文法は／がやさしいです。
4．日本語はおもしろくて難しいです。
　→日本語はおもしろいですが、難しいです。

説 明

「～が・～けれども」は次のような文の形をとります。

　　　＿＿＿＿＿＿＿＿＿　が、　　　＿＿＿＿＿＿＿＿＿
　　　　　前文　　　　けれども、　　　　後文　　（文末）

　「～が」と「～けれども」は置き換え可能な場合が多いですが、「～が」はやや改まった硬い言い方で、書きことばに用いられます。話しことばの場合、普通形に「が」を用いると、男性のことばづかいになります。
　一方、「～けれども」は普通体で用いられると「～が」より、話しことば的でくだけた感じになりますが、丁寧体の中で用いられると、くだけた感じはなくなります。「～けれども」が短縮した「～けれど」「～けど」は、より話しことば的になります。
　「～が・～けれども」は2文を接続する形で、逆接や対比を表しますが、そのほかに、前置きとして話題を持ち出す役割をしたり、発話の終わりでことばを濁すことに使われたりします。

● 2文接続の「～が・～けれども」

1）逆接を表す「～が・～けれども」
　次の(1)(2)のように、前文から予測されることとは違った結果が後文に表されることを逆接の関係にあると言います。

　　(1)　図書館で調べたが、わからなかった。
　　(2)　野菜は嫌いですけれども、頑張って食べています。

　「～が・～けれども」の文は(3)(4)のように「丁寧形＋が／けれども、丁寧形」「普通形＋が／けれども、普通形」の形で用いられます。

　　(3)　図書館で調べましたが、わかりませんでした。
　　(4)　野菜は嫌いだけれど、頑張って食べている。

2）対比を表す「〜が・〜けれども」

　逆接と対比の区別は難しいですが、対比は前文と後文で反対のことが述べられてはいても、特に因果関係（原因・理由と結果の関係）がありません。次の例を見てください。

　(5)　とり肉は食べるが、牛肉は食べない。
　(6)　ひらがなはやさしいけど、カタカナは難しい。

対比を表す場合、対比されるもの（「とり肉」と「牛肉」、「ひらがな」と「かたかな」）は、取り立て助詞「は」をとることが多いです。（⇒28「は」と「が」）
　「学習者の誤用の例」4の「おもしろくて難しい」（並列関係）と「おもしろいが難しい」（対比関係）の混同も、対比とかかわるものです。

　(7) A：日本語はどうですか。
　　　B：a. おもしろくて、難しいです。
　　　　　b. おもしろいですが、難しいです。

Bのaもbも間違いではありません。しかし、人の評価・判断から見たとき、「おもしろい」がプラス評価であるのに対し、「難しい」はマイナス評価です。日本語ではプラス・プラス評価、または、マイナス・マイナス評価のときは並列表現（「〜て」「〜し」など）で、プラス・マイナス評価、または、マイナス・プラス評価のときは対比表現（「〜が・〜けれども」「〜のに」など）で表すことが普通です。（⇒59 〜て）（⇒61 〜し）（⇒69 〜のに）

　(8) a. 日本語はやさしくて、おもしろいです。
　　　　　　　　　　＋　　　　　＋
　　　b. 日本語は難しくて、複雑です。
　　　　　　　　　－　　　　－
　(9) a. 日本語はおもしろいですが、難しいです。
　　　　　　　　　　＋　　　　　　　－
　　　b. 日本語は難しいですが、おもしろいです。
　　　　　　　　　－　　　　　　＋

3）前置きを表す「〜が・〜けれども」
　次の例のように、話の切り出しに「〜が・〜けれども」が使われます。これによって一つの話題が会話の中に導入されることになります。

　⑽　A：午後の会議のことなんですけど。
　　　B：はい、何ですか。
　　　A：10分ばかり遅れますけど、よろしいでしょうか。
　⑾　(ディスカッションで)
　　　A：さっきBさんが出された意見についてなんですが、反対意見を述べたいと思います。
　　　B：はい、どうぞ。

前置きとして、話題を持ち出す「〜が・〜けれども(「けど」となることが多い)」は「の(ん)だ」と結び付いて、⑽⑾のように「〜(な)んですが／けど」として用いられることが多いです。

4）終助詞的な「〜が・〜けれども」
　多くは文の終わりに付けて、ことばを濁したり、言いよどんだりするときに用いられます。

　⑿　(電話で)もしもし、小林と申しますが。
　⒀　A：お借りできますか。
　　　B：そんなこと言われても困るんですけど。

ことばを濁す(終助詞的な)「〜が・〜けれども」は、話題を持ち出す場合と同じく、「の(ん)だ」と結び付いて、「〜(な)んですが／けど」として用いられることが多いです。

指導法あれこれ

　学習者は「前置き」の「〜が・〜けれども」をなかなか使うことができません。次のように「から」を使ってしまうことがよくあります。

　　⑭？頭が痛いですから、午後休んでもいいですか。
　　⑮？お話ししたいことがありますから、よろしいでしょうか。

⑭⑮は文としては間違いではありません。しかし、もし、これを上の人に使う場合は、自分の理由を押し付けているようで、あまり適切ではありません。次のようにすべきです。

　　⑭'頭が痛いんですが、午後休んでもいいですか。
　　⑮'お話ししたいことがあるんですけど、よろしいでしょうか。

　この「前置き」の「〜が・〜けれども／けど」は、実際の会話練習で、「申し出」「許可求め」の状況を設定して練習させる必要があります。
　また、練習のときは使えても、日にちが経つと忘れてしまいやすいので、何度か練習を繰り返す必要があります。
　「申し出」「許可求め」に関連して、相手を誘うときの誘い方について考えてみましょう。誘い方には二つの方法が考えられます。

　１）「まず、ひまかどうか聞く」
　　Ａ：Ｂさん、今度の日曜日ひまですか。
　　Ｂ：う〜ん、別に予定はないですけど。
　　Ａ：それはよかった。実は、うちでみんな集まるんだけど、ぜひ来てください。

　１）の場合は、まず「ひまかどうか」を聞いて、それから、用件を持ち出すという順序を踏みます。誘いにOKのときはこれでいいですが、もし、「集まり」に行きたくないとき、最初に「日曜日はひまだ」と言ってしまっているので、断る口実がなくなってしまいます。
　では次の場合はどうでしょうか。

2)「まず、用件を話す」
　A：Bさん、来週の日曜日うちでみんな集まるんですけど、いらっしゃいませんか。
　B：来週ですか。
　A：ええ。
　B：来週はちょっと用事があって、出かけるんです。
　A：そうですか。
　B：残念ですけど。

　2)の場合は、日時と用件をまず話して、それから都合を聞きます。ですから、誘いを断る場合も、その日に用事があることを口実にしやすくなります。
　日本人の誘いの一般的な形は1が多いようですが、学習者の国ではどのように誘うのかを聞いてみるのもおもしろいでしょう。
　いずれにしろ、この二つの会話を見ても、「〜が・〜けれども」が何回か使われています。会話をやわらかく進める上でも、「〜が・〜けれども」は欠かせない道具だということがわかります。

指導ポイント

1. 「〜が・〜けれども」で結ばれた前文と後文の文体を一致させること。前文が普通形なら後文も普通形、前文が丁寧形なら後文も丁寧形にすること。
2. 「〜が」と「〜けれども」では、「〜が」が改まった場で使われやすい。「〜けれども」は「〜けど」となって会話で使われることが多い。
3. 「〜が・〜けれども」は、逆接、対比、前置き、言いよどみなどの用法がある。前置き、言いよどみは自然な会話習得には不可欠なので、具体的な場面・状況で自然なイントネーションでできるように十分練習する必要がある。
4. 対比的用法では、前文と後文の何と何が比べられているのかを学習者に十分考えさせること。対比するものは「は」をとりやすいことも指導しておくこと。

59 〜て

A：どうしたんですか。
　　ちょっと顔色が悪いですよ。
B：ええ、ゆうべはおなかが痛くて、
　　眠れませんでした。
A：ま、座って話しましょう。
　　もう大丈夫なんですか。
B：まだ本調子じゃないので、
　　早退しようと思っています。
A：それがいいですよ。
B：課長に会って、話してきます。

学習者はどこが難しいか。よく出る質問。

1．初級の段階では、正しくテ形が作れない。
2．いくつも動詞を「〜て」でつなげてしまう。
3．付帯状況の「〜て」と「〜ながら」の使い分けができない。
4．理由を表す「〜て」がうまく使えない。「〜から」「〜ので」「〜ために」と混同してしまう。
5．「〜て〜て」と形容詞を並べるとき、不釣り合いなつなぎ方をしてしまう。

学習者の誤用の例

1．きのうは東京へ行って、デパートへ行って、映画を見て、晩ご飯を食べて、宿舎へ帰りました。
　→きのうは東京へ行きました。東京でデパートへ行ってから、映画を見ました。それから、晩ご飯を食べて、宿舎へ帰りました。

2．きのうは起きて、日本語を勉強して、食べて、寝ました。
   →きのうは日本語を勉強しました。そして、ご飯を食べて、寝ました。
3．このりんごはおいしくて赤くて大きいです。
   →このりんごは赤くて大きくておいしいです。
4．寒くてヒーターをつけよう。→寒いからヒーターをつけよう。
5．手紙が来なくて、電話をかけました。→手紙が来ないので、電話をかけました。

説 明

●文接続の「〜て」の意味用法

　ここでは例文にあるように、「〜て」が次の文にかかっていく形を見ます。2文（2文以上の場合もある）が接続するとき、次のような形をとります。

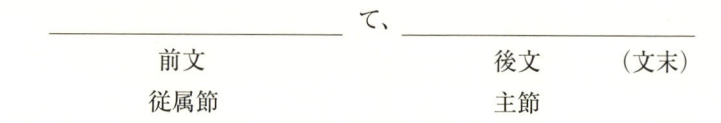

_____	て、	_____	
前文		後文	（文末）
従属節		主節	

　前文・後文の内容や、述語（動詞・形容詞など）の種類によって意味用法が変わってきます。以下では「〜て」が動詞の場合と形容詞・「名詞＋だ」の場合に分けて考えます。

1．動詞の場合

1）継起（動作が続いて起こる）を表す

　（1）　本屋へ行って日本語の辞書を買った。
　（2）　歯をみがいて寝なさい。

「継起」では前文と後文に時間の前後関係が生じます。

２）付帯状況（その動作がどのような状況・状態で行われているか）を表す

(3)　座って話しましょう。
(4)　めがねをかけて運転をする。

「付帯状況」では後文の動作がどのような状況・状態で現れているかを「〜て」で表します。

３）理由を表す

(5)　子供が泣いて、困りました。
(6)　父から手紙が来て、とてもうれしかった。

理由を表す「〜て」では、(5)(6)のように、後文には無意志動詞か状態を表す表現が来ます。

４）並列を表す

(7)　兄が三味線を弾いて、弟が太鼓をたたく。

２．形容詞・「名詞＋だ」の場合

１）並列を表す

(8)　この子犬は小さくて丸い。
(9)　彼女はほがらかで明るい。
(10)　ここは筑波大学で、私の母校です。

２）理由を表す

(11)　ゆうべはおなかが痛くて、眠れなかった。
(12)　この機械は複雑で、使えません。
(13)　銀行が休みで、お金が引き出せない。

(11)〜(13)のように、後文には無意志動詞か状態性を表す表現が来ることが多いです。

● 「〜て」の否定形

1．動詞の場合

動詞の「〜て」の否定形は「〜ないで」と「〜なくて」の二つの形があります。「〜ないで」は継起や付帯状況に使われます。

(14) a． 朝ご飯を食べないで会社に行った。（継起）
　　 b．？朝ご飯を食べなくて会社に行った。
(15) a． めがねをかけないで運転をする。（付帯状況）
　　 b．？めがねをかけなくて運転をする。

「〜なくて」は理由を表すときに用いられます。

(16) a． バスが来なくて、いらいらした。
　　 b．？バスが来ないで、いらいらした。

2．形容詞・「名詞＋だ」の場合

形容詞・「名詞＋だ」の否定形は「〜なくて」だけです。

(17) このかばんは重くなくて、ちょうどいい大きさだ。（並列）
(18) 故障の原因が簡単じゃなくて、困っている。（理由）

指導法あれこれ

「説明」で「〜て」の用法を紹介しました。それぞれについて、指導上気をつけたほうがよいのは次の点です。

1．動詞の継起について

学習者は「〜て」の継起用法を習うと、「学習者の誤用の例」1のように、「〜て〜て〜て」といくつもつなげて文を作ろうとします。しかし、実際の日本語の文では「〜て」が三つも四つも並ぶことは少なく、一つか二つの場合が多いようです。「〜て」は一つか二つしか使わないよう指導する必要があります。

「学習者の誤用の例」2は生活の活動（日本語を勉強する、食べる）と同列に「起きる」があるので不自然になっています。引き続き起こる事柄として同列に並べるのでなく、もし「起きる」を入れたいのであれば、「起きてから」とすべきです。

2．付帯状況について

「立って話す」「テープを聞いて英語の勉強をする」など、付帯状況を表す「〜て」は直接次の動詞にかかります。学習者は付帯状況の「〜て」を「〜ながら」と混同しがちです。「テープを聞いて英語の勉強をする」では「〜ながら」にも置き換えることができますが、本来は「めがねをかけて運転する」「立って話す」のように、動作が同時に進行するのではなく「そのような状態・状況で」という意味だということをよく理解させる必要があります。

3．形容詞の並列について

「学習者の誤用の例」3は、形容詞を並べていますが、「赤い」「大きい」はりんごの色や形状を表していて、「おいしい」は味についての判断・評価を表します。3の文では、「おいしい」の位置が変に思われます。

　　3 ? このりんごはおいしくて赤くて大きいです。

次のようにすればどうでしょうか。

　　3' このりんごは赤くて大きくておいしいです。

色や形状などの外観を表すものを先に、最後に「おいしい」を持ってくれば文が適切になります。このように、「おいしい」のように話し手の判断・評価を表す表現は並列の最後に持ってきたほうがいいと言えます。

学習者は「日本語はおもしろいですが、難しいです。」のように対比表現で表すべきところを、「日本語はおもしろくて難しいです。」と並列表現で表すことがあります。これについては、「〜が・〜けれども」のところで説明してありますので、参照してください。（⇒58 〜が・〜けれども）

4．理由について

　動詞の場合にも、形容詞・「名詞＋だ」の場合にも当てはまることですが、「～て」が理由を表すのか、単なる並列を表すのかは、前文と後文の意味内容によるところが大きいです。また、理由を表す場合は、後文に無意志動詞や状態性の表現が来ることが多いです。

　「説明」(11)～(13)ははっきり理由を表していると言えますが、次のような文では「忙しいから休みがとれない」のか、単に「忙しい、そして、休みがとれない状態だ」と言っているのかははっきりしません。

　(19)　仕事が忙しくて、休みがとれません。

(19)のように並列か理由かはっきり分けられない文は実際には多く現れます。

指導ポイント

1. まず、動詞・形容詞のテ形を正確に作れるように徹底すること。
2. 継起表現では、学習者は「～て～て～て」と「～て」を使い過ぎて文を続ける傾向がある。一つか二つにするように指導し、練習すること。
3. 付帯状況の「～て」は習得しにくいので、よく使われる例（「立って話す」「めがねをかけて運転する」など）を十分示し、練習すること。
4. 並列を表す「～て」では、動詞、形容詞を無差別に並べるのではなく、同じ種類・グループの語が並べられるように、指導すること。
5. 「～て」自体は２文を結合する働きがあるだけで、どのような関係（理由・継起・並列など）を表すかは、前文と後文の意味内容や述語の種類などにかかわってくる。理由をはっきり表したいときは「～て」でなく「～から」「～ので」「～ために」を使うように言及しておくこと。
6. 「～て」が理由を表すためには、前文・後文が意志表現か無意志表現かがかかわってくる。はじめは、前文・後文とも無意志表現（例：難しくて覚えられない）から練習を始めたほうがよい。

60 〜たり

A：休みの日はどうしているんですか。
B：手紙を書いたり、買物に行ったりしています。
A：あしたのご予定は。
B：あしたは新宿へ行って、映画を見てこようと思っています。
A：へえ、いいですね。
B：映画を見て、本屋に寄ってくるつもりです。

学習者はどこが難しいか。よく出る質問。

1. 動詞の「〜たり」の形が正しく作れない。
2. 形容詞や「名詞＋だ」の「〜かったり」「〜だったり」が使えない。
3. 「〜たり〜たりする」の最後の「たりする」が脱落してしまう。
4. 「〜たり」の使い方がわからない。「〜て」とどう違うのか。
5. 繰り返しを表す「〜たり、〜なかったり」が使えない。

学習者の誤用の例

1. 運転手は道を渡る人を見ると、さけるまたは止まることが多い。
   →運転手は道を渡る人を見ると、さけたり、止まったりすることが多い。
2. 私はさびしいとき、音楽を聞いたり手紙を書きます。
   →私はさびしいとき、音楽を聞いたり手紙を書いたりします。
3. このごろは暑かたり、涼しかたりです。
   →このごろは暑かったり、涼しかったりです。

4．きのうは顔を洗ったり、本を読んだり、コーヒーを飲んだりしました。
　→きのうは本を読んだり、コーヒーを飲んだりしました。

説　明

● 「～たり（～たり）する」

　「～たり（～たり）する」には複数の用法があります。主なものは、複数の事柄や行為の中からいくつかを例として取り上げる（例示・並列）用法ですが、ほかにも、反対の語を並べて動作・状態の「繰り返し」を表す用法もあります。

　1）例示・並列の「～たり（～たり）する」
　「～たり（～たり）する」の形で、事柄や行為の中から二つか三つ取り上げ、それだけでなく同様のことをほかにもする（同様のことがほかにもある）ことを暗示します。

　　(1)　わからないと、彼に聞いたり、インターネットで調べたりする。

　例示する「～たり」が一つのこともあります。

　　(2)　わからないと、インターネットで調べたりする。

(2)は「インターネットで調べるほかに、ほかのこともする」という意味合いを持ちます。
　「～たりする」の「する」は「～たりした」「～たりしている」「～たりしてください」のように変化します。文全体のテンス・アスペクトも(2)'(2)"のように「した」「している」と「する」の部分で表します。

　　(2)'　彼に聞いたり、インターネットで調べたりした。
　　(2)"　彼に聞いたり、インターネットで調べたりしている。

　次の(3)(4)は動作を例示的に並べていますが、並列に並べるときには約束事があって、同じ性質のグループのものを並べる必要があります。（⇒59　～て）

(3)　休みの日は掃除をしたり洗濯をしたりする。
　(4)　ゆうべは遅くまで、旧友と飲んだり食ったりした。

「学習者の誤用の例」4 では、「本を読む」「コーヒーを飲む」という動作に、「顔を洗う」が並んでいますが、「顔を洗う」は「本を読む」「コーヒーを飲む」とは性質が異なる動作であると同時に、当然だれもがすることなので不要となります。

　２）繰り返しを表す「〜たり〜たりする」「〜たり〜たりだ」

　(5)　家の前を砂利を積んだトラックが行ったり来たりしている。
　(6)　弟とはいつも喧嘩したり仲直りしたりです。

繰り返しが交互に起こることを表す「〜たり〜たりする」「〜たり〜たりだ」では、「行く－来る」「寝る－起きる」「上がる－下がる」などの反対語どうしが来たり、(7)のように否定形が来たりします。動詞だけでなく、形容詞が来ることもあります。

　(7)　このごろは雨は降ったり降らなかったりです。
　(8)　暑かったり寒かったりの天気で、衣服の調節が難しい。
　(9)　わが社の業績は良かったり、良くなかったりだ。

指導法あれこれ

　ここでは並列助詞「と」「や」と並列を表す「〜て」「〜たり」との対応関係について見ていきたいと思います。

　テーブルの上にお皿、コーヒーカップ、ティーポット、スプーン、フォーク、ナプキン、花があるとします。テーブルの上にある「すべて」のものを並べ上げたいとき、日本語では次のように言うでしょう。

　(10)　お皿とコーヒーカップとティーポットとスプーンとフォークとナプキンと花がある。

一方、テーブルの上のいくつかを取り上げて、ほかのものもあるということを言いたいときはどうでしょうか。

(11)　お皿やコーヒーカップや花がある。

ここに出てきた「と」や「や」は名詞をつなぐ並列助詞、または、並立助詞と呼ばれるものです。

文を並べる場合、並列助詞「と」に対応するものが「～て」です。「～て」を使うことで、すべての動作や状態を並べ上げることができます。

(12) A：きのうは何をしたの。
　　 B：手紙を書いて、家を掃除して、洗濯して、買物に行って……、あとは、忘れちゃった。

一方、並列助詞「や」に対応するものが「～たり」です。「や」が数あるもの・人の中からいくつか取り上げるときに用いるように、行為や状態の中から2、3取り上げて、例を示す表し方が「～たり」です。

(13) A：きのうは何をしたの。
　　 B：手紙を書いたり、買物に行ったりして、けっこう忙しかったです。

指導ポイント

1. 「〜て」が網羅的にすべての動作・行為を羅列するのに対し、「〜たり」は動作の中からいくつかを取り出す。いくつかを取り出すことによってほかにも動作・行為をする(した)ことを示唆する働きを持つ。
2. 「〜たり」は動詞・形容詞・「名詞＋だ」のタ形に「り」を付けた形であるが、タリ形が正確に作れない学習者が多い。不正確な場合は、タ形に戻って練習すること。
3. 「〜たり」文は「〜たり〜たりする」のように最後の「たり」に「する」を付ける必要がある。学習者は「する」を忘れてしまいがちなので、十分注意すること。
4. 「〜たりする」の「する」自体が「〜たりした／している／していた」などに変化するので、これらも練習に取り込むこと。学習者のレベルを見ながら、「〜たりして…」と文を続ける練習もさせたい。
5. 「〜たり」は使えそうで、なかなか使えない表現なので、「〜たり」導入前にも、また、導入後にも意識的に教師が使用して、なじませる努力をしたほうがよい。

61 〜し

A：この台所はせまいし、不便だし、新しくしたほうがいいね。
B：そうだね。もう20年になるし。
A：業者に電話してくれる？
B：わかった。
　　　　⋮
B：もしもし、○○住宅さんですか。
C：はい、○○住宅です。
　　いつもお世話になっております。
B：あのう、台所がせまくて不便なので、
　　新しくしたいと思っているんですが。
C：あ、毎度ありがとうございます。

学習者はどこが難しいか。よく出る質問。

1．「〜し」が使えない。
2．並列を表す「〜し」と「〜て」の違いがわからない。
3．理由を表す「〜し」と「〜から」の違いがわからない。
4．「〜し」の文では名詞のうしろには必ず「も」を付けなければならないの？

学習者の誤用の例

1．（修了式でのスピーチで）
　　いいコースで勉強した、とてもいい先生たちに教えていただきました。
　　→いいコースで勉強したし、とてもいい先生たちに教えていただきました。
2．兄弟では私は一番上ですし、弟が2人います。
　　→兄弟では私が一番上で、弟が2人います。

3．私は大学院に入りたい<u>しので</u>、筑波大学の研究生になりました。
　→私は大学院に入りたいので、筑波大学の研究生になりました。
4．スポーツが嫌いな<u>わけでないし</u>、見るだけにしているわけでもない。
　→スポーツが嫌いなわけでもないし、見るだけにしているわけでもない。

説　明

　「〜し」は一つで、または二つ以上で用いられ、「並列」を表します。普通体の中でも、丁寧体の中でも使うことができます。

　(1)　熱があるし、頭が痛い。
　(2)　熱がありますし、頭が痛いです。

　また、(3)のように、主節の文末が丁寧形であれば、「し」の前が普通形でも文全体は丁寧体を表します。

　(3)　熱があるし、頭が痛いです。

　「〜し」の文では、並列された語が「も」をとるほうが自然な場合が多いです。「も」は(1)'のように、一つだけ付く場合と、(2)'のように複数付く場合があります。

　(1)'　熱があるし、頭も痛い。
　(2)'　熱もありますし、頭も痛いです。

　また、(4)のように、「〜し」を用いて「理由」、特に「ゆるやかな理由」を表すことも多いです。

　(4)　雨も降っているし、風も吹いているし、きょうは行きたくない。

●並列（listing）を表す「〜し」

　動作や事柄を並べる用法ですが、同じ性質のグループのものを並べる必要があります。(⇒59　〜て)

(5) あの選手は足も速いし、力も強い。
(6) 忙しいし、それに給料も安い。
(7) この階段は古いし、危ないから、取りこわしたほうがいい。

(5)は選手としての能力を、(6)は職場での状況を並べています。また、(7)は階段を取りこわす理由を「し」でつないでいます。

● 「ゆるやかな理由」を表す「～し」

(8) アメリカもフランスも行ったし、今度はカナダへ行きたい。
(9) この仕事はおもしろいし、ずっと続けていこう。

「～し」は後文に対する理由を表します。「から」や「ので」が直接的に理由付けをしているのに比べると、理由付けがゆるやかで、ぼかした感じになります。その分、会話的で遠まわしな感じを表します。主節の文末には(8)(9)のように、意志表現をとることができます。

指導法あれこれ

「～し」「～たり」が使えるようになるかどうかが、初級レベルと中級レベルの違いだと言われることがあります。つまり、「～し」「～たり」などが使えるようになると、中級レベルに入ったと考えられるということです。それはどういうことでしょうか。
「～し」「～たり」は、言い方を少し曖昧に、ゆるやかにした表現です。

(10) a. 忙しくて、ちょっと用事があるので、会には参加できません。
    b. 忙しいし、ちょっと用事があるし、会には参加できません。
(11) a. 見舞いに行って、買物に行って、とても忙しかったんです。
    b. 見舞いに行ったり、買物に行ったりして、とても忙しかったんです。

(10)(11)のaとbを比べたとき、aよりもbのほうがやわらかい言い方に感じられます。これは「～し」「～たり」を使って曖昧に、ゆるやかに表現しているからです。
ムード（モダリティ）のところで説明したように、文は「コト」的な部分と「ムード（モダ

リティ)」的な部分から成り立っています。前者は事柄を、後者は話し手の気持ちを表します。(⇒32 ムード(モダリティ))

　日本語には「〜て」「〜し」「〜たり」などの並列表現がありますが、「〜し」「〜たり」は話し手の気持ちの入った、その点ではムード(モダリティ)の性質を持った並列表現と言えます。

　学習者は「コト」的なものから「ムード(モダリティ)」的なものへと習得していきます。特にムード(モダリティ)の部分は習得が難しく時間がかかると言われています。

　「〜し」「〜たり」が使えるようになったら、中級段階に入ったと言われるのも、ムード(モダリティ)表現が習得でき始めたということを表しているのだと考えられます。

指導ポイント

1. 「〜し」文では、並列するものが取り立て助詞「も」で表されることが多い。「も」が使えると、文がより自然に感じられる場合が多いので、「も」の指導も十分行うこと。(例:東京にもあるし、大阪にもある。寒いし、雨も降ってるし。)
2. 並列「〜て」が網羅的に物事を羅列するのに対し、「〜し」は話し手が考えながら、一つずつ列挙していく傾向がある。
3. 「〜し」は後文につながって、理由をゆるやかに表す。理由付けを婉曲に表すときに用いられることが多い。理由付けをはっきりさせたいときは、「〜から」「〜ので」「〜ために」を用いるとよい。
4. 学習者は「〜し」の使い方がわかっても、どのように後文につないでいけばいいか戸惑うことが多い。「〜し」、「〜し、〜から／ので」を使って、文を完結させることを十分練習すること。

62 〜前に・〜あとで・〜てから

A：会議が終わったあとで、ちょっとお話があるんですが。
B：わかりました。終わったら、Aさんの部屋へ行きますよ。
A：はい、お願いします。用事が全部終わってからでけっこうですので。

学習者はどこが難しいか。よく出る質問。

1. 「〜前に」の文が過去の事柄を表すとき、動詞をタ形にして「〜た前に」としてしまう。
2. 「あとで」の前に来る動詞が、テ形「(食べて)あとで」や辞書形「(食べる)あとで」になりやすい。
3. 「〜あとで」と「〜あとに」の違いは?
4. 「〜てから」と「〜たあとで」の違いは?
5. 「〜てから」と、条件「〜たら」と、理由「〜(た)から」を混同してしまう。

学習者の誤用の例

1. 日本へ来た前、日本語を勉強しませんでした。
   →日本へ来る前、日本語を勉強しませんでした。
2. これを片付けて前に、帰らないでください。
   →これを片付けるまでは、帰らないでください。
3. 日本語を勉強するあとで、手紙を書きます。
   →日本語を勉強したあとで、手紙を書きます。

4．病気になったあとで、病院へ行ったほうがいい。
　→病気になったら、病院へ行ったほうがいい。
5．日本に来たから、1年になります。
　→日本に来てから、1年になります。
6．ご飯を食べてから、自分で片付けてください。
　→ご飯を食べたら、自分で片付けてください。

説　明

●時間の前後関係を表す「～前に」「～あとで」「～てから」

　時間の前後関係を表す「～前に」「～あとで」「～てから」節を持つ文は次のようになります。

	前に、		
前文	あとで、	後文	（文末）
従属節	てから、	主節	

● 「～前に」

　「～前」は空間と時間の位置を示します。

（1）　銀行の前にコンビニがある。（空間）
（2）　食事の前に手を洗ってください。（時間）

ここでは時間を表す「～前に」を取り上げます。
　「前に」の前には「名詞＋の」が来る場合と、動詞の辞書形が来る場合があります。

1.「名詞＋の＋前に」

「食事の前に散歩する」「仕事の前にメールをチェックする」のように「名詞＋の」が主節より遅く起こることを表します。この場合の名詞は動作を表すものが多いです。

2.「動詞辞書形＋前に」

「～とき、～」と同じく、従属節「動詞辞書形＋前に」の中の主語は「が」をとります。主節の主語は「は・が」の規則に従って、「は」をとったり「が」をとったりします。（⇒28「は」と「が」）

　　(3)　田中さんが来る前に、私は部屋を掃除しておきたい。

また、文全体のテンス（非過去か過去か）は主節の文末のテンスによって決まります。

　　(4)　田中さんが来る前に、食事の準備をする。
　　(5)　田中さんが来る前に、食事の準備をした。

(4)は「準備をする（非過去）」、(5)は「準備をした（過去）」となっていますが、従属節は辞書形のままです。学習者は(5)のように主節が過去になると、「～た前に」（「田中さんが来た前に」）としたがる傾向があるので注意が必要です。

3.「前」のうしろの助詞

初級レベルでは「～前に」で指導することが多いですが、「前」のうしろにいろいろな助詞をとって、文の要素になります。

　　(6)　地震が来る前から心配している。
　　(7)　旅行の前の準備で忙しい。
　　(8)　合格発表の前は、胸がドキドキした。

(8)のように「は」が用いられると、合格発表の前とあとが対比的に示されます。

● 「～あとで」

「～あと」も「～前」と同じく空間と時間の位置を示します。

　(9)　子供はいつも母親のあとを追いかける。(空間)
　(10)　食事のあとでアイスクリームを食べよう。(時間)

ここでは時間を表す「～あとで」を取り上げます。「あとで」の前には「名詞＋の」が来る場合と、動詞のタ形が来る場合があります。

　１．「名詞＋の＋あとで」

「仕事のあとで風呂に入る」「授業のあとで私の部屋に来てください」のように「名詞＋の」が主節より早く起こることを表します。この場合の名詞も、「～前に」同様、動作を表すものが多いです。

　２．「動詞タ形＋あとで」

「名詞＋の＋あとで」と同じく、「～た」の事柄(行為)が主節より早く起こることを表します。
　従属節「動詞タ形＋あとで」の中の主語は「が」をとります。

　(11)　仕事が終わったあとで、バトミントンをやりませんか。

また、「～前に」同様、文全体のテンス(非過去か過去か)は主節の文末のテンスによって決まります。

　(12)　就職したあとで、結婚する。
　(13)　就職したあとで、結婚した。

学習者は(12)のように主節が非過去のとき、「～るあとで」(「就職するあとで」)とする傾向があります。

　(12)'　？就職するあとで、結婚する。

3．「あと」のうしろの助詞

「あと」はうしろにいろいろな助詞をとって、文の要素になります。

(14)　子供が巣立ったあとは、夫婦の二人暮らしだ。
(15)　手術のあとの養生が大切だ。
(16)　試合が終わったあとから、文句を言ってもしかたがない。

●「～てから」

「～たあとで」と同じく「～て」の事柄(行為)が主節より早く起こることを表します。「～て」節の主語、テンスについては「～前に」「～あとで」と同じです。

(17)　私が日本へ来てから、物価が高くなった。
(18)　日本へ来てから、日本語の勉強を始める。
(19)　日本へ来てから、日本語の勉強を始めた。

●「～たあとで」と「～てから」の比較

「～たあとで」「～てから」もある事柄(行為)が起こったのちに、別の事柄(行為)が起こることを表します。両者はどちらを使ってもよい場合が多いですが、「～たあとで」が単なる時間の前後関係を表すのに対し、「～てから」は、その事柄(行為)が「起こってから、はじめて」次(主節)の事柄(行為)が起こることを表すことが多いようです。それは「～てから」の「から」が起点を表す格助詞「から」に起因するからだと思われます。

(20) a．　見てから、買うか買わないかを決める。
　　 b．? 見たあとで、買うか買わないかを決める。
(21) a．　日本語を勉強してから、来日したほうがいい。
　　 b．? 日本語を勉強したあとで、来日したほうがいい。

また、その事柄(行為が)がその後も一定期間続く場合には「～てから」が用いられます。

(22) a． １月になってから、(ずっと)残業が続いている。
　　 b．？１月になったあとで、(ずっと)残業が続いている。

指導法あれこれ

１．「〜あとで」と「〜あとに」

「説明」では「〜あとで」を取り上げましたが、「〜あとで」が「〜あとに」になると、意味が変わるのでしょうか。

(23)　この薬はご飯を食べたあとで飲んでください。
(24)　この薬はご飯を食べたあとに飲んでください。

「〜あとで」は単純に二つの事柄(行為)の前後関係を示すものです。一方、「〜あとに」は「〜あと」に時間を表す格助詞「に」が付いたものなので、その事柄(行為)が終わった「とき」に焦点が当たります。
(24)は「に」が「食べたあと」の「とき」を表しているので、「ご飯を食べてすぐに薬を飲む」という意味合いを感じさせます。

２．「〜てから」「〜たから」「〜たら」

「〜てから」「〜たから」「〜たら」は学習者が混同しやすい表現です。表記的にも音声的にも三者はよく似ているからだと思われます。次に、「学習者の誤用の例」５、６を見てみましょう。

５．日本に来たから、１年になります。
　　→日本に来てから、１年になります。
６．ご飯を食べてから、自分で片付けてください。
　　→ご飯を食べたら、自分で片付けてください。

５は「来たから」ではなく、「それ以来きょうまで」と一定期間続く意味合いを表しているので、「〜てから」にすべきです。また、６は片付けるのは「食べる前」なのか

「食べたあと」なのかと、時を問題にしているのであればこのままでいいですが、ここでは、むしろ、「食べ終わることを条件／きっかけ」として片付けるという意味で、「〜たら」を用いたほうが自然になります。これは「学習者の誤用の例」4にも同じことが言えます。

指導ポイント

1. 「〜前に」「〜あとで」はその事態・行為がいつ行われても（主節が過去でも非過去でも）、「〜（る）前に」「〜たあとで」となることを学習者に注意させること。
2. 「てから」は「動詞のテ形＋から」の形をとるが、学習者は「〜たから」（理由節）や「〜たら」（条件節）と混同することがある。「から」への接続の仕方を正確に、十分練習させること。
3. 「〜たあとで」と「〜てから」の違いは、初級レベルでは区別する必要はあまりないが、前者は単なる時間の前後関係を表すこと、後者はあとに続く事態・行為との時間的連続性のあること、および、その事柄（行為）が「起こって、はじめて次の事柄（行為）が起こる（起こった）」ことを表す場合が多い。
4. 「〜前に」「〜てから」「〜あとで」節の主語は、ほかの従属節と同じく「が」をとる。一方、主節の主語は「が」をとったり、「は」をとったりするが、それは1文での「は・が」の使い方と同じである。

63 〜とき

A：このボタンを押すと、ふたが開きます。
B：ふたを閉めるときは？
A：ふたを閉めるときは、ここを軽く押してください。
B：ふたを開けるときには、このボタンを押して、閉めるときには、ここを押せばいいんですね。
A：ええ、そうです。

学習者はどこが難しいか。よく出る質問。

1．「とき」の前に来る動詞、形容詞、名詞の形が正しく作れない。
2．「〜たとき」と「〜るとき」のテンス・アスペクトがわかりにくい。
3．「〜とき」「〜ときに」「〜ときは」「〜ときには」の違いは？
4．「〜とき」と条件「〜と」の違いは？

学習者の誤用の例

1．病気とき、田舎の人は大変だ。→病気のとき、田舎の人は大変だ。
2．ひまとき、本を読みます。→ひまなとき、本を読みます。
3．手紙を書いたとき、郵便局で出します。
　　→手紙を書いたら、郵便局で出します。
4．ビールを飲むとき、顔が赤くなります。
　　→ビールを飲むと、顔が赤くなります。
5．パーティのときに、楽しかったです。
　　→パーティのときは、楽しかったです。

説 明

●時間関係を表す「～とき」

　一つの出来事の時間と、もう一つの出来事の時間の関連を表す従属節の代表的なものが、ここで取り上げる「～とき」です。

```
_____ とき、_____
         前文                      後文      （文末）
   時間関係を表す従属節              主節
```

「～とき」は「ある時点」を表しますが、次のように時間の前後関係や一定の時間・期間を表すこともあります。

　(1)　食べるとき、くちゃくちゃ音を立てるな。(その時点、そのとき)
　(2)　食べるとき、お祈りする。(＝食べる(直)前に)
　(3)　食べたとき、お祈りする。(＝食べたあとで(直後))
　(4)　食べているとき、テレビを見る。(＝食べている間、最中)

主語については、ほかの従属節と同じく、基本的には「が」をとります。

　(5)　父が帰ってきたとき、母はいなかった。

●「～とき」の特徴

　「～とき」で問題になるのは、「～とき」の前に来る動詞や形容詞の形、「とき」の前と主節の文末のテンス・アスペクトの関係、それに、「～とき」のうしろに「に」「は」などの助詞が来るときの意味の違いです。

1.「とき」の前に来る語の形

　「とき」は(形式)名詞なので、前に来る動詞・形容詞などは名詞修飾の形をとります。

動詞		な形容詞	
行く 行かない 行った 行かなかった	＋とき	元気な 元気じゃ／ではない 元気だった 元気じゃ／ではなかった	＋とき
い形容詞		名詞＋だ	
忙しい 忙しくない 忙しかった 忙しくなかった	＋とき	休みの 休みじゃ／ではない 休みだった 休みじゃ／ではなかった	＋とき

2．「とき」の前と主節文末のテンス・アスペクトの関係

(6) 北海道へ行くとき、セーターを買った。
(7) 北海道へ行ったとき、セーターを買った。

(6)(7)において、話し手はどこでセーターを買ったのでしょうか。(6)は「行くとき」ですから、「北海道へ行く」という行為がまだ完了していないときに、したがって「北海道へ行く前に」セーターを買ったことになります。一方、(7)は、「行ったとき」ですから、「北海道へ行く」ことが完了した時点、つまり、「北海道へ行ったあとで」セーターを買ったことになります。

これは、主節の文末が完了の「買った」ではなく未完了の「買う」でも同じことです。

(8) 北海道へ行くとき、セーターを買う。
(9) 北海道へ行ったとき、セーターを買う。

話し手はまだセーターを買っていません。いつ買うかというと、(8)では「北海道へ行くとき」、つまり、「北海道へ行く前」です。また、(9)では「北海道へ行ったとき」、つまり、「北海道へ行ったあとで」買うことになります。

このように「～とき」の前の動詞・形容詞のテンス・アスペクトは、主節の時間とは無

関係に、「～とき」の前の事柄が完了したか否かによって決まることになります。(⇒ 40 テンス・アスペクト)

3．「～とき」「～ときに」「～ときは」「～ときには」

(10)　子供のときに、よく川でザリガニをとった。
(11)　子供のときは、みんないたずらで楽しかった。

(10)の「～ときに」は何かをした、何かが起こったというように動作・変化が起こった時点を表します。「1月1日に」「3時に」の「に」が「時間」の1点を表すのと同じ働きです。(⇒ 4　格助詞)

(11)の「～ときは」は「～ときには」とほぼ同じ意味用法を持ちます。「～ときは」は取り立て助詞「は」の働きで、「～とき」が取り立てられて、その時のことが主題(トピック)になったり、ほかの時と比べるという対比の意味が含まれたりします。(11)では、「子供のとき」を思い出して(主題にして)、話し手の判断や気持ちを述べています。

(12) a．登り始めのときは明るかったのに、頂上に着いたときには、とっぷり日が暮れていた。
　　 b．？登り始めのときに明るかったのに、頂上に着いたときに、とっぷり日が暮れていた。

(12)では「登り始め」と「頂上に着いたとき」を対比的に比べているので、「ときに」ではなく「とき(に)は」が自然になります。

「～ときに」「～ときは」の代わりに、(13)のように「～とき」も使うことができます。これは話しことばで用いられることが多いです。

(13)　子供のとき、よく川でザリガニをとった。

指導法あれこれ

　「学習者の誤用の例」の３、４はそれぞれ条件「～たら」と「～と」の混同による誤りです。

　　３．？手紙を書いたとき、郵便局で出します。
　　　　→手紙を書いたら、郵便局で出します。
　　４．？ビールを飲むとき、顔が赤くなります。
　　　　→ビールを飲むと、顔が赤くなります。

　「～とき」は基本的には「ある時点」を表し、その時点で何が起こるか／起こったか、何をするか／したかを示します。あくまでも「その時点」が問題になります。
　一方、誤用例の「手紙を書く」と「郵便局で出す」は時間的前後関係のずれがあります。また、「手紙を書く」ことが「郵便局で出す」ことの条件になっています。（なぜなら、手紙を書かなければ郵便局で出せませんから。）これらの理由で３は「～とき」ではなく「～たら」が適切になります。
　４も３と同じことが言えます。「ビールを飲むとき」と「飲む時点」を問題にしているのではなくて、「飲んだ」結果、つまり、「飲むことが条件」となって、「（いつも）顔が赤くなる」ことになるという意味ですから、「～と」が適切と考えられます。
　「説明」では「～とき」のうしろに「に」や「は」が来て、「～ときに」「～とき（に）は」になる場合を取り上げましたが、「～とき」は名詞であるので、それ以外にもいろいろな助詞を伴います。それは「～とき」節が文の中でどのような構成要素（目的語、主語など）になっているかによって決まります。

　　⑭　相手が油断したときが攻めるときだ。
　　⑮　今お金がないので、払うのは今度来たときでもいいですか。
　　⑯　この間会ったときから、彼女のことが忘れられない。
　　⑰　また会うときまで、お元気でお過ごしください。
　　⑱　この間会ったときより、元気そうですね。

「〜とき」を習いたてのときは、このような使い方は学習者には難しいですが、中級、上級に行くにしたがって、固定された形でなく、句や節として文の中で自由に使う練習を取り入れる必要が出てきます。

指導ポイント

1. 「とき」の前には普通形が来るが、「な形容詞」では「〜な」、「名詞＋だ」では「〜の」（非過去・肯定の場合）が来る。それぞれを正しく接続できるように、よく練習すること。
2. 「とき」の前の動詞のテンス・アスペクトは、主節の事態・動作が起こる、または、起こったときに、「とき」の前の事柄が完了したかしていないかによって決まる。学習者は「〜たとき」になると、過去の事柄と思ってしまうので、例をたくさん示して、時間の関係をよくわからせること。
3. 「〜ときに」と「〜とき(に)は」の違いは、傾向として、前者の主節に動作表現が、後者の主節に状態表現が来やすいと言える。
4. 「〜とき」は名詞であるので、うしろに「に」「は」以外のいろいろな助詞を伴う。「〜とき」節が文の中でどのような文構成要素になるかによって、「が」「から」「まで」などが来る。中級レベルになったら、応用力をつける意味でも説明をしておいたほうがよい。
5. 「〜とき」節内の主語は、ほかの従属節と同じく「が」をとる。一方、主節は「が」をとったり、「は」をとったりするが、それは1文での「は・が」の使い方と同じ。

64 〜たら

A：このボタンを押すと、ふたが開きます。
B：ああ、ふたが開きましたね。
A：ふたが開いたら、テープを入れてください。
B：はい。
A：テープを入れたら、ふたを閉めてください。
B：はい。
A：ふたが閉まると、テープが自動的に回り始めます。

学習者はどこが難しいか。よく出る質問。

1．「〜たら」は意味用法がいろいろあるので、迷ってしまう。
2．「〜たら」はタ形（過去形）なのに、未来にも使えるの?
3．「〜たら」は過去の文でも使えるの?
4．「〜たら」「〜と」「〜ば」の使い分けは?
5．「〜たら」と「〜とき」「〜あと」の違いは?

学習者の誤用の例

1．北海道に行ったら、いっしょに行きましょう。
　→北海道に行く（の）なら、いっしょに行きましょう。
2．1と2を足したら、3になる。
　→1と2を足すと、3になる／1と2を足せば、3になる。
3．東京へ行ったら、ホテルに泊まりました。
　→東京へ行ったとき、ホテルに泊まりました。
4．あなたは行ったら、私も行きます。→あなたが行ったら、私も行きます。

説 明

● **条件文について** (⇒65 〜と) (⇒66 〜ば) (⇒67 〜なら)

前文が何らかの要因・きっかけとなって後文を制約する文を条件文と呼びます。条件を表すものには次の「たら」「と」「ば」「なら」があります。

	たら、		
前文	と、	後文	（文末）
条件を表す従属節	ば、	主節	
（条件節）	なら、		

条件文について考えるとき、まず、非過去か過去かに分けることが大切です。非過去か過去かというのは、その事態が過去に起こったか否かということです。

非過去：(1) 宝くじに当たったら、何でも買ってやるよ。
　　　　(2) 時間があれば、よくドライブに行く。
　　　　(3) ボタンを押すと、ベルが鳴る。
過去　：(4) ジムに行ったら、山田さんに会った。
　　　　(5) 時間があれば、よくドライブに行った（ものだ）。
　　　　(6) ボタンを押すと、ベルが鳴った。

非過去のうち、(1)のように、事態が実際に起こるか起こらないかはわからない条件を仮定条件、(2)(3)のように、いつもその事態が起こる条件文を一般条件と言います。

● **「〜たら」の意味用法**

1．非過去の場合

「〜たら」の非過去の用法は次の通りです。

1）仮定条件（実際に起こるかどうかわからないこと）を表す。

　(7)　100万円あったら、豪華船で世界一周したい。
　(8)　雨が降ったら、行きません。

2）ほぼ決まっている条件を表す。（「それをきっかけとして」「その場合には」の意味を表す）

　(9)　ご飯を食べたら、私の部屋に来てください。
　(10)　仕事が終わったら、プールへ泳ぎに行こう。

3）終助詞的に用いられる。

　(11) A：どうしようかな。
　　　 B：ともかくやってみたら。

2．過去の場合

「～たら」が過去の場合は、「1回きり、偶然、発見、きっかけ」といった意味を表します。

　(12)　宝くじを買ったら、一等に当たった。（1回きり、偶然）
　(13)　町を歩いていたら、前田先生を見かけた。（偶然、発見）
　(14)　なかなか動かなかったが、このボタンを押したら、急に動き出した。
　　　　　　　　　　　　　　　　　　　　　　　　　　　　　（きっかけ）

● 「～たら」形の作り方

「～たら」は動詞・形容詞などのタ形に「ら」の付いたものです。

動詞	い形容詞	な形容詞・名詞＋だ
行ったら	忙しかったら	元気／休みだったら
行かなかったら	忙しくなかったら	元気／休みじゃなかったら
		（でなかったら）

● 「〜たら」の特徴

条件文「〜たら、〜」の特徴は次のようにまとめられます。
1）話しことば的であること、したがって、論文などの書きことばでは使われない。
2）「ば」「と」と同じく、前文（従属節）と後文（主節）に時間的前後関係を必要とする。

　　(15)　北海道へ行ったら、ラーメンが食べたい。
　　　　（北海道へ行ってから、ラーメンを食べる。つまり前文が起こってから後文が起きる。）
　　(16)？北海道へ行ったら、飛行機が一番安上がりだ。
　　　　（北海道へ行くこと（前文）と飛行機が安上がりなこと（後文）の間には時間的前後関係がない。）

3）主節の文末に意志表現をとることができる。質問文も来ることができる。

　　(17)　子供が寝たら、出かけよう。
　　(18)　雨が降ったら、試合は中止ですか。

4）仮定条件で使われるが、一般条件ではあまり使われない。

　　(19)　春が来たら、山に行こう。（仮定条件）
　　(20)？春が来たら、花が咲く。（一般条件）

5）「〜たら」の文では、前文で切れ目ができ、後文に注目の事柄が来る。

　　(21) A：このボタンを押したらどうなるかしら。
　　　　B：このボタンを押したら、……爆発するかもしれない。

条件節「〜たら」の主語は、ほかの従属節と同じく、「が」をとります。

　　(22)　アンさんが帰ってきたら、夕食にしよう。

指導法あれこれ

　「〜たら」の練習をどのようにすればいいかを考えてみましょう。
　次は「ほぼ決まっている条件を表す」場合の練習です。T（教師）が動作をして、それに対してS（学習者）が依頼をします。

　　T：（新聞を取り出して読んでいる）
　　S：すみません。終わったら、貸して／見せてください。

　　このほかにもTがナイフでりんごをむく、辞書を引く、電子辞書を使う、などの動作をして「終わったら、ナイフを貸してください。」などを言わせます。
　　この練習が終わったあとで、

　　T：授業が終わったら、何をしますか。
　　　　昼ご飯を食べたら、でかけませんか。

などのやりとりをT→S、S→S、S→Tでしてみましょう。
　また、「実際に起こるかどうかわからない」場合の練習としては、

　　T：100万円あったら、どうしますか。
　　T：○○さんが国の首相／大統領だったら、まず何をしたいですか。

などの、やや現実離れした話になりますが、うまく行くと楽しい授業になるでしょう。
　書かせる練習としては、「〜たら」に限らず、条件節などの複文では、次のような練習問題が考えられます。

1）穴あけ練習
・動詞の辞書形を与え、適当な形にして文を完成させる。
　　1文レベル（例：風呂に（入る→　　　　　）たら、すぐ寝なさい。）
　　文章レベル（例：仕事で秋田へ行くことになった。秋田空港に（着く→　　　　　）
　　　　　　　　たら、会社の人が迎えに来てくれていた。うれしかった。）

2）選択肢問題

　風呂に（入ったら、入れば、入ると、）すぐ寝なさい。

3）文完成問題

・前文を与え、後文を作らせる。

　（例：時間があったら、＿＿＿＿＿＿＿＿＿＿＿＿＿＿＿＿。）

・後文を与え、前文を作らせる。「たら」「と」などは与える。

　（例：＿＿＿＿＿＿＿＿＿＿＿＿＿＿＿＿たら、お土産を買ってきます。）

4）語句を並べて、それらを組み合わせて文を作らせる。

　（例：に　してください　着く　駅　電話　たら）

5）学習者の誤用文を訂正させる。

　これらはオーソドックスですが、基本的な練習方法です。

　2）の選択肢問題では、よく似た選択肢を並べるとかえって混乱することがあります。また、複数正解できるものが出てきたりするので、選択肢問題を取り入れるときは、数を多くせず（2〜3以内）、比較的正解がわかりやすいものを選ぶほうが無難です。

　4）についても同じことが言えます。学習者はいろいろな組み合わせを考えようとするので、混乱しやすくなります。出来上がりの文が連想できるような語を選ぶほうが無難で、そのときも、欲張らずに、語の数を少なめにしたほうが学習者に負担がかからないでしょう。

指導ポイント

1. 学習者は動詞・形容詞などのタ形に「ら」が付くタラ形が正確に作れない場合が多い。タラ形が正しく作れるように、十分練習させること。
2. タラ形は肯定形だけでなく、否定形も十分練習させること。
3. 「〜たら」の条件文は話しことばで使われる。書きことばで使うと不適切になるので、使わないように指導すること。
4. 「〜たら」は「〜ば」「〜と」「〜なら」などと混同しやすい。「〜たら」の特徴として最低限次の四つを理解させるとよい。
   ①話しことば的。
   ②主節の文末に意志表現をとることができる。
   ③繰り返し起こるのではなく、1回きりの事態を表す。
   ④過去に使われるときは、「偶然、発見」などを表すことが多い。
5. 「〜たら」は、「ご飯を食べたら、出かけよう」のように、「〜とき」「〜あとで」の意味を表すことがあるが、「〜たら」は時点に注目しているのではなく、「食べ終わる」ということを条件・きっかけとして、「出かけよう」と言っている。「〜たら」には常に条件・きっかけの意味合いが含まれることに注意すること。

65 〜と

A：すみません。郵便局はどう行けばいいですか。
B：郵便局ですか。
　　この道をまっすぐ行って、
　　二つ目の信号を左に曲がると……。
A：二つ目の信号を左に曲がると……。
B：ああ、ちがった。三つ目ですね。
　　三つめの信号を左に曲がると、
A：三つ目ですね。
B：大きなビルがあるから、
A：はい。
B：郵便局はそのビルの隣ですよ。

学習者はどこが難しいか。よく出る質問。

1. 「〜と」は主節の文末に意志表現がとれるの?
2. 「〜と」は過去でも使えるの?
3. 「〜と」と「〜たら」「〜ば」の違いは?
4. 「〜と」と「〜とき」の違いは?

学習者の誤用の例

1. 夏になると、海に行こう。→夏になったら、海に行こう。
2. 100万円あると、どこへ行きたいですか。
   →100万円あったら、どこへ行きたいですか。
3. 私があの人に手紙を書くと、きっと返事をしてくれるだろう。
   →私があの人に手紙を書けば／書いたら、きっと返事をしてくれるだろう。
4. 本を読むと、めがねをかけます。→本を読むとき、めがねをかけます。

説 明

● 「〜と」の意味用法

条件節全般については「〜たら」のところで述べました(⇒64 〜たら)。ここでは「〜と」の文について、非過去と過去の場合について見ていきます。

1．非過去の場合

「〜と」の非過去の文での用法は次の通りです。

1）前文のあと、すぐ起こったり、必ず起こる、続いて起こることを表す。

(1) メールを出すと、すぐ返事が来る。
(2) このボタンを押すと、カーテンが閉まります。

2）一般的、客観的な条件・結果を表す。

(3) 1と2を足すと、3になる。

3）現在の習慣・反復を表す。

(4) 天気がいいと、毎朝ジョギングに行く。
(5) 彼はお金があると、パチンコに行く。

4）「〜ないと」の形で困難・警告を表す。

(6) 勉強しないと、わからなくなるよ。
(7) お金がないと困る。

2．過去の場合

「〜と」が過去の文で使われる場合は、「発見、同一人物の連続動作、過去の習慣」などを表します。

(8) ドアを開けると、小さな子供がドアの前に立っていた。(発見)
(9) 男は部屋に入ると、友達に電話した。(同一人物の連続動作＝「〜て」)

(10) 彼は酒を飲むと、暴力を振るった。(過去の習慣)

● 「〜と」の作り方

動詞	い形容詞	な形容詞・名詞＋だ
行く／行かない ＋と	忙しい／忙しくない ＋と	元気／休みだ／元気／休みじゃない（でない） ＋と

● 「〜と」の特徴

　条件文「〜と、〜」の特徴は次のようにまとめられます。

1）書きことばにも話しことばにも用いられる。
2）「〜たら」「〜ば」と同じく、前文(従属節)と後文(主節)に時間的前後関係を必要とする。

　　(11) 北海道へ行くと、いつもラーメンを食べる。
　　　　（北海道へ行ってから、ラーメンを食べる。つまり前文が起こってから後文が起きる。）

3）主節の文末に意志表現をとることができない。

　　(12) ? 子供が寝ると、出かけよう。

4）一般条件でよく使われる。(仮定性を表すというより、必然性を表す。)

　　(13) 右に曲がると、郵便局がある。(一般条件)
　　(14) 春になると、このあたりは一面ピンク色になる。(一般条件)

5）前文と後文のつながりが大きい。

　　(15) このボタンを押すと、爆発する。(すぐに／必ず起こる)

　条件節「〜と」の主語はほかの従属節と同じく、「が」をとります。

(16) あなたが行くと、みんなが喜びますよ。

指導法あれこれ

　条件節「～と」を使っての練習には「道聞き」が最適でしょう。学習者が日常必要とするものなので、学校や彼らの住まいの付近の地図を描いて、「道聞き」の練習をしましょう。
　道路を複雑にしてしまったり、目印を多くしてしまうと、日本語での説明が難しくなるので、最初は簡単な地図を使った「道聞き」から始めたほうがいいでしょう。

〈練習〉
　1）場所を聞く。
　　次のような表現を使って、「聞き方」の練習をしましょう。
　　　①〇〇駅はどう行ったらいいですか。
　　　②郵便局はどう行けばいいでしょうか。
　　　③本屋さんへ行きたいんですが、道を教えてください。

　2）簡単な地図を使って、場所を答える。
　　　④Q：〇〇駅はどう行ったらいいですか。
　　　　A：この道をまっすぐ行くとありますよ。
　　　⑤Q：郵便局はどう行けばいいでしょうか。
　　　　A：あの角を左に曲がると、右側にあります。
　　　⑥Q：本屋さんへ行きたいんですが、道を教えてください。

　3）地図を描きながら、駅から、自分の住まいまでの行き方を説明する。
　　　例：駅を出ると、大通りがありますから、それを渡ってください。
　　　　　まっすぐ10メートルぐらい行くと、右側に本屋がありますから、そこを右に曲がってくだ

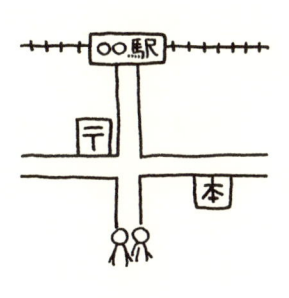

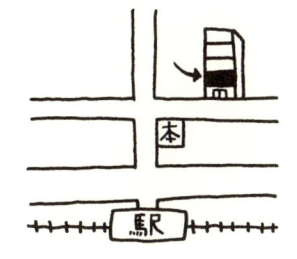

さい。
　　　しばらく行くと、左側に 5 階建てのマンションが見えます。
　　　そのマンションの 2 階が私のうちです。

　4 ）電話で、駅から自分の住まいまでの行き方を説明する。
　　　例：A：もしもし、今駅にいるんですが、お宅はどう行ったらいいですか。教え
　　　　　　　てください。
　　　　　B：はい、今どこにいますか。
　　　　　A：駅の西口です。
　　　　　B：ああ、じゃ、駅を出て右方向に歩いて
　　　　　　　ください。100メートルほど行くと、信号
　　　　　　　がありますから、それを渡ってください。
　　　　　A：はい。
　　　　　B：信号を渡って少し行くと、花屋がありますから……。

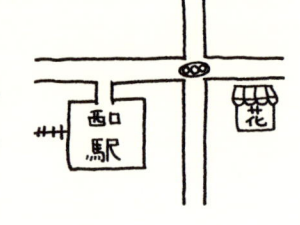

　場所の行き方を説明するときに注意すべきことは、「〜て」と条件節「〜と」の混同です。学習者は次のような文を作ってしまいます。

　　　ａ．？交差点を渡って、まっすぐ行って、駅があります。
　　　ｂ．？交差点を渡ると、まっすぐ行くと、駅があります。
　　　ｃ．？交差点を渡ると、まっすぐ行って、駅があります。

　「〜と」は連続動作を表すことがありますが、あくまで条件が来て結果が来るという形をとります。「〜て」を使うと同じ文が続いていくこと、文を終わらせるためには「〜と」を使うことを十分練習させてください。
　条件節「〜と」の練習として、化学実験を想定させるのもおもしろいでしょう。絵や色の変化から次のような文を作らせます。

　「化学実験」
　　　①試験管に薬を入れると、色が変わる。
　　　②試験管にこの薬を入れると、赤くなる。

③試験管にこの薬を入れると、透明になる。

また、道具（ビデオカメラ、携帯電話）の使い方の練習も役に立ちます。

「ビデオカメラ」
　①ここを押すと、ふたが開く。
　②フイルムを入れると、自動的に動く。
　③このつまみを右に回すと、画像が大きくなる。

> **指導ポイント**
>
> 1．「〜と」は「〜たら」「〜ば」と混同しやすい。「〜と」の特徴として、次の四つを理解させたい。
>   ①話しことばにも、書きことばにも使う。
>   ②主節の文末に意志表現をとることができない。
>   ③「いつも起こる」という一般条件を表す。起こるか起こらないかわからないような仮定条件には用いない。
>   ④前文と後文の連続性が強い。
> 2．「〜と」が過去の文で用いられると、「発見、同一人物の連続動作、過去の習慣」を表す。
> 3．「〜と」は「〜ないと」という形をとって、「お金がないと、困るよ」のように、困難や警告を表すことが多い。
> 4．学習者は「本を読むと／とき、わかる」のように、「〜と」と「〜とき」を混同することがある。「〜とき」はあくまでその時点に注目しているのであり、「〜と」は「読む」ことを条件・きっかけとして、「わかる」と解釈される。「〜と」には常に条件・きっかけの意味合いが含まれることに注意すること。

66
～ば

A：テープを入れるときは、どうすればいいですか。
B：このボタンを押してください。
　　ボタンを押すと、ふたが開きます。
A：ああ、ボタンを押せばふたが
　　開くんですね。
B：はい。
A：ありがとうございました。
B：いいえ、わからなければ、
　　いつでも聞いてください。

学習者はどこが難しいか。よく出る質問。

1．「～ば」の形を正しく作るのが難しい。
2．「～ば」は主節の文末に意志表現がとれるの?
3．「～ば」と「～たら」「～と」の違いは?
4．「～ば」は書きことば?
5．「～ば」は過去でも使えるの?

学習者の誤用の例

1．わからなれば、電話をかけてください。
　　→わからなければ、電話をかけてください。
2．もし彼に会えば、これを渡してください。
　　→もし彼に会ったら、これを渡してください。
3．京都へ行けば、新幹線が便利です。→京都へ行くなら、新幹線が便利です。
4．うちに帰れば、子供さんにこのお菓子を持って行ってください。
　　→うちに帰るとき、子供さんにこのお菓子を持って行ってください。

説 明

● 「〜ば」の意味用法

条件節全般については「〜たら」のところで述べました（⇒64 〜たら）。ここでは条件節の「〜ば」（「〜れば」と言うこともある）の文について、非過去と過去の場合について見ていきます。

1．非過去の場合

「〜ば」の非過去の用法は次の通りです。

1）一般（客観的）条件、論理・理屈を表す。

　(1)　春が来れば、花が咲く。
　(2)　話せば、わかる。
　(3)　ちりも積もれば、山となる。

2）反復・習慣を表す。

　(4)　隣の犬は主人を見れば、飛んでくる。
　(5)　天気がよければ、ジョギングに行く。

3）「疑問詞＋〜ばいい」の形で問いかけを表す。

　(6)　音を大きくするときは、どうすればいいですか。
　(7)　あしたは何時に来ればいいですか。

4）終助詞的に用いられる。

　(8) A：どうしようかな。
　　　B：ともかくやってみれば。

2．過去の場合

「～ば」は非過去の文で使われることが多いですが、過去の文で使われる場合もあります。その場合は「過去の習慣」と「認識」を表します。「～ば」には「～たら」「～と」のように、発見・きっかけの意味合いはありません。

 (9) 学生時代は、冬になれば、スキーばかりしていた。（過去の習慣）
 (10) よく見れば、彼女は美人ではなかった。（認識）

●「～ば」形の作り方

「～ば」は次のような形をとります。「名詞＋だ」の非過去では「なら」が用いられます。

動詞	い形容詞	な形容詞・名詞＋だ
行けば	忙しければ	元気／休みなら
行かなければ	忙しくなければ	元気／休みじゃなければ
		（でなければ）

●「～ば」の特徴

条件文「～ば、～」の特徴は次のようにまとめられます。
 1）書きことば的である。ややフォーマルである。
 2）「～たら、～」「～と、～」と同じく、時間的前後関係を必要とする。

 (11) 北海道へ行けば、スキーができる。
   （北海道へ行ってから、スキーをする。つまり前文が起こってから後文が起きる。）

 3）主節の文末に意志表現をとらない。

 (12)？北海道へ行けば、スキーをしよう。
 (13)？ご飯を食べれば、この薬を飲んでください。

ただし、⑭⑮のように、前文と後文の主語が異なるとき、また、⑮のように前文が状態（ここでは「暑い」）を表すときは、意志表現をとることができます。

⑭　彼女が来れば、すぐ出かけよう。
⑮　部屋が暑ければ、窓を開けてください。

4）仮定条件・一般条件、特に一般条件でよく使われる。

⑯　雨が降れば、試合は中止だ。（仮定条件）
⑰　春が来れば、花が咲く。（一般条件）

5）「〜ば」文は、前文「〜ば」に焦点が当たり、そこで何が必要かを述べるときに使われる。

⑱ A：爆発させるには?
　 B：このボタンを押せば、いいんだよ。
⑲ A：どうすれば肉がやわらかくなりますか。
　 B：お酒を振りかければ、やわらかくなりますよ。

「〜たら」「〜と」と同じように、条件節「〜ば」の主語も「が」をとります。

⑳　あなたが行けば、みんなが喜ぶでしょう。

● 「〜たら・〜と・〜ば・〜なら」の比較

　次の表は「〜たら・〜と・〜ば・〜なら」を比較したものです。しかし、これは絶対的なものではなく、だいたいの目安を示したものです。○は当てはまる、△は条件付きで当てはまることを示しています。

	〜たら	〜と	〜ば	〜なら
話しことばに用いられる	○	○	○	○
書きことばに用いられる		○	○	○
前文と後文に時間的前後関係が必要	○	○	○	
非過去で用いられる	○	○	○	○
主節の文末に意志表現がとれる	○		△	○
仮定条件に用いることができる	○		○	○
一般条件に用いることができる		○	○	
過去で用いられる	○	○	○	
１回きり・偶然・きっかけを表す	○			
発見を表す	○	○		
過去の習慣を表す		○	○	
動作の連続性を表す		○		
終助詞的に使える	○		○	

次に具体的に説明をします。

「〜と・〜ば・〜なら」は話しことばにも書きことばにも用いられます。一方、「〜たら」は話しことばのみで、書きことばでは用いられません。(21)は話しことば、(22)は書きことばの例です。

(21) a．田中さんが来たら、わかるよ。
　　 b．田中さんが来ると、わかるよ。
　　 c．田中さんが来れば、わかるよ。
　　 d．田中さんが来るなら、わかるよ。

(22) a．？Aが正解だったら、Bも正解である。
　　 b．　Aが正解だと、Bも正解である。
　　 c．　Aが正解であれば、Bも正解である。
　　 d．　Aが正解なら、Bも正解である。

「前文と後文に時間的前後関係が必要」というのは、次のような場合です。

(23) a ．？北海道に行ったら、飛行機で行く。
　　 b ．？北海道に行くと、飛行機で行く。
　　 c ．？北海道に行けば、飛行機で行く。
　　 d ．　北海道に行くなら、飛行機で行く。

「北海道に行く」ことと「飛行機で行く」ことは時間的前後関係のない同時に起こることです。dの「～なら」以外は時間的前後関係を必要とするので、不適切になります。

「主節の文末に意志表現がとれる」かどうかという点では、「～と」は不可、「～ば」は条件付き（主節と「～ば」節の主語が異なる場合か、「ば」の前に状態性を表す表現が来る場合）で可能となります。

(24) a ．　暑かったら、エアコンをつけてください。
　　 b ．？暑いと、エアコンをつけてください。
　　 c ．　暑ければ、エアコンをつけてください。
　　 d ．　暑いなら、エアコンをつけてください。

「仮定条件に用いることができる」というのは、次のような場合で、「～と」では不可になります。

(25) a ．　宝くじに当たったら、家を建てる。
　　 b ．？宝くじに当たると、家を建てる。
　　 c ．　宝くじに当たれば、家を建てる。
　　 d ．　宝くじに当たるなら、家を建てる。

「一般条件に用いることができる」というのは、恒常的に起こる事柄・事態を表すことができるということで、「～たら」は話しことばではできそうですが、基本的には不可です。「～なら」も不適切です。

(26) a ．？春が来たら、花が咲く。
　　 b ．　春が来ると、花が咲く。
　　 c ．　春が来れば、花が咲く。

d．？春が来るなら、花が咲く。

また、次のように、「～なら」は過去では用いられません。(⇒67 ～なら)

　(27) a．　交差点を渡ったら、H銀行があった。
　　　b．　交差点を渡ると、H銀行があった。
　　　c．　交差点を渡れば、H銀行があった。
　　　d．？交差点を渡るなら、H銀行があった。

「～たら」は過去では「1回きり・偶然・きっかけ」を表し、「～と」「～ば」のように過去の習慣を表すことはできません。

　(28) a．？図書館に行ったら、いつも田中さんに会った。
　　　b．　図書館に行くと、いつも田中さんに会った。
　　　c．　図書館に行けば、田中さんに会った（ものだ）。

「発見」を表すというのは、次のような場合です。「～と」は「～たら」と同じく「発見」を表します。

　(29) a．空を見ていたら、UFOが近づいてきた。
　　　b．空を見ていると、UFOが近づいてきた。

「動作の連続性を表す」というのは、次のような場合で、「～と」がそれに当たります。

　(30) a．？彼は座席に着いたら、居眠りを始めた。
　　　b．　彼は座席に着くと、居眠りを始めた。
　　　c．？彼は座席に着けば、居眠りを始めた。

「終助詞的に使える」というのは、次のように文末に来ることができるということで、「～たら」「～ば」はできますが、「～と」「～なら」はできません。

　(31) A：試験、どうしよう。

B： a． 　もっと真剣に勉強したら。
　　　　b．？もっと真剣に勉強すると。
　　　　c． 　もっと真剣に勉強すれば。
　　　　d．？もっと真剣に勉強するなら。

指導法あれこれ

　日本のことわざには条件節「〜ば」を使ったものが数多くあります。「〜ば」の習得と日本文化の勉強のために、よく使われることわざを学習者の皆さんに教えてください。次はその例です。

　　ちりも積もれば山となる。
　　郷に入れば郷に従え。
　　犬も歩けば棒にあたる。
　　三人寄れば文殊の知恵。

　「〜ば」の条件文は、主節に何が来てもいいと言えないところがあります。次の文を見てください。

　　(33) a．？外側を歩けば危険です。
　　　　b． 　外側を歩くと危険ですが、内側を歩けば安全です。

　　　　　　　　　　　　　　　　（『ここからはじまる日本語文法』(2000) p.175）

　aは後文に悪い意味のことが来ています。一方、bではよい意味のことが来ています。このように「〜ば」の条件文では、前文を聞いて、後文に悪いことを予想しにくいことがあると言えます。
　最初に出したことわざで、「犬も歩けば棒にあたる」は「犬が歩くと、よいことにぶつかる」のか、「犬が歩くと、悪いことにぶつかる」のか意見が分かれるようですが、(33)を見ると、本来言われている「よいことにぶつかる」が正しいのではないかと思えてきます。皆さんはどう思いますか。

指導ポイント

1. 動詞・「い形容詞」の「〜ば」の形（肯定・否定）が正しく作れるように、十分練習させること。「な形容詞」「名詞＋だ」の場合は、肯定が「〜なら」、否定が「〜じゃ／でなければ」になる。
2. 「〜ば」は「〜たら」「〜と」と混同しやすい。「〜ば」の特徴として、次の四つを理解させるとよい。
    ①あらたまった話しことばで用いられる。やや書きことば的。
    ②前文（従属節）・後文（主節）の主語が異なる場合（または、「〜ば」が状態性を表す場合）以外は、主節の文末に意志表現をとれない。
    ③「いつも起こる」という一般条件を表すことが多い。
    ④過去にも使える。ただし、用法が限定され、主に「過去の習慣」を表す。
3. 「〜ば」節内の主語は、ほかの従属節と同じく「が」をとる。一方、主節は「が」をとったり、「は」をとったりするが、これは１文での「は・が」の使い方と同じである。

67 ～なら

A：このいす、捨てるんですか。
B：ええ。
A：捨てるんなら、私にください。
B：足のところがこわれてますよ。
A：ちょっと直せば、また使えますよ。
B：そうですか。それならぜひ使ってください。

学習者はどこが難しいか。よく出る質問。

1. 「～なら」はあまり教えてもらえないので、よくわからない。
2. 「～なら」と「～たら」「～と」「～ば」はどう違うの?
3. 「行くなら」と「行くのなら」は同じ?
4. 「ビールなら生ビールだ。」の「～なら」も仮定を表すの?

学習者の誤用の例

1. あしたひまなら、私の家に遊びに来てください。
　→あしたひまなら、私の家に遊びに来てください。
2. 東京へ行くなら、友達と飲みに行く。
　→東京へ行ったときは、友達と飲みに行く。
3. 勉強するなら、すぐわかる。→勉強すれば、すぐわかる。
4. あなたは行かないのなら、私は先に行きます。
　→あなたが行かないのなら、私は先に行きます。

説 明

●「〜なら」の非過去の意味用法(⇒64 〜たら)

「〜なら」の非過去の文での用法は次の通りです。
1 ）主題（トピック）（＝は）

　（1）　サッカーなら、ブラジルが一番強い。
　（2）　ビールなら、生ビール。

2 ）仮定条件

　（3）　田中さんが来るなら、会は盛り上がるだろう。

3 ）確定していることや相手のことばを受けて

　（4）A：これ、もう要らない。
　　　 B：要らないのなら、私にちょうだい。
　（5）（子供が勉強しないのを見て）
　　　 母親：勉強しないのなら、テレビゲームもだめよ。

4 ）自然に、あるいは当然起こる事柄については使われない。

　（6）？このあたりは雨が降るなら、山崩れが起きる。
　（7）？夜になるなら、暗くなる。

●「〜なら」の特徴

条件文「〜なら、〜」の特徴は次のようにまとめられます。
1 ）書きことばにも話しことばにも使われる。
2 ）「〜たら」「〜と」「〜ば」と異なり、前文（従属節）と後文（主節）の間に時間的前後関係を必要としない。

(8) 北海道へ行く(の)なら、スキーができる。
(9) 北海道へ行く(の)なら、飛行機が一番安上がりだ。

(8)は前文と後文の間に時間の前後関係がありますが、(9)はありません。このように、「～なら」は、時間の前後関係があるときにも、ないときにも用いることができます。

3) 意志表現をとることができる。とり方は「～たら」と同じ。

(10) 北海道へ行く(の)なら、いっしょにスキーをしよう。
(11) 郵便局へ行く(の)なら、これも出しといてください。

4)「～なら」は過去には使われない。

(12) ？子供時代はみんなが集まるなら、いたずらばかりしていた。

「～なら」節の主語については、ほかの従属節と同じく「が」をとります。

(13) あなたが行くなら、私も行きます。

● 「～なら」の作り方

動詞	い形容詞
行く／行かない ＋(の)なら	痛い／痛くない ＋(の)なら
な形容詞・名詞＋だ	
元気／休み　　　　＋なら	
元気／休みじゃない ＋(の)なら	
(でない)	

● 「～なら」と「～のなら」

「～の(ん)だ」のところで、「～の(ん)だ」の本来の用法は、ある前提・状況があって「説明を求める」「確認をする」と述べました(⇒25 ～の(ん)だ)。「～のなら」の「の」は「の(ん)だ」と同じ意味合いを持ちます。

(14) a．郵便局へ行くなら、これも出しといてください。
　　 b．郵便局へ行くのなら、これも出しといてください。

(14)aは単に「あなたが郵便局へ行くときがあれば」というほどの意味ですが、bは相手が郵便局へ行くと言っている、または、行きそうな様子であるといった状況や前提があります。前出の(4)(5)の例も、状況・前提があるので、「〜のなら」が使われています。

●反事実を表す仮定条件

　条件文には現実と異なる事柄を仮定する条件文があります。これらは、事実に反することを表すので、反事実的仮定条件と呼ばれます。反事実的仮定条件は、現時点のことを問題にするか、過去のことを問題にするかで、「反事実・非過去」と「反事実・過去」に分かれます。条件「〜たら」「〜と」「〜ば」「〜なら」のうち、「〜たら」「〜ば」「〜なら」は反事実の非過去・過去を表しますが、「〜と」は、反事実・過去ではあまり使われません。

【反事実・非過去】

(15)　こんなとき彼がいたら／いれば／いたなら／いると、助けてくれるのに。
(16)　(電車の中で)もう少し詰めてくれたら／くれれば／くれたなら／くれると、あと1人座れるのに。

【反事実・過去】

「〜なら」は過去の用法はありませんが、反事実・過去の場合は可能です。

(17)　もう少しスピードを落としていたら／いれば／いたなら／？いると、事故は起きなかっただろう。
(18)　あなたに会わなかったら／会わなければ／会わなかったなら／？会わないと、こんなに苦しむこともなかった。

(19) 先週神戸に来ていたら／いれば／いたなら／？いると、クリスマスのイルミネーションが見られたのに。

指導法あれこれ

　これまで「〜たら・〜と・〜ば・〜なら」の文法的な意味用法について見てきました。説明・分類を通して、一応の理解をしていただけたことと思います。ここでは、少し見方を変えて、「〜たら・〜と・〜ば・〜なら」がコミュニケーションの中で、どのような働き（伝達機能）を持っているかについて考えてみましょう。私自身は、「〜ば・〜たら・〜と・〜なら」の主な伝達機能を次のように考えています。

「ば」　（助言、アドバイス）
　　　助言を求める　　例：どうすればいいですか。
　　　助言を与える　　例：〜すれば、いいですよ。
「たら」（自分の意見・主張・アイデア）
　　　自分の意見・主張を述べる　　例：押したらどうですか。
　　　　　　　　　　　　　　　　　　　自分で考えたら。
「と」　（事実関係の主張）
　　　事実関係を述べる　　例：押すと開く。
「なら」（主題・取り立てを表す）
　　　主題・取り立てを表す　　例：お酒なら松竹梅。
　　　　　　　　　　　　　　　　　捨てるの？捨てるのなら、私にください。
　　　　　　　　　　　　　　　　　行きたくないけど、君が行くなら行ってもいい。

次の1）〜4）の会話は、「〜たら・〜と・〜ば・〜なら」が一番ふさわしい形で使われていると思われますが、皆さんはどうでしょうか。

　　1）Ａ：○○駅へ行きたいんですが、どう行けばいいでしょうか。
　　　　Ｂ：ああ、この道をまっすぐ行けば、○○駅に出ますよ。
　　2）Ａ：（道できょろきょろしている）
　　　　Ｂ：もしもし、この道をまっすぐ行ったら、交番がありますよ。
　　3）Ａ：（交番で）マンション・ラポールはどこでしょうか。
　　　　Ｂ：ああ、この道をまっすぐ行って右に曲がると、ありますよ。
　　4）Ａ：警察はどこでしょうか。
　　　　Ｂ：警察に行くのなら、連れて行ってあげますよ。

　「ば」は前文に焦点が当たり、そこで何が必要かを述べるときに使われます。1）では、Ａの「どう行けば（いいか）」という助言求めに対し、Ｂは必要な情報、つまり助言を与えています。
　「たら」は主節の文末に自由に意志表現がとれることからもわかるように、話し手の自由な、ある意味では個別的（気まぐれ的）な気持ちを表すと言えます。2）では、きょろきょろしているＡを見て、Ｂは比較的自由な気持ちで、話しかけたと解釈できます。
　3）は交番での会話です。Ａの質問に対し、警官Ｂは事務的に事実関係を答えています。このような場合は「と」が適していると考えられます。
　4）では、通りがかりのＢがＡの質問を聞き、「なら」を用いて「そうであれば」という形で質問を受け止め、警察へ行くことを共通の話題（主題化・取り立て）にしています。
　「〜たら・〜と・〜ば・〜なら」が実際のコミュニケーションの場でどのように使い分けられているのかは、もっと多くの場面で見ていかなければなりません。しかし、文法的な意味用法を教えるだけではなく、実際の使われ方を調べて、それを会話や練習に取り入れることは、私達、教える人間がしていかなければならないことです。その例として、ここでは「〜たら・〜と・〜ば・〜なら」の伝達機能について考えてみました。

> **指導ポイント**
>
> 1. 「～なら」はほかの条件節「～たら」「～と」「～ば」と次の点で大きく異なる。学習者のレベルに合わせて説明をするとよい。
>   ①「～なら」には主題的用法と、条件用法がある。
>   ②前文と後文に時間的前後関係を必要としない。
>   ③主節の文末に意志表現をとることができる。
>   ④過去の用法はない。
> 2. 主題的用法というのは、「柔道なら日本が一番」というような使われ方である。ここでは「なら」は「は」に置き換えられる。
> 3. 「～なら」と「～のなら」の違いは、「～のなら」にはすでに状況・前提があることである。例えば、だれかが捨てるのを見て、「捨てるのなら、私にください。」というように。
> 4. 「～なら」節の主語は、ほかの従属節と同じく「が」をとる。一方、主節の主語は「が」をとったり、「は」をとったりするが、それは1文での「は・が」の使い方と同じ。

68 〜ても

A：○○氏に投票したけど、だめだったね。
B：私も○○氏に入れたのに。
A：残念だったね。
B：○○氏が通っても通らなくても、政治は変わらないよ。
A：そうね、だれが首相になっても、同じかもしれないね。

学習者はどこが難しいか。よく出る質問。

1．「高くても」のように「い形容詞」の「〜ても」が正しくできない。
2．「どんなに〜ても」「いくら〜ても」のように疑問詞の付いた「〜ても」が使えない。
3．「〜ても」は過去でも使えるの?
4．「〜ても」と「〜のに」はどう違うの?

学習者の誤用の例

1．A：高かったら買いませんか。
　　B：いいえ、高かっても、買います。
　　　　→いいえ、高くても、買います。
2．何回もさそっても、来なかったんです。
　　→何回さそっても、来なかったんです。
3．上手でも、どうして日本語を使わないんですか。
　　→上手なのに、どうして日本語を使わないんですか。

4．彼はどんなにあやまっても、許せない。
　→彼がどんなにあやまっても、許せない。

説　明

●「〜ても」の意味用法

「〜ても」は次のような形をとって、前文から予想される結果と逆のことが後文に現れること(逆接)を表します。

　　　＿＿＿＿＿＿＿＿＿＿ても、＿＿＿＿＿＿＿＿＿＿
　　　　　　前文　　　　　　　　後文　　（文末）
　　　　　　従属節　　　　　　　主節

1．非過去の場合
1)「〜ても、〜」

「〜ても」が仮定的な事柄を表すときは、副詞「もし・万一・たとえ」などといっしょに使われることがあります。

　(1)　もし失敗しても後悔はしない。

また、「〜ても」文は主節の文末にいろいろな意志表現をとることができます。

　(2)　親に反対されても、部活を続けろ。
　　　　　　　　　　　　続けたい。
　　　　　　　　　　　　続けよう。

2)「疑問詞＋〜ても」

「〜ても」はしばしば疑問詞とともに使用されます。そこでは疑問詞は疑問の意味を持つのではなく、「どのような条件でも、後文(主節)のような結果になる」ことを表します。

 (3) いくら覚えても、すぐ忘れる。
 (4) どんなに説明しても、社長はわかってくれない。
 (5) だれが首相になっても、同じことだ。

疑問詞は程度・頻度を表すときは、「いくら」「どんなに」「何時間」「何回」などが用いられます。人の場合は「だれ」、ものの場合は「何（なに）」が使われます。

 3）「～ても～ても」

「～ても」を2度繰り返すことで、どちらの条件でも結果は同じだという意味を表します。動詞・形容詞などの肯定どうしを並べたり、肯定と否定を並べたりします。

 (6) 待っても待っても帰ってこない。
 (7) 雨が降っても風が吹いても、観察を続ける。
 (8) 朝ご飯を食べても食べなくても料金は同じです。
 (9) 結果がよくても悪くても気にしないほうがいい。

「～ても～ても」の多くは「疑問詞＋～ても」で表すこともできます。

 (10) 待っても待っても帰ってこない。（＝いくら待っても帰ってこない。）
 (11) 雨が降っても風が吹いても、観察を続ける。
          （＝何が起こっても観察を続ける。）

２．過去の場合

「～ても」文は過去の中でも用いられます。

 (12) 何度謝っても、許してもらえなかった。
 (13) 母の病気は手術しても、治りませんでした。

●「～ても」形の作り方

「～ても」は動詞・形容詞などのテ形に「も」が付いたものです。

動詞	い形容詞	な形容詞・名詞＋だ
行っても	忙しくても	元気／休みでも
行かなくても	忙しくなくても	元気／休みじゃなくても
		（でなくても）

● 「～ても」と「～のに」の違い

　事柄がまだ起こっていない事柄（未定）か、もう起こっている事柄（既定）かという観点から見ると、「～ても」はどちらかと言えば未定の事柄に多く使われるのに対し、「～のに」は既定の事柄だけにしか使えません。また、意味的な観点から見ると、「～ても」は単なる逆接条件を表すのに対し、「～のに」は「とがめ」「非難」「意外な気持ち」などを含むことが多いです。

　「学習者の誤用の例」3では、「どうして」で表されるように、話し手の「意外な気持ちが」含まれているので、「～でも」でなく「～のに」が適切と言えます。

　「～ても」「～のに」「～が・～けれども」の意味用法の比較が「～のに」のところにありますので、参考にしてください。（⇒69 ～のに）

指導法あれこれ

　ここでは、「～ても」の練習をいくつか考えてみましょう。
　条件の「～たら」「～と」「～ば」を使った「～ても」の練習です。「～ても」だけの練習に終始するより、より幅広い練習ができます。また、条件節の復習にもなります。

〈練習1〉
　　A：このスイッチを押せば、電気がつきますよ。
　　　　　　　押すと、
　　　　　　　押したら、
　　B：はい、わかりました。
　　　　あのう、すみません。スイッチを押しても、電気がつかないんですが。

「押せば」は「押すと」「押したら」のどれかを使ってもいいし、三つ混ぜて練習してもいいです。文型練習だけでなく、会話の応答の形にすると、練習が生き生きしてきます。

「電気をつける・電気がつく」の代わりに次のような例も考えられます。

①お金を入れる・切符が出る
②事務所で聞く・わかる
③インターネットで調べる・わかる
④みんなで相談する・アイデアが出る

〈練習2〉

（書類を書いている）
A：この住所のところですが、これも書きますか。
B：あ、ここは書いても書かなくてもいいです。
A：ああ、そうですか。

練習1はA、Bとも学習者でパート練習ができますが、練習2の設定としてはBが日本人のほうがいい場合もあります。その場合はAだけ練習させてもいいし、A、Bともさせてもいいです。ほかの例として次のようなものが考えられます。

①会議に出る
②この薬を飲む
③洗面用具を持って行く
④お弁当を持って来る

Aのパートでは、「（会議に出た）ほうがいいですか」「（会議に出）なければなりませんか」などの言い方も取り入れるように工夫させてください。また、最後の「ああ、そうですか」や「わかりました」も必ず言わせてください。学習者は相手に何かを指示されて、それにどう答えるかの答え方を知りたがっていますので。

指導ポイント

1. 「〜ても」は、テ形に「も」が付いた形である。動詞のテ形、「い形容詞」のテ形が正確にできるように十分練習すること。また、それぞれのテ形の否定形もできるようにさせること。
2. 「〜ても」は「いくらがんばっても」「だれが来ても」のように、疑問詞とともに用いられることが多い。疑問詞がある場合もない場合も両方使えるように練習すること。
3. 「〜ても」と「〜のに」の混同が起きやすい。「〜ても」は主節の文末に意志表現をとることができるが、「〜のに」はできない。「〜のに」はすでに起こったことに用いられやすいこと、「〜のに」には「非難・とがめ」の意味合いがあるが「〜ても」にはないことをきちんと把握させること。
4. 「〜ても」節内の主語は、ほかの従属節と同じく「が」をとる。一方、主節は「が」をとったり、「は」をとったりし、それは1文での「は・が」の使い方と同じ。

69
～のに

A：○○氏に投票したけど、だめだったね。
B：私も○○氏に入れたのに。
A：期待してたのに、残念だったね。
B：投票率も低かったようだね。
A：お天気もまあまあだったのにね。
B：うん。

学習者はどこが難しいか。よく出る質問。

1．「のに」の前に来る形（普通形）を正しく作れない。
2．特に「な形容詞」「名詞＋だ」が来たとき、「～なのに」ができない。
3．「～のに」の使い方がわからない。
4．「～のに」と「～ても」の違いは？
5．「～のに」と「～が・～けれども」の違いは？

学習者の誤用の例

1．とてもいい天気のに、うちにいます。
　　→とてもいい天気なのに、うちにいます。
2．（テストの前に）先生、難しいのに、本を見てはだめですか。
　　→先生、難しくても、本を見てはだめですか。
3．（書いたものを見せて）漢字がいっぱいなのに、読んでみて。
　　→漢字がいっぱいだけど、読んでみて。
4．具合がちょっと変なのに、お医者さんに行くほどではない。
　　→具合がちょっと変だが／けど、お医者さんに行くほどではない。

説 明

● 「〜のに」の意味用法

「〜のに」を持つ文は次のような形をとります。

```
_____のに、_____
         前文                    後文    （文末）
         従属節                   主節
```

「〜のに」の意味用法は次のようです。

1) 逆接を表す

　「〜のに」は冒頭の会話例の「期待してたのに、残念だった。」のように、前文（従属節）から予想される結果と逆のことが後文（主節）に現れること（逆接）を表します。

　「〜のに」は前文の事柄・事態が現在、または、すでに起こっている場合（既定）に用いられ、文全体として話し手の「とがめ」「非難」「意外な気持ち」などを表すことが多いです。

　　(1)　行くなと言ったのに、彼は出かけていった。
　　(2)　あんなに勉強したのに、どうして不合格なのだろう。
　　(3)　寒いのに、窓が開けてある。

　「〜のに」文では主節の文末に意志表現をとることはできません。

　　(4)？おいしくないのに、食べてみてください。
　　(5)？漢字が多いのに、頑張って読もう。

2) 対比を表す（⇒58 〜が・〜けれども）

　「〜のに」は次のように前文と後文で対比的な関係を表すことがあります。

(6)　きのうは寒かったのに、きょうは夏のように暑い。
　　(7)　話すのは上手なのに、漢字は全然書けない。

３）終助詞的な「～のに」
　「～のに」は会話文「私も○○氏に入れた<u>のに</u>。」『お天気もまあまあだった<u>のに</u>ね。」のように、文の終わりに付いて、話し手の不満や非難、残念だという気持ちを表すことがあります。

　　(8)　どうして食べないの。せっかく作ったのに。
　　(9)　楽しみにしていたのに。

● 「～のに」形の作り方

　「～のに」の前には普通形をとります。「な形容詞」「名詞＋だ」の接続の仕方に注意してください。

動詞	な形容詞
行く 行かない 行った 行かなかった ｝＋のに	元気な 元気じゃない 元気だった 元気じゃ／ではなかった ｝＋のに
い形容詞	名詞＋だ
忙しい 忙しくない 忙しかった 忙しくなかった ｝＋のに	休みな 休みじゃない 休みだった 休みじゃ／ではなかった ｝＋のに

● 「〜が・〜けれども」「〜ても」「〜のに」の比較

　ここでは、逆接を表す「が・けれども」「〜ても」「〜のに」について違いを比較してみましょう。ただし、これは絶対的なものではなく、だいたいの目安を示したものです。

	〜が 〜けれども	〜ても	〜のに
未定の事柄に使える	○	○	
既定の事柄に使える	○	○	○
仮定的な事柄を表すことができる		○	
主節の文末に意志表現がとれる	○	○	
「非難・とがめ・意外な気持ち」などが含まれる			○
前置きを表す	○		
終助詞的に使える	○		○

　次のように「〜のに」は「未定の（まだ確定していない）事柄」には使えません。

(10) a．彼に聞くつもりだけど、わからないだろう。
　　 b．彼に聞いても、わからないだろう。
　　 c．?彼に聞くのに、わからないだろう。

「〜が・〜けれども」「〜ても」「〜のに」いずれも「既定の（すでに確定している）事柄」に使えます。

(11) a．きのう彼に聞いたけど、わからなかった。
　　 b．彼に聞いても、わからなかった。
　　 c．彼に聞いたのに、わからなかった。

　次のように既定の事柄にしか使えない「〜のに」は、仮定的な事柄を表すことができません。

(12) a． 宝くじを買っても、当たらないだろう。
　　 b．？宝くじを買うのに、当たらないだろう。

「〜が・〜けれども」「〜ても」は主節の文末に意志表現がとれますが、「〜のに」はとれません。

(13) a． 苦しいだろうが、がんばれ。
　　 b． 苦しくても、がんばれ。
　　 c．？苦しいのに、がんばれ。

「〜が・〜けれども」「〜ても」は、事柄・事態を述べるにとどまりますが、「〜のに」は「非難・とがめ・意外な気持ち」などを表すことが多いです。

(14) a．頼んだけど、彼はやらなかった。
　　 b．頼んでも、彼はやらなかった。
　　 c．頼んだのに、彼はやらなかった。

「〜が・〜けれども」は「前置きを表す」ことができますが、「〜ても」「〜のに」はそのような働きはありません。

(15) a． さっきの話ですが、あれはもう決定ですか。
　　 b．？さっきの話でも、あれはもう決定ですか。
　　 c．？さっきの話なのに、あれはもう決定ですか。

「終助詞的に使える」というのは、次のような場合で、「〜が・〜けれども」「〜のに」と異なり、「〜ても」にはその用法はありません。

(16) a． 私はよく知りませんが。
　　 b．？私はよく知らなくても。
　　 c． 私はよく知らないのに。

指導法あれこれ

「〜のに」は学習者にはなかなかうまく使えない表現ですが、少しでも身に付く練習をいくつか考えましょう。

〈練習1〉

「〜ので」対「〜のに」の練習です。

学習者をペアで組ませます。1人が「〜ので」の文を作り、もう1人がそれと反対の内容を「〜のに」の文を使って作ります。

例1　A：あしたは日曜日なので、朝寝坊しよう。
　　　B：あしたは日曜日なのに、(仕事があるから、)朝寝坊できない。
例2　A：一生懸命勉強したので、合格するでしょう。
　　　B：一生懸命勉強したのに、合格できなかった。

学習者が「〜ので」の文を思いつけない場合もあるので、教師はカードに「あしたは日曜日だ。朝寝坊しよう。」「一生懸命勉強した。」「合格するでしょう。」などを書いておき、理由文を作る材料を用意したほうがいいかもしれません。

〈練習2〉

「〜のに」を用いて「意外な気持ち」を表す練習です。

次のような例を使って、自分の大切なもの(かぎ、写真、パスポート、財布、など)がなくなったことを報告します。

①かばんに入れた。
　　例1　かばんに入れたのに、かぎがないんです。
　　例2　確かにかばんに入れたのに、かぎがないんです。どうしたらいいでしょうか。
②ポケットに入れたはずだ。
③テーブルの上に置いた。

④本箱の上にのせておいた。
⑤本の間にはさんでおいた。

〈練習3〉
　次は、「～のに」を用いて不満を言う練習です。実際の生活ではあまり使わないほうがいいかもしれませんが、時には友達どうしで不満を言い合うのもいいかもしれません。

　①日本人は親切だと聞いてきたのに、不親切な人が多い。
　②日本語はやさしいと聞いてきたのに、＿＿＿＿＿＿＿＿＿＿＿＿＿＿＿＿＿。
　③日本料理はおいしいと聞いてきたのに、＿＿＿＿＿＿＿＿＿＿＿＿＿＿＿。
　④アパートは静かだと聞いたのに、＿＿＿＿＿＿＿＿＿＿＿＿＿＿＿＿＿。
　⑤電気代は払わなくてもいいと聞いたのに、＿＿＿＿＿＿＿＿＿＿＿＿＿。
　⑥アルバイト先で日曜日は休みだと言われたのに、＿＿＿＿＿＿＿＿＿＿。

いろいろな文を楽しく作らせましょう。前半部分も学習者に作らせるとおもしろいかもしれません。

指導ポイント

1. 「のに」は理由の「ので」と同じように、通常、前には普通形が来るが、「な形容詞」「名詞＋だ」の非過去・肯定では、「～なのに」となる。「きれいだのに」「病気だのに」などになりやすいので、注意すること。
2. 「～のに」は「～ても」と混同されやすい。「学習者の誤用の例」のように、「～ても」とすべきところに「～のに」を使用してしまう傾向がある。「～のに」の特徴は次の通りである。
    ①主節の文末に意志表現がとれない。
    ②既定の（すでに起こっている）事柄に用いられる。
3. 「～のに」には多くの場合、「非難」「とがめ」などの意味合いが入る。既定の事柄で「非難」や「とがめ」が入らない場合は、「～が・～けれども」を使わせるとよい。

参考文献

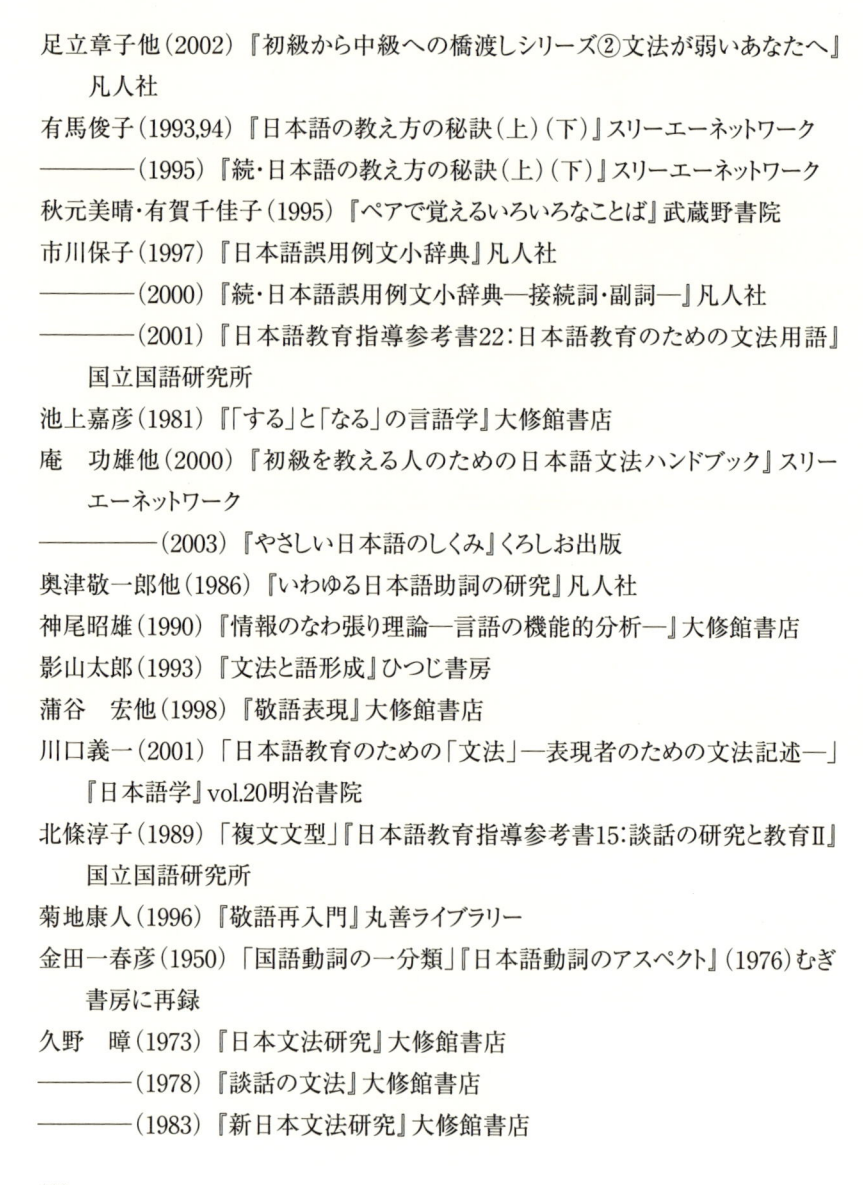

足立章子他（2002）『初級から中級への橋渡しシリーズ②文法が弱いあなたへ』凡人社
有馬俊子（1993,94）『日本語の教え方の秘訣（上）（下）』スリーエーネットワーク
─────（1995）『続・日本語の教え方の秘訣（上）（下）』スリーエーネットワーク
秋元美晴・有賀千佳子（1995）『ペアで覚えるいろいろなことば』武蔵野書院
市川保子（1997）『日本語誤用例文小辞典』凡人社
─────（2000）『続・日本語誤用例文小辞典─接続詞・副詞─』凡人社
─────（2001）『日本語教育指導参考書22：日本語教育のための文法用語』国立国語研究所
池上嘉彦（1981）『「する」と「なる」の言語学』大修館書店
庵　功雄他（2000）『初級を教える人のための日本語文法ハンドブック』スリーエーネットワーク
─────（2003）『やさしい日本語のしくみ』くろしお出版
奥津敬一郎他（1986）『いわゆる日本語助詞の研究』凡人社
神尾昭雄（1990）『情報のなわ張り理論─言語の機能的分析─』大修館書店
影山太郎（1993）『文法と語形成』ひつじ書房
蒲谷　宏他（1998）『敬語表現』大修館書店
川口義一（2001）「日本語教育のための「文法」─表現者のための文法記述─」『日本語学』vol.20明治書院
北條淳子（1989）「複文文型」『日本語教育指導参考書15：談話の研究と教育Ⅱ』国立国語研究所
菊地康人（1996）『敬語再入門』丸善ライブラリー
金田一春彦（1950）「国語動詞の一分類」『日本語動詞のアスペクト』（1976)むぎ書房に再録
久野　暲（1973）『日本文法研究』大修館書店
─────（1978）『談話の文法』大修館書店
─────（1983）『新日本文法研究』大修館書店

工藤真由美(1995)『アスペクト・テンス体系とテクスト―現代日本語の時間の表現―』ひつじ書房
グループ・ジャマシイ(1998)『教師と学習者のための日本語文型辞典』くろしお出版
小泉　保他(1989)『日本語・基本動詞用法辞典』大修館書店
小林典子他(1995)『わくわく文法リスニング99　ワークシート』凡人社
阪田雪子他(2003)『日本語運用文法―文法は表現する―』凡人社
新屋映子他(1999)『日本語教科書の落とし穴』アルク
高橋太郎(1985)『現代日本語動詞のアスペクトとテンス』秀英出版
高橋美和子他(1994)『クラス活動集101―『新日本語の基礎I』準拠―』スリーエーネットワーク
─────(1996)『続・クラス活動集131―『新日本語の基礎II』準拠―』スリーエーネットワーク
張　麟声(2001)『日本語教育のための誤用分析―中国語話者の母語干渉20例―』スリーエーネットワーク
筑波ランゲージグループ(1991～92)『Situational Functional JapaneseI～III』凡人社
寺村秀夫(1978,81)『日本語教育指導参考書4・5：日本語の文法(上)(下)』国立国語研究所
───(1982)『日本語のシンタクスと意味I』くろしお出版
───(1984)『日本語のシンタクスと意味II』くろしお出版
───(1991)『日本語のシンタクスと意味III』くろしお出版
富田隆行(1991)『これだけは知っておきたい日本語教育のための基礎表現50とその教え方』凡人社
───(1997)『これだけは知っておきたい日本語教育のための続・基礎表現50とその教え方』凡人社
友松悦子他(1996)『どんな時どう使う日本語表現文型500』アルク
───(2000)『どんなときどう使う日本語表現文型200』アルク
永野　賢(1988)「再説「から」と「ので」とはどう違うか」『日本語学』vol.7明治書院
仁田義雄(1991)『日本語のヴォイスと他動性』くろしお出版

仁田義雄(1991)『日本語のモダリティと人称』ひつじ書房
―――(1995)『複文の研究(上)(下)』くろしお出版
仁田義雄他(1989)『日本語のモダリティ』くろしお出版
西尾寅弥(1972)『形容詞の意味・用法の記述的研究』秀英出版
西口光一(2000)『基礎日本語文法教本』アルク
野田尚史(1991)『はじめての人の日本語文法』くろしお出版
野田尚史他(2001)『日本語学習者の文法習得』大修館書店
益岡隆志(1991)『モダリティの文法』くろしお出版
―――(1993)『24週日本語文法ツアー』くろしお出版
益岡隆志・田窪行則(1992)『基礎日本語文法―改訂版―』くろしお出版
丸山敬介(1995)『教え方の基本』京都日本語教育センター
南不二男(1974)『現代日本語の構造』大修館書店
宮島達夫(1972)『動詞の意味・用法の記述的研究』秀英出版
宮島達夫・仁田義雄(1995)『日本語類義表現の文法(上)(下)』くろしお出版
宮原 彬(2001)『日本語学習者が作文を書くための用例集』凡人社
三上 章(1960)『象は鼻が長い―日本文法入門』くろしお出版
―――(1963)『文法教育の革新』くろしお出版
水谷修・水谷信子(1977)『An Introduction to Modern Japanese』The Japan Times
水谷信子(1985)『日英比較話しことばの文法』くろしお出版
―――(1994)『実例で学ぶ誤用例分析の方法』アルク
明治書院企画編集部編(1997)『日本語誤用分析』明治書院
森田良行(1989)『基礎日本語辞典』角川書店
森山卓郎(2000)『ここからはじまる日本語文法』ひつじ書房
山森理恵(2004)「上級日本語学習者の発話におけるモダリティの使用実態―母語話者との比較から―」『2004年日本語教育学会春季大会予稿集』日本語教育学会
Seiichi Makino and Michio Tsutsui(1989)『日本語基本文法辞典　A DICTIONARY OF BASIC JAPANESE GRAMMER』The Japan Times

Stefan Kaiser他（2001）『Japanese: A Comprehensive Grammar』
　ROUTLEDGE

日本語文法セルフマスターズシリーズ　くろしお出版
　1．野田尚史（1985）『はとが』
　2．砂川有里子（1986）『する・した・している』
　3．益岡隆志・田窪行則（1987）『格助詞』
　4．金水敏他（1989）『指示詞』
　5．沼田善子（1992）『「も」「だけ」「さえ」など―とりたて―』
　6．森山卓郎・安達太郎（1996）『文の述べ方』
　7．有田節子他（2001）『条件表現』

日本語文法演習　スリーエーネットワーク
　安藤節子・小川誉子美（2001）『自動詞・他動詞、使役、受身―ボイス―』
　庵功雄・清水佳子（2003）『時間を表す表現―テンス・アスペクト―』
　小川誉子美・前田直子（2003）『敬語を中心とした対人関係の表現―待遇
　　表現―』
　三枝令子・中西久実子（2003）『話し手の気持ちを表す表現―モダリティ・終
　　助詞―』
　小川誉子美・三枝令子（2004）『ことがらの関係を表す表現―複文―』

主要初級教科書との対応表

<教科書> 教科書の欄の数字は該当する項目を扱っている課を表す。(*はその項目を扱っていないことを表す。)

みんな:『みんなの日本語初級Ⅰ・Ⅱ』スリーエーネットワーク編著　スリーエーネットワーク
新文化:『新文化初級日本語Ⅰ・Ⅱ』文化外国語専門学校編　凡人社
JBP:『JAPANESE FOR BUSY PEOPLE Ⅰ～Ⅲ』国際日本語普及協会著　講談社インターナショナル
SFJ:『Situational Functional Japanese Ⅰ～Ⅲ』筑波ランゲージグループ著　凡人社

	本書	みんな	新文化	JBP	SFJ
1	〜は〜です	1	1	Ⅰ-1	1
2	〜の〜	1・2・3	1・2・3	Ⅰ-1・Ⅰ-2・Ⅰ-5	1
3	動詞文	4・5・6・20	6・7	Ⅰ-6・Ⅰ-10	2・3
4	格助詞	4・5・6・7・9・10・11・12・13・14・16・32・37	1・5・6・10・12	Ⅰ-3・Ⅰ-4・Ⅰ-5・Ⅰ-6・Ⅰ-7・Ⅰ-10・Ⅰ-12・Ⅰ-14・Ⅰ-16・Ⅰ-22	2・3・4・5・6・7・11・12
5	存在文	10	5	Ⅰ-8・Ⅰ-9	4
6	い形容詞・な形容詞1（非過去）	8	3・4	Ⅰ-13	6
7	い形容詞・な形容詞2（過去）	12	8	Ⅰ-14	6
8	動詞の活用	14・17・18・19	6・12	Ⅰ-19・Ⅱ-3	5・8
9	動詞のテ形	14	9	Ⅰ-19	5
10	比較	12	15	Ⅱ-1	10
11	指示語（こ・そ・あ・ど）	3	2・3・28	Ⅰ-4・Ⅰ-5	4・19

	本書	みんな	新文化	JBP	SFJ
12	～（よ）う	31	20	Ⅱ-18	16
13	～（よ）うと思う	31	20	Ⅱ-18	16
14	～つもりだ	31	20	Ⅱ-18	19
15	～たい	13	11・23	Ⅰ-28	7
16	～ほしい	13	23	Ⅱ-5	17
17	～てほしい	*	*	Ⅲ-7	17
18	～てください	14	9	Ⅰ-20	5
19	～ましょう	6	9・15	Ⅰ-16・Ⅰ-17	3
20	～ませんか	6	17	Ⅰ-16・Ⅰ-17	3
21	～（た）ほうがいい	32	21	Ⅱ-6	12
22	～てもいい	15	9・21	Ⅰ-23	8
23	～たらいい	26	*	[～たらいいですか] Ⅱ-5	[どう～たらいい] 12 [～たらどうか] 24
24	～なければならない	17	*	Ⅱ-9	23
25	～なければいけない	*	[～なくてはいけない] 20	Ⅱ-9	[～なくてはいけない] 23
26	～だろう	*	17	Ⅱ-13	19
27	～かもしれない	32	16	Ⅱ-13	20
28	～そうだ（様態）	43	23・35	Ⅲ-4	17
29	～ようだ	47	31・32・33	Ⅲ-1	*

	本書	みんな	新文化	JBP	SFJ
22	〜みたいだ	*	31・32・33	[Nみたいな N] Ⅲ-12	*
23	〜らしい	*	*	Ⅲ-4	22
24	〜そうだ (伝聞)	47	17	Ⅲ-1	19
25	〜の (ん) だ	26	16	Ⅲ-11	5・7
26	〜はずだ	46	19	Ⅲ-2	24
27	〜わけだ	*	*	Ⅲ-19	24
28	は (取り立て助詞)	1・4・6・10・17・26・27	1・8・15	Ⅰ-1・Ⅰ-9	1・2・3・4・12・まとめ1-6
	が (格助詞)	10・12・14・16・22	5	Ⅰ-6・Ⅰ-8	2・まとめ1-6
29	〜は〜が文	9・16	6・15・33	Ⅰ-28・Ⅰ-29	10・13
30	も (取り立て助詞)	1・5・6・10・19・27・42	2・8・15	Ⅰ-4	1・3・13
	だけ (取り立て助詞)	11	7	Ⅰ-19	9
	しか (取り立て助詞)	27	28	Ⅱ-19	18
31	か (終助詞)	1	1	Ⅰ-1・Ⅰ-18	Introduction1・まとめ2
	ね (終助詞)	4	5・23	Ⅰ-7・Ⅰ-8・Ⅰ-9	Introduction1・まとめ2
	よ (終助詞)	5	5	Ⅰ-9	Introduction1・まとめ2
32	ムード (モダリティ)				
33	〜ている	14・15・28・29・31	10・11・19・27・35	Ⅰ-25・Ⅰ-27・Ⅱ-5	8・13
34	〜てある	30	32・36	Ⅲ-6	15

	本書	みんな	新文化	JBP	SFJ
34	～ておく	30	27	Ⅲ-6	15
35	～てくる	*	18	Ⅲ-7	15
	～ていく	*	*	Ⅱ-20・Ⅲ-7	15
36	～てしまう	29	19・35	Ⅲ-5	22
37	～てみる	40	19	Ⅲ-5	15
38	～ところだ	46	29・33・35	Ⅲ-18	23
	～(た)ばかりだ	46	*	Ⅱ-6	13
39	～ことにする	*	31	Ⅲ-15	23
	～ことになる	*	31	Ⅲ-15	23
	～ようにする	36	29	Ⅲ-12	21
	～ようになる	36	24	Ⅲ-10	21
40	テンス・アスペクト				
41	意志動詞・無意志動詞	42	*	*	11
42	他動詞・自動詞	30	26	Ⅲ-11	11
43	受身	37	32・33	Ⅲ-8	17
44	可能	27	22・31	Ⅱ-19	14
	～ことができる	18	22	Ⅱ-3	18
45	もののやりもらい（授受）	24・41	24・25	Ⅰ-15・Ⅱ-5	13
46	動作のやりもらい（授受）	24・41	28・29・30	Ⅲ-7・Ⅲ-11	14

451

	本書	みんな	新文化	JBP	SFJ
47	使役	48	34	Ⅲ-9	22
	使役やりもらい	「させていただけませんか」の表現のみ48	35	「させてください/させていただきます」の表現のみⅢ-9	22
	使役受身	*	36	*	*
48	敬語	49・50	21・29・30	Ⅲ-11・Ⅲ-13・Ⅲ-17	9・10・18
49	〜と思う	21	13・17・20	Ⅱ-8	11・19
50	〜と言う	21	17	Ⅱ-8	9
51	〜という〜	「〜という本」のみ38	19	Ⅲ-3	11
52	疑問引用節	40	20	Ⅲ-3	18
53	〜こと（名詞節）	18	16	Ⅱ-11	16
	〜の（名詞節）	38	11・18	Ⅱ-14	10・16
54	名詞修飾節	22	13・18・21	Ⅱ-7	10・13
55	〜から	9	13	Ⅰ-9・Ⅱ-11	4・5
56	〜ので	39	14	Ⅱ-13	9
57	〜ために	42	33	Ⅲ-17	目的の「ため」23
	〜ように	36	27	Ⅲ-17	21
58	〜が（逆接）	8	8	Ⅰ-12	6・7
	〜けれども	「けど」20	「けど」25	「けど」Ⅱ-19	6・7
59	〜て	16・34・39	7・9・10・21・26・27・34	Ⅰ-19・Ⅱ-2・Ⅱ-14・Ⅲ-12	5・8・14・15・17・21・22・24

本書		みんな	新文化	JBP	SFJ
60	〜たり	19	14	Ⅱ-4	16
61	〜し	28	13	Ⅱ-5	16
62	〜前に	18	16	Ⅰ-19・Ⅱ-3	12
	〜あとで	34	16	Ⅰ-19・Ⅱ-10	12
	〜てから	16	11	Ⅱ-5	12
63	〜とき	23	13・28	Ⅱ-12	8・20
64	〜たら	25	31・32	Ⅱ-15	11
65	〜と	23	12・19	Ⅱ-16・Ⅱ-17	12
66	〜ば	35	22・35	Ⅱ-16	20
67	〜なら	35	22・31	Ⅱ-15	4・24
68	〜ても	25	26・35	Ⅲ-7	24
69	〜のに	45	32	Ⅲ-14	24

索　引

あ
あげる　280
アスペクト　22，239，**244**，343，397
〜あとで　**388**
〜あとに　393

い
言い換え　163
い形容詞　**40**，**45**
意向　202，253
意向形　53，75
意志　22，75，80，198
意志動詞　75，212，220，225，229，**251**，272
意志表現　77，202，349，355，361，404，416，425
いただく　281
Ⅰグループ動詞　51，58
一段動詞　51，58
一般条件　402，410，415
依頼　96，200
因果関係　355
引用節　30，310，349

う
ヴォイス　266
受身（表現）　**265**，266
受身形　266
うながし　102

お
お（＋名詞）　305

か
か（終助詞）　**189**
が（格助詞）　28，**169**
〜が　366
〜が（終助詞的）　369
〜が（前置き）　370
「〜が・〜けれども」「〜ても」「〜のに」の比較　439
係助詞　184
格助詞　23，**26**，172，184
確信・期待　155
過去　11，22，46，245
過去を表す副詞　245
「貸す」と「借りる」　97，292
活用（形）　11，42，51，53
仮定条件　402，417，424
〜かどうか　328
可能　**271**
可能形　272
　可能形と「〜ことができる」　275
〜かもしれない　**117**
から（格助詞）　30
〜から　**347**

〜から（終助詞的） 350
〜から（前置き） 370
〜から（理由を表さない） 351
　「〜から」と「〜ので」の比較 357
〜からだ 350
　「〜からだ」と「〜わけだ」の比較 165
関心度 135
間接受身 268
間接話法 316
間投助詞 190
願望 86，91，199
完了 206，224，246
完了の否定 208

き

聞こえる 275
基準 29
義務 112，203
疑問引用節 327，349
疑問詞〜か 328
疑問詞〜ても 431
疑問文 12
逆接 367，431，437
逆接条件 433
強調構文 336
許可 106，276

く

ください 96

くださる 281
くれる 281

け

継起 374
経験 206
敬語 281，**299**
敬語動詞 302
継続動詞 207
敬体 21
形容詞 41
形容詞の活用 42
形容詞文 41
結果の残存（状態） 206，212
決定・決心 241，254
結論 162
〜けれども（〜けれど・〜けど） **366**
〜けれども（終助詞的） 369
〜けれども（前置き） 370
原因 30，361
謙譲語 303
謙譲動詞 302
限度・期限 29
現場指示 69

こ

ご（＋名詞） 305
語順 12
こ・そ・あ・ど **67**

五段動詞　51，58
コト　195
〜こと（名詞節）　**332**
〜ことがある　335
〜ことができる　**271**
〜ことにする　**238**
〜ことになる　**238**
断り　103
根拠　124，132，139，145
困難・警告　409

さ

さしあげる　281
〜（さ）せてくれる／くださる　296
〜（さ）せてもらう　296
誘い・勧誘　101
Ⅲグループ動詞　51，58
残念（遺憾）　224

し

〜し　**384**
使役　**293**
使役受身　**293**
使役形　294
使役やりもらい　**293**
しか（取り立て助詞）　**183**
指示語　**67**
指示詞　68
辞書形　53，57

時制　245
質問文　12
自動詞　213，**257**，268，274，295
習慣・反復　409，415
修飾する　16，344
終助詞　24，**189**
従属節　246，348
主観性　120
縮約形　226
主語　11，22，27，35，**172**，179，328，
　　　333，342，362，404，410，417，425
主語選択　172
授受　**279**，**286**
主節　348
主体　28
主題　11，35，173
主題化　173
手段・方法　29
主張・こだわり　312
述語　153，170，245，301，341，348，
　　　374
述語選択　171
出発点・起点　28
受動態　266
瞬間動詞　207
順次的動作　220
準備　213
状況可能　274
条件　402，410，415，417，424，433

条件形　53
常体　21
状態　206
状態変化の出現　220
省略　12，27，312，319，330
助言・忠告　106
助詞　11，26，183，189
所有・所属　16

す
推量　118，133，139，198
勧め　106
好きだ　179

せ
説明・主張　163

そ
相　245
〜そうじゃない　126
〜そうだ（伝聞）　**144**
〜そうだ（様態）　**123**，135
　「〜そうだ（伝聞）」と「〜そうだ（様態）」
　　146
〜そうにもない　127
属性　16
尊敬語　301
尊敬動詞　302
存在の場所・位置　28，35
存在文　**34**

存在を表す動詞　207

た
〜た（過去）　207
　「〜た」と「〜ている」　207
〜た（完了）　246
〜たあとで　391
　「〜たあとで」と「〜てから」の比較
　　392
〜たい　**85**
待遇表現　290，307
第三者の意志表現　81
第三者の願望　87，91
第三者の発言　317
対象　28
〜たいと思う　86，310
対比　71，174，368，437
代名詞　68
第四種の動詞　207
〜たがる　87
だけ（取り立て助詞）　**183**
夕形　53
夕形の慣用的表現　247
〜たことがある　335
他動詞　209，213，**257**，267
〜たばかりだ　**233**
〜たほうがいい　**105**
〜ために　254，**360**
〜たら　**401**

457

～たら（終助詞的） 403
「～たら・～と・～ば・～なら」の比較 417
～たらいい 105
タラ形 53
～たり 379
タリ形 53
～たり～たりする 380
～たり～なかったり 381
～だろう 117, 135
～だろうと思う 118

ち
知覚動詞 336
～ちゃう・～ちゃった 226
直接受身 267
直接話法 316

つ
通過の場所・経過点 28
～つもりだ 79

て
で（格助詞） 29
～て 373, 375, 382
「～て」と「～たり」 381
「～て」の否定形 376
～てあげる 287
～てある 211

「～てある」と「～ている」の比較 208, 212
～ていく 218
～ていただく 288
～ていただける 288
丁重語 305
～ていない 208
丁寧形 21, 42, 46
丁寧体 12, 21, 57
～ている 205, 212
～ておく 211
「～ておく」と「～てある」の比較 215
～てから 388
「～てから」「～たから」「～たら」 393
～てください 95
～てくださる 289
～てくる 218, 241
～てくれる 289
テ形 53, 56
～てさしあげる 287
～てしまう 223
～てしまった 224
「～てしまう／しまった」の縮約形 226
～でしょう 118
～てほしい 90
～てみる 228
でも（取り立て助詞） 188

〜ても　**430**
〜てもいい　**105**
〜ても〜ても　432
　「〜ても」と「〜のに」の比較　433
〜てもらいたい　92
〜てもらう　288
〜てもらえる　288
典型　141
テンス・アスペクト　22, 239, **244**, 343, 397
伝聞　144

と

と（格助詞）　30, 310
と（並列助詞）　381
〜と　**408**
〜といい　107
〜と言う　315
〜という〜　322
〜ということだ　325
〜というのは　324
〜と言った　317
〜と言っていた　317
〜と言っている　317
当為　203
同意　103
同格　16
動作・作用　28
動作主　258

動作の継続　220
動作の進行　206
動作の反復　206
動作のやりもらい　**286**
動詞　**20**, 51
動詞の活用　**50**
動詞のテ形　**56**
動詞文　**20**
到着点　29
〜と思う　**309**
〜と思う（判断＋と思う）　310
〜と思っている　311
〜とき　**395**
　「〜とき」「〜ときに」「〜ときは」「〜ときには」　398
〜ところだ　233
トピック　11, 35, 173
取り立て助詞　170, **183**

な

ナイ形　53
〜ないと　409
〜ながら　254
〜なくてもいい　107
な形容詞　**40**, **45**
〜なければいけない　**111**
〜なければならない　**111**
〜な（さ）そうだ　127
〜なら　423

459

「〜なら」と「〜のなら」 425

に
に（格助詞） 28
「に」と「で」 31
〜に〜がある／いる 35
IIグループ動詞 51, 58
人間関係 296

ね
ね（終助詞） 189

の
〜の（名詞節） 332
〜の〜（名詞と名詞をつなぐ） 15
能力 274
〜のだ 149
〜のだから 152
〜ので 354
〜ので（終助詞的） 356
〜のに 436
〜のに（終助詞的） 438
〜のほうが 63

は
は（取り立て助詞） 169, 184
〜ば 414
〜ば（終助詞的） 415
〜ばいい 415

〜は〜が（文） 64, **178**
〜ばかりだ **233**
バ形 53
〜はずが／はない 157
〜はずだ **154**
「〜はずだ」「〜だろう」「〜ようだ」
「〜らしい」「〜べきだ」の比較 158
「〜はずだ」と「〜わけだ」の比較
　　165
〜は〜です **10**
「は」と「が」 169
範囲 29
反事実 426
反事実・過去 426
反事実・非過去 426

ひ
比較 **62**
非過去 11, 22, 245
被修飾名詞 341
比喩 134

ふ
不規則動詞 51, 58
複合動詞 246
副詞 42, 68, 185
副詞句 72
副詞節 348
副助詞 184

複文　348
付帯状況　375
普通形　21, 42, 46
普通体　12, 21
プラス強制　295
文体　21
文脈指示　69

へ
へ（格助詞）　30
並列　375, 380, 385
並列助詞　381
変化　219

ほ
〜ほうがいい　**105**
方向性　219
補語　27
〜ほしい　**90**
補助動詞　229, 246

ま
マイナス強制　295
前置き　369
〜前に　**388**
〜ましょう　**100**
マス形　21, 53, 57
〜ませんか　**100**
まで（格助詞）　31

み
見える　275
未完了　246
右左　37
〜みたいだ　**131**

む
無意志動詞　212, 220, 224, **251**, 363, 375
ムード　22, **194**, 239, 248
無生物　35

め
名詞　11, 15
名詞句　27
名詞修飾節　120, **340**, 349
名詞節「〜こと・〜の」　**332**, 349
名詞文　11
命令　200, 253
命令形　53

も
も（取り立て助詞）　**183**
目的　28, 254, 362
モダリティ　22, **194**, 239, 248
もののやりもらい　**279**
もらう　280

や

や（並列助詞） 381
やりもらい **279**, **286**
やる 281

よ

よ（終助詞） **189**
〜（よ）う **74**
ヨウ形 53
〜ようだ **131**
　「〜ようだ」「〜そうだ（様態）」「〜だろう」の比較 135
様態 **123**
〜（よ）うと思う **74**, 310
〜ように **360**
〜ようにする 238
〜ようになる 238
〜予定だ 82
より（格助詞） 31, 63

ら

〜らしい **138**
　「〜らしい」と「〜ようだ」の比較 141
ら抜き 276

り

利益・恩恵 287
理由 30, 349, 355, 361, 375

理由（ゆるやかな） 386
量・数 36

る

る（未完了） 246

れ

例示 133
例示・並列 380
連体詞 68
連体修飾節 341
連用修飾 125

わ

わかる 272
〜わけが／はない 164
〜わけだ **161**
〜わけではない 165
〜わけにはいかない 165

を

を（格助詞） 28
〜をください 96

ん

〜んだ **149**

著者
市川保子（いちかわ やすこ）
元筑波大学助教授
元東京大学・元九州大学教授
『日本語類義表現と使い方のポイント—表現意図から考える—』（2018）スリーエーネットワーク、『Japanese: A Comprehensive Grammar, 2nd Edition』（2013共著）Routledge、『日本語誤用辞典 外国人学習者の誤用から学ぶ日本語の意味用法と指導のポイント』（2010共著）スリーエーネットワーク、『中級日本語文法と教え方のポイント』（2007）スリーエーネットワーク、『日本語教育指導参考書22：日本語教育のための文法用語』（2001）国立国語研究所、『Situational Functional Japanese Ⅰ-Ⅲ』（1991-1992共著）凡人社

装幀・本文デザイン
小林はる代（Spring Spring）

イラスト
向井直子

初級日本語文法と教え方のポイント

2005年4月11日　初版第1刷発行
2024年6月14日　第18刷発行

著　者　市川保子
発行者　藤嵜政子
発　行　株式会社スリーエーネットワーク
　　　　〒102-0083　東京都千代田区麹町3丁目4番
　　　　　　　　　　トラスティ麹町ビル2F
　　　　電話　営業　03(5275)2722
　　　　　　　編集　03(5275)2725
　　　　https://www.3anet.co.jp/
印　刷　萩原印刷株式会社

ISBN978-4-88319-336-3 C0081

落丁・乱丁本はお取替えいたします。
本書の全部または一部を無断で複写複製（コピー）することは著作権法上での例外を除き、禁じられています。